A tenda vermelha

Anita Diamant

A tenda vermelha

"SE A BÍBLIA TIVESSE SIDO ESCRITA POR MULHERES, SERIA EXATAMENTE COMO ESTE LIVRO."
— *THE BOSTON GLOBE*

Tradução
Maria Luiza Newlands Silveira
Marcia Claudia Reynaldo Alves

5ª edição
Rio de Janeiro-RJ / São Paulo-SP, 2024

VERUS EDITORA

Editora
Raïssa Castro

Coordenadora editorial
Ana Paula Gomes

Revisão
Raquel de Sena Rodrigues Tersi

Diagramação
Daiane Avelino

Capa
Marianne Lépine

Fotos da capa
Buffy Cooper/Trevillion
Chantal de Bruijne/Shutterstock

Título original
The Red Tent

ISBN: 978-85-7686-444-8

Copyright © Anita Diamant, 1997
Todos os direitos reservados.
Edição publicada mediante acordo com St. Martin's Press, LLC.

Tradução © Verus Editora, 2018
Direitos reservados em língua portuguesa, no Brasil, por Verus Editora. Nenhuma parte desta obra pode ser reproduzida ou transmitida por qualquer forma e/ou quaisquer meios (eletrônico ou mecânico, incluindo fotocópia e gravação) ou arquivada em qualquer sistema ou banco de dados sem permissão escrita da editora.

Verus Editora Ltda.
Rua Argentina, 171, São Cristóvão, Rio de Janeiro/RJ, 20921-380
www.veruseditora.com.br

CIP-BRASIL. CATALOGAÇÃO NA FONTE
SINDICATO NACIONAL DOS EDITORES DE LIVROS, RJ

D528t

Diamant, Anita
  A tenda vermelha / Anita Diamant ; tradução Maria Luiza Newlands Silveira; Marcia Claudia Reynaldo Alves. - 5. ed. - Rio de Janeiro/RJ : Verus, 2024.
  294 p. ; 23 cm.

  Tradução de: The Red Tent
  ISBN 978-85-7686-444-8

  1. Ficção americana. I. Silveira, Maria Luiza Newlands. II. Título. III. Série.

17-46736
CDD: 813
CDU: 821.111(73)-3

Revisado conforme o novo acordo ortográfico

Para Emília, minha filha

ÁRVORE GENEALÓGICA

PRIMEIRA GERAÇÃO

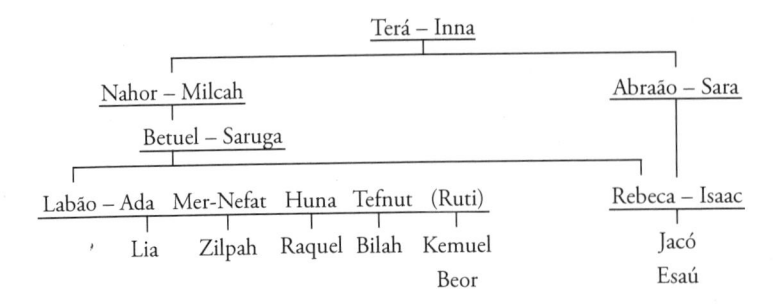

Terá – Inna

Nahor – Milcah   Abraão – Sara

Betuel – Saruga

Labão – Ada   Mer-Nefat   Huna   Tefnut   (Ruti)   Rebeca – Isaac

   Lia   Zilpah   Raquel   Bilah   Kemuel   Jacó
                                       Beor   Esaú

OS FILHOS DE JACÓ

Jacó – Lia – Zilpah – Raquel – Bilah

Rubem   Gad   José   Dan
Simão   Asher   Benjamim
Levi
Judá
Zebulun
Naftali
Issacar
Dinah

OS FILHOS DE ESAÚ

Esaú – Adath – Basemath – Oholibama

Elifaz   Reuel   Jeush
Edva   Tabea   Jalam
Libbe   Korah
Amat   Iti

DINAH NO EGITO

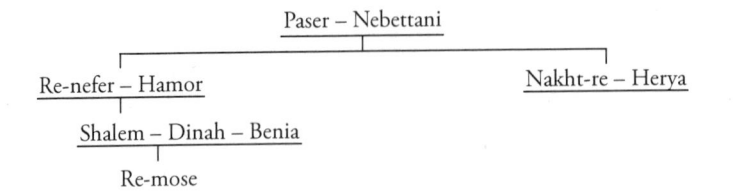

Paser – Nebettani

Re-nefer – Hamor   Nakht-re – Herya

Shalem – Dinah – Benia

Re-mose

Prólogo

Nós nos perdemos de vista por um tempo longo demais. Meu nome nada significa para você. Minha lembrança hoje é pó.

Não é culpa sua. Nem minha. Os elos da corrente que ligam mãe e filha foram rompidos e a palavra passou à guarda dos homens, que não tinham meios de saber. Por isso, tornei-me uma simples anotação à margem do papel, e minha história apenas um breve desvio da narrativa entre a conhecida história de meu pai, Jacó, e a famosa crônica de José, meu irmão. Nas raras ocasiões em que lembraram de mim foi sempre como vítima. Quase no início de seu livro sagrado há um trecho que parece dizer que fui violentada e que prossegue com o relato sangrento da maneira como vingaram minha honra.

É de admirar que certas mães ainda assim tenham dado às filhas o nome de Dinah. Mas algumas o fizeram. Talvez tenham adivinhado que fui mais do que aquela nulidade sem voz própria que aparece no texto. Talvez tenham percebido isso na música de meu nome: a primeira vogal alta e clara como quando a mãe chama o filho ao entardecer; a segunda, suave como segredos sussurrados nos travesseiros. Dinah.

Ninguém lembrou minha habilidade como parteira, ou as canções que eu cantava, ou o pão que eu assava para meus irmãos sempre insaciáveis. Nada restou a não ser alguns pormenores deturpados sobre aquelas semanas em Shechem.

Havia muito mais o que contar. Se me tivessem pedido para falar a respeito, eu teria começado com a história da geração que me criou, que é o único ponto de onde se pode realmente começar. Se você quiser compreender qualquer mulher, precisa antes perguntar sobre a mãe dela e depois escutar com atenção o que é dito. Histórias sobre comida revelam uma forte ligação entre elas. Silêncios pensativos indicam questões não resolvidas. Quanto mais detalhes sobre a vida da mãe a filha parece conhecer — sem se perturbar nem se queixar —, mais forte é essa filha.

É claro que isso é muito mais complicado para mim porque tive quatro mães, cada uma delas repreendendo, educando e apreciando uma coisa diferente em mim, concedendo-me diferentes dons e legando-me a maldição de diferentes medos. Lia deu-me a vida e sua esplêndida arrogância. Raquel mostrou-me onde colocar os tijolos da parteira e como arrumar meu cabelo. Zilpah fez-me pensar. Bilah me escutou. Nenhuma das minhas mães temperava seu ensopado de maneira igual à da outra. Nenhuma delas falava com meu pai usando o mesmo tom de voz da outra — nem ele com nenhuma delas. E vocês devem saber também que minhas mães eram irmãs, filhas de Labão com esposas diferentes, apesar de meu avô nunca ter reconhecido Zilpah nem Bilah. Isso lhe teria custado mais dois dotes, e ele era um sovina miserável.

Como todas as irmãs que moram juntas e partilham o mesmo marido, minha mãe e minhas tias acabaram criando entre elas uma pegajosa teia de lealdades e ressentimentos. Trocavam segredos como se fossem pulseiras, que passavam para mim, a única menina sobrevivente. Confiavam-me coisas que eu era jovem demais para ouvir. Seguravam meu rosto entre suas mãos e faziam-me jurar que não esqueceria.

Minhas mães orgulhavam-se de dar tantos filhos homens a meu pai. Filhos varões eram o orgulho e a medida de uma mulher. Mas o nascimento de um menino após outro nem sempre era uma fonte de alegria irrestrita nas tendas das mulheres. Meu pai gabava-se de sua ruidosa tribo e as mulheres amavam meus irmãos, mas também suspiravam por filhas e reclamavam entre elas da masculinidade da semente de Jacó.

As filhas aliviavam o fardo de responsabilidades de suas mães, ajudando-as a tecer, a moer os grãos, e na tarefa incessante de tomar conta dos meninos pequenos que estavam sempre urinando nos cantos das tendas, por mais que se falasse.

Porém a outra razão por que as mulheres queriam ter filhas era para manter vivas as suas lembranças. Os meninos, depois de desmamados, não ouviam as histórias de suas mães. Assim, fui eu quem as ouviu. Minha mãe e minhas mães-tias contaram-me histórias intermináveis sobre suas vidas. Não importa em que estivessem ocupadas — segurando bebês, cozinhando, fiando ou tecendo —, elas enchiam meus ouvidos de histórias.

Na penumbra rosada da tenda vermelha, a tenda menstrual, elas corriam os dedos pelos cachos de meu cabelo, repetindo os relatos das escapadelas de sua juventude, as sagas de seus partos. Suas histórias eram como oferendas de esperança e força derramadas diante da Rainha do Paraíso, apesar de não se destinarem a nenhum deus ou deusa, mas a mim.

Posso ainda sentir quanto minhas mães me amavam. Sempre lembrei com carinho desse amor. Serviu-me de amparo. Manteve-me viva. Mesmo depois de deixá-las. E hoje ainda, tanto tempo depois de sua morte, a lembrança de minhas mães me reconforta.

Transmiti as histórias de minhas mães para a geração seguinte, mas as histórias da minha vida me foram proibidas, e aquele silêncio quase destruiu a minha alma, quase me matou. Não morri, porém, e vivi o suficiente para que outras histórias enchessem meus dias e minhas noites. Vi recém-nascidos abrirem os olhos para um mundo novo. Descobri motivos para rir e para sentir gratidão. Fui amada.

E agora vocês vêm a mim, mulheres com mãos e pés tão macios quanto os de uma rainha, mulheres que possuem mais panelas do que realmente precisam, que dão à luz com tanta segurança, que têm tanta liberdade para falar o que pensam. Chegam ávidas pela história que se perdeu. Anseiam pelas palavras que vão preencher o grande silêncio que me engoliu, e engoliu minhas mães, e minhas avós antes delas.

Gostaria de ter mais o que contar a respeito de minhas avós. É terrível constatar quanta coisa foi esquecida, o que, para mim, faz o ato de evocar lembranças parecer sagrado.

Sinto-me imensamente grata por vocês terem vindo. Vou deixar fluir tudo o que guardei em minha memória para que todas se levantem desta mesa satisfeitas e revigoradas. Que seus olhos sejam abençoados. Que seus filhos sejam abençoados. Que seja abençoado o chão sob seus pés. Meu coração é uma concha repleta de água doce, transbordante.

Selah.

Parte I
AS HISTÓRIAS DE MINHAS MÃES

1

As histórias de minhas mães começaram no dia em que meu pai apareceu. Raquel entrou correndo no acampamento, os joelhos voando, berrando como um bezerro separado da mãe. Antes que alguém pudesse ralhar com ela por estar se portando como um moleque selvagem, a menina desandou a contar de um fôlego só uma história meio incompreensível sobre um desconhecido que encontrara no poço, as palavras transbordando como água respingando na areia.

Um homem impetuoso, sem sandálias. Cabelo emaranhado. Rosto sujo. Beijou-a na boca, era um primo, filho da tia delas, dera água aos carneiros e cabras para ela e afugentara os valentões que estavam perto do poço.

— Que bobagens são essas que você está dizendo? — perguntou seu pai, Labão. — Quem é essa pessoa que está lá no poço? Quem o acompanha? Vem com uma comitiva? Quantos sacos de viagem está trazendo?

— Ele vai se casar comigo — disse Raquel, sem rodeios, assim que recuperou o fôlego. — Disse que nasci para ele e que se casaria comigo amanhã, se pudesse. Está vindo aí para pedir isso ao senhor.

Lia amarrou a cara ao ouvir o aviso.

— Casar com você? — disse ela, cruzando os braços e endireitando os ombros. — Você só estará pronta para o casamento daqui a mais um ano — disse a moça mais velha, que, embora tendo pouca idade mais que Raquel, já se comportava como a principal figura feminina a gerir as pequenas posses de seu pai. A dona da casa de Labão, com seus catorze anos de idade, gostava de usar um tom de voz altaneiro e maternal para falar com a irmã menor.

— Que história é essa? E como é que ele chegou a beijar você? — Aquilo era infringir seriamente os costumes, mesmo ele sendo um primo e Raquel ainda sendo considerada uma criança.

Raquel espichou o lábio inferior fazendo um beiço que poucas horas antes teria sido visto como infantil. Alguma coisa tinha acontecido desde o momento em que ela abrira os olhos naquela manhã, e o assunto mais premente em sua cabeça havia sido tentar descobrir o lugar onde Lia escondia o mel. Lia, aquela imbecil, nunca o dividia com ela, preferia guardá-lo para oferecer às visitas, dando de vez em quando um pouquinho para aquela figura patética que era Bilah, e para mais ninguém.

Agora, Raquel só conseguia pensar no homem desgrenhado que a fizera estremecer até os ossos, em um choque de mútuo reconhecimento, quando seus olhos se encontraram.

Raquel sabia o que Lia queria dizer, mas o fato de ainda não ter começado a sangrar não significava nada para ela naquele momento. E seu rosto se ruborizou.

— Ora essa, vejam só! — disse Lia, de repente achando graça. — Raquel ficou apaixonada. Olhem para ela — insistiu. — Alguém já viu essa menina corar antes?

— O que ele fez com você? — perguntou Labão, rosnando como um cão que fareja a presença de um intruso perto de seu rebanho.

Cerrou os punhos, franziu o sobrolho e voltou toda a sua atenção para Raquel, a filha em quem ele jamais batera, a filha que ele raramente olhava de frente. Ela o amedrontara desde o nascimento, uma chegada violenta, dilacerante, que matara sua mãe. Quando a criança afinal nasceu, as mulheres ficaram espantadas ao ver como era pequena — sendo uma menina, ainda por cima — para ter causado tantos dias de sofrimento, ter custado à sua mãe tanto sangue e, por fim, a morte.

A presença de Raquel era poderosa como a lua e igualmente bela. Ninguém podia negar sua beleza. Quando eu era criança e idolatrava o rosto de minha mãe, sabia que a beleza dela empalidecia diante da beleza de sua irmã mais nova, e admitir tal coisa fazia com que eu me sentisse uma traidora. No entanto, negá-la seria o mesmo que negar o calor do sol.

Raquel tinha uma beleza rara e impressionante. O cabelo castanho possuía reflexos acobreados, e a pele, dourada como mel, era perfeita. Nessa moldura cor de âmbar, os olhos brilhavam surpreendentemente escuros, não um simples castanho-escuro, mas o negro da obsidiana polida ou das profundezas de um poço. Embora tivesse uma ossatura miúda e, mesmo quando estava esperando criança, seios pequenos, suas mãos eram fortes e vigorosas e sua voz rouca parecia pertencer a um tipo mais corpulento de mulher.

Certa vez, ouvi dois pastores discutindo sobre o que Raquel teria de mais bonito, uma brincadeira que eu também fazia. Para mim, o detalhe mais deslumbrante da perfeição de Raquel eram suas faces, altas e firmes em seu rosto, como se fossem figos. Quando eu era bebê, costumava estender as mãos para elas, tentando pegar a fruta que aparecia quando Raquel sorria. Depois, percebi que isso era impossível e passei a lamber o rosto dela na esperança de sentir o gosto da fruta. Isso provocava em minha linda tia grandes risadas que lhe sacudiam o corpo. Ela gostava mais de mim que de todos os sobrinhos homens juntos, pelo menos era o que me dizia enquanto penteava meu cabelo, fazendo as tranças esmeradas que a minha própria mãe não tinha tempo ou paciência para fazer.

É quase impossível exagerar a extensão da beleza de Raquel. Ainda bebê, era uma joia no colo de quem a levasse de um lugar para outro, um ornamento, um prazer raro: a criança de olhos negros e cabelos dourados. Seu apelido era Tuki, que quer dizer "doçura".

Todas as mulheres se revezaram nos cuidados a Raquel depois que sua mãe, Huna, morreu. Huna era uma hábil parteira conhecida por sua risada gutural, e sua morte foi muito lamentada pelas mulheres. Ninguém reclamou por ter de cuidar da filha órfã de Huna, e até os homens, para quem os bebês tinham tantos atrativos quanto as pedras dos fogões, curvavam-se para tocar com as mãos calosas aquele rosto extraordinário. Erguiam-se cheirando os dedos e sacudindo a cabeça, perplexos.

Raquel tinha cheiro de água. Realmente. Por onde quer que minha tia passasse, lá estava o cheiro de água doce, de água fresca. Era um cheiro inacreditável, verde, delicioso, e, naquelas colinas áridas, o cheiro da vida e da riqueza. Na verdade, durante muitos anos, a família de Labão só não passou fome porque tinha um poço em suas terras.

Desde muito cedo havia esperança de que Raquel fosse uma rabdomante, uma espécie de feiticeira que encontra poços ocultos e correntes de água subterrâneas. Ela não satisfez as expectativas, mas, de alguma forma, o aroma de água doce emanava de sua pele e impregnava suas túnicas. Sempre que um dos bebês sumia, era muito comum encontrarem o pequeno tratante, um dedo na boca, profundamente adormecido sobre os cobertores de Raquel.

Não admira que Jacó tenha ficado encantado à beira do poço. Os outros homens já estavam acostumados com a aparência de Raquel e até com seu surpreendente perfume, mas para Jacó ela deve ter surgido como uma aparição. Ele a olhou nos olhos e foi conquistado. Quando a beijou, deixou escapar a exclamação do homem que se deita com sua mulher. O som fez Raquel despertar da infância.

Mal houve tempo para Raquel descrever seu encontro, pois Jacó em pessoa logo apareceu. Andou na direção de Labão e Raquel viu seu pai examiná-lo com o olhar.

Labão viu em primeiro lugar que ele vinha de mãos vazias, mas também notou que a túnica e o manto do desconhecido eram de material de boa qualidade, seu odre era bem feito e o punho de sua faca, de osso entalhado e polido. Jacó postou-se diante de Labão e, inclinando a cabeça, apresentou-se.

— Meu tio, sou filho de Rebeca, sua irmã, filha de Nahor e Milcah, de quem também o senhor é filho. Minha mãe me enviou, meu irmão me perseguiu, meu pai me baniu. Contarei tudo o que ocorreu quando não estiver mais tão sujo nem tão fatigado. Busco a sua hospitalidade, que é famosa na região.

Raquel abriu a boca para falar, mas Lia deu um puxão no braço da irmã, lançando-lhe um severo olhar de advertência. Nem mesmo a juventude de Raquel justificaria uma moça falar quando um homem estava dirigindo a palavra a outro. Raquel bateu o pé no chão e pensou coisas venenosas sobre a irmã, aquela cretina mandona, a megera zarolha.

As palavras de Jacó sobre a famosa hospitalidade de Labão eram uma mentira cortês, pois Labão não estava de modo algum satisfeito com a presença desse sobrinho. Não havia muita coisa que desse prazer ao velho, e desconhecidos famintos constituíam surpresas indesejáveis. Ainda assim, nada podia fazer; era obrigado a acatar o pedido de um parente e não havia como negar os laços que os ligavam. Jacó sabia os nomes, e Labão reconhecia o rosto de sua irmã no homem à sua frente.

— Seja bem-vindo — disse Labão, sem sorrir ou retribuir a saudação do sobrinho. Ao virar-se para ir embora, Labão apontou o polegar para Lia, atribuindo-lhe a responsabilidade de cuidar daquela amolação. Minha mãe assentiu com um gesto de cabeça e virou-se para encarar o primeiro homem adulto que não desviou o rosto ao olhar para os olhos dela.

⁓⊙⊙⊙⤳

A visão de Lia era perfeita. De acordo com uma das lendas mais ridículas que se inventaram a respeito da história de minha família, ela estragou os olhos chorando um mar de lágrimas diante da perspectiva de se casar com meu tio Esaú.

Os olhos de minha mãe não eram fracos, doentes ou reumosos. A verdade é que os olhos dela incomodavam as outras pessoas, e a maioria preferia desviar a vista a encará-los: um, azul como lápis-lazúli, o outro, verde como a relva do Egito.

Quando nasceu, a parteira declarou que uma bruxa acabara de vir ao mundo e que a criança deveria ser afogada antes que atraísse desgraças para a família. Minha avó Ada, no entanto, esbofeteou a mulher ignorante e amaldiçoou sua língua.

— Mostre-me a minha filha — ordenou Ada, com a voz tão alta e cheia de orgulho que até os homens lá fora puderam ouvi-la. Ada deu à sua amada última filha o nome de Lia, que significa "senhora", "ama", e rezou chorando para que a menina sobrevivesse, pois já enterrara sete filhos e filhas.

Muita gente continuou convencida de que a criança era um demônio. Por algum motivo inexplicável, Labão, que era a pessoa mais supersticiosa que se possa imaginar, que cuspia e se curvava sempre que se dirigia para o lado esquerdo, que uivava a cada eclipse lunar, recusou-se a dar ouvidos aos que lhe sugeriam deixar Lia exposta ao ar da noite do lado de fora da tenda para que morresse. Soltava uma ou outra imprecação sem gravidade sobre o fato de Lia ser uma menina, mas, fora isso, Labão ignorava a filha e nunca sequer mencionou a característica que a distinguia. O que reforçava as suspeitas das mulheres de que o velho talvez não enxergasse as cores.

Os olhos de Lia nunca mudaram de cor, como algumas mulheres previam ou esperavam que acontecesse, mas a diferença entre eles tornou-se ainda mais viva com o passar do tempo, e sua singularidade fez-se ainda mais acentuada quando os cílios deixaram de crescer. Apesar de piscar como todo mundo, o ato reflexo era quase imperceptível, de modo que se tinha a impressão de que Lia nunca fechava os olhos. Até o seu olhar mais amoroso tinha algo da fixidez dos olhos das serpentes, e poucos aguentavam encará-la. Os que conseguiam eram recompensados com beijos, risos e pão molhado no mel.

Jacó olhou direto nos olhos de Lia, e por causa disso o coração dela se aqueceu para ele no mesmo instante. Na realidade, a altura de Jacó já chamara a atenção de Lia. Ela era meia cabeça mais alta que a maioria dos homens que vira em sua vida e descartara por esse motivo. Sabia que isso não era nada justo. Haveria certamente bons homens entre aqueles cuja cabeça mal alcançava seu nariz. Mas a ideia de se deitar com alguém cujas pernas fossem mais curtas e mais fracas que as suas lhe causava repulsa. Não que algum deles a tivesse pedido em casamento. Ela sabia que todos a chamavam de "Lagarto", "O Mau-Olhado" e outras coisas ainda piores.

Sua aversão por homens baixos confirmou-se quando sonhou com um homem alto sussurrando para ela. Não se lembrava das palavras, mas o que ele disse espalhou um calor por suas coxas e a fez despertar. Quando viu Jacó, lembrou-se do sonho e seus olhos esquisitos se abriram mais, atentos.

Jacó também olhou para Lia com interesse. Embora ainda estivesse sob o impacto do encontro com Raquel, não podia deixar de notar a aparência de Lia.

Era não só alta como também vigorosa e bem feita de corpo. Fora abençoada com seios fartos, empinados, e pernas musculosas, cuja visão era favorecida pelas túnicas que, sabe-se lá por que, nunca ficavam fechadas na altura da bainha. Seus braços pareciam os de um rapaz, mas seu andar era o de uma mulher com quadris promissores.

Lia sonhara certa vez com uma romã aberta em que se viam oito sementes vermelhas. Segundo Zilpah, o sonho significava que Lia teria oito filhos saudáveis, e minha mãe sabia que isso era tão verdade quanto o fato de ser hábil ao fazer pão e cerveja.

O cheiro de Lia não era nenhum mistério. Tinha o cheiro da levedura que manuseava diariamente, fermentando e assando. Recendia a pão e a conforto e — assim pareceu a Jacó — a sexo. Ele olhou para aquela giganta e sentiu água na boca. Pelo que sei, nunca disse nada sobre os olhos dela.

⁂

Minha tia Zilpah, a segunda filha de Labão, costumava dizer que se lembrava de absolutamente tudo o que já acontecera em sua vida. Afirmava que tinha lembranças de fatos ocorridos em seu nascimento e até dos dias passados no ventre de sua mãe. Jurava que era capaz de lembrar da morte da mãe dentro da tenda vermelha, onde ela adoeceu dias depois de Zilpah vir ao mundo, os pés saindo primeiro. Lia fazia troça de tudo isso, mas nunca na frente da irmã, pois Zilpah era a única pessoa capaz de segurar a língua de minha mãe, fazendo-a calar.

O que Zilpah lembrava sobre a chegada de Jacó não se comparava às lembranças de Raquel ou de Lia, o que era compreensível, porque Zilpah não gostava muito de homens, que dizia serem cabeludos demais, grosseiros demais e animalescos. As mulheres precisavam dos homens para terem filhos e para arrastarem objetos pesados, mas além disso ela não compreendia para que eles existiam e muito menos apreciava seus encantos. Amou seus filhos com paixão até o momento em que a barba deles começou a apontar. Depois disso, porém, mal conseguia forçar-se a olhar para eles.

Quando cresci e lhe perguntei como foi o dia em que meu pai chegou, ela disse que a presença de El pairava acima dele, e era isso que o fazia digno de atenção. Zilpah contou-me que El era o deus do trovão, dos locais elevados e dos sacrifícios terríveis. El podia exigir que um pai deserdasse o filho, o lançasse no deserto ou o imolasse sem hesitar. Era um deus severo, estranho, frio e hostil. Contudo, ela admitia, era um consorte poderoso, digno da Rainha do Paraíso, que ela venerava em todas as formas e nomes.

Zilpah falava sobre deuses e deusas quase tanto quanto se referia às pessoas comuns. Às vezes eu achava isso meio cansativo, mas ela sabia usar as palavras de mil maneiras maravilhosas e eu adorava suas histórias sobre Ninhursag, a grande mãe, e Enlil, o primeiro pai. Ela criava hinos cheios de pompa em que pessoas verdadeiras se encontravam com as divindades e todos dançavam juntos ao som de flautas e címbalos, e entoava esses hinos com voz alta e fina, batendo o acompanhamento em um pequeno tambor feito de argila.

Desde a sua primeira menstruação, Zilpah considerava-se uma espécie de sacerdotisa, a guardiã dos mistérios da tenda vermelha, a filha de Asherah, a irmã-Siduri que aconselha as mulheres. Era uma tolice da parte dela, já que somente sacerdotes homens serviam as deusas dos templos da grande cidade, enquanto as sacerdotisas estavam ao serviço dos deuses. Além do mais, Zilpah não possuía nenhum dos dons característicos dos oráculos. Não tinha talento algum para lidar com ervas e não sabia fazer profecias, invocações ou interpretações com as vísceras das cabras. O único sonho que ela interpretou corretamente foi o de Lia sobre as oito sementes de romã. Zilpah era filha de Labão com uma escrava chamada Mer-Nefat, que fora comprada de um comerciante egípcio nos tempos em que Labão ainda tinha recursos. Segundo Ada, a mãe de Zilpah era esguia, tinha cabelos negros e lustrosos e era tão quieta que as pessoas até esqueciam que ela possuía o dom da fala, um traço que sua filha não herdou.

Zilpah era apenas alguns meses mais nova que Lia e, depois que a mãe de Zilpah morreu, Ada amamentou as duas meninas ao mesmo tempo. Eram companheiras de brinquedo quando bebês, amigas íntimas quando crianças, sempre juntas, tomando conta dos rebanhos, colhendo frutas selvagens, inventando canções, rindo. Além de Ada, não sentiam falta de mais ninguém no mundo.

Zilpah era quase tão alta quanto Lia, porém mais magra e com o tronco e as pernas menos robustos. De cabelos escuros e pele morena azeitonada, Lia e Zilpah pareciam-se com o pai e ostentavam o nariz da família, o mesmo de Jacó: um respeitável bico de gavião que parecia ficar mais comprido quando elas sorriam. Tanto Lia quanto Zilpah tinham o hábito de falar com as mãos, pressionando o polegar e o indicador em ovais enfáticos. Quando o sol as fazia apertar os olhos, linhas idênticas apareciam em torno dos cantos de seus olhos.

Entretanto, enquanto o cabelo de Lia era encaracolado, a juba negra de Zilpah era lisa e ela a usava solta, chegando-lhe até a cintura. Era o que tinha de mais bonito, e minha tia detestava cobrir os cabelos. Os toucados faziam sua cabeça latejar, dizia ela pondo a mão no rosto em uma tola encenação. Mesmo quando eu era pequena, deixavam-me rir dela nesses momentos. As pretensas dores de cabeça eram também a justificativa que ela apresentava para ficar tanto tempo dentro das tendas das mulheres. Não nos acompanhava quando saíamos para nos aquecer ao sol da primavera ou procurar uma brisa refrescante nas noites quentes. Porém, quando a lua estava em seu primeiro quarto, tímida e fina, mal se fazendo perceber no céu, Zilpah andava em volta do acampamento, balançando o longo cabelo, batendo palmas e cantando canções em oferenda para estimular o retorno da lua.

Quando Jacó chegou, Bilah tinha apenas oito anos e não guardou nenhuma lembrança do que aconteceu naquele dia.

— Estava provavelmente no alto de alguma árvore, chupando o dedo e contando as nuvens — dizia Lia, repetindo a única coisa que as pessoas recordavam dos primeiros anos de Bilah.

Bilah era a órfã da família. Última filha gerada por Labão, sua mãe tinha sido uma escrava chamada Tefnut — uma mulher diminuta de pele escura, que fugiu uma noite quando Bilah já era crescida o suficiente para saber que tinha sido abandonada.

— Ela nunca superou essa mágoa — afirmava Zilpah com grande delicadeza, pois Zilpah respeitava a dor.

Bilah estava deslocada no meio das outras. E não apenas por ser a mais nova e por haver três outras irmãs para dividir o trabalho. Bilah era uma criança triste, e era mais fácil deixá-la só. Raramente sorria e quase não falava. Nem minha avó Ada, que adorava meninas, que levara Zilpah, órfã de mãe, para seu círculo familiar mais íntimo, e que era louca por Raquel, conseguia sentir muito afeto por aquela avezinha estranha, solitária, que nunca ultrapassou a altura de um menino de dez anos e cuja pele era da cor do âmbar escuro.

Bilah não era bonita como Raquel, ou competente como Lia, ou ligeira como Zilpah. Era miúda, escura e silenciosa. Ada ficava exasperada com seu cabelo, que parecia feito de musgo e recusava-se a obedecer às suas mãos. Em comparação com as outras duas meninas sem mãe, Bilah era bastante negligenciada.

Entregue a si mesma, ela subia em árvores e parecia estar sempre sonhando. De seu poleiro, estudava o mundo, as configurações do céu, os hábitos dos pássaros e dos bichos. Começou a conhecer individualmente os animais que formavam os rebanhos e deu a cada um deles um nome secreto combinando com a personalidade que tinham. Em um certo entardecer, chegou dos campos e sussurrou para Ada que uma cabra preta anã estava prestes a ter crias gêmeas. A época para as cabras darem cria estava longe, e aquela em especial ficara estéril durante quatro temporadas. Ada balançou a cabeça ao ouvir a bobagem que Bilah estava dizendo e mandou-a embora dali.

No dia seguinte, Labão trouxe notícias de um estranho fato que acontecera, confirmando com precisão o prognóstico da pequena. Ada voltou-se para a menina e pediu-lhe desculpas.

— Bilah sabe ver com clareza — disse Ada às outras filhas, que se voltaram para olhar aquela irmã até então despercebida e notaram pela primeira vez que havia bondade em seus olhos negros.

Prestando atenção, via-se logo que ela era boa. Era boa como o leite é bom, como a chuva é boa. Bilah observava os céus, os animais, e observava também sua família. Dos cantos sombrios das tendas, via Lia disfarçar sua mortificação quando as pessoas reparavam nela. Bilah sabia que Raquel tinha medo do escuro e que Zilpah sofria de insônia. Percebera que Labão era não só mesquinho, como também ignorante.

Bilah dizia que a primeira lembrança nítida que tinha de Jacó era do dia em que o primeiro filho dele nascera. Havia sido um menino — Rubem — e Jacó, é claro, estava encantado. Tomou o filho nos braços e saiu dançando com o bebê, dando voltas e mais voltas do lado de fora da tenda vermelha.

— Ele foi tão carinhoso com o bebê — contou Bilah — que não quis deixar Ada tirá-lo dele nem quando o pequeno começou a chorar. Dizia que seu filho era perfeito, um milagre neste mundo. Eu estava ao lado dele, e Jacó e eu ficamos juntos admirando o bebê. Contamos seus dedinhos e acariciamos sua cabeça. Nós nos deleitamos com ele, e cada um alegrou-se com a alegria do outro — disse. — Foi assim quando encontrei Jacó, seu pai.

Jacó chegou em um fim de tarde de uma semana de lua cheia, comeu uma refeição ligeira de pão de cevada e azeitonas e, exausto, caiu em um sono pesado que durou quase todo o dia seguinte. Lia ficou envergonhada com a simplicidade da comida que tinham oferecido a ele na chegada, de modo que se mobilizou para produzir um banquete como só se via nos grandes festivais.

— Padeci mais por causa daquela refeição do que por qualquer outra que jamais preparei — disse Lia, contando-me a história durante uma daquelas tardes quentes e monótonas em que ficávamos sacudindo as jarras de boca estreita para coar a água do coalho de leite de cabra. — O pai de meus filhos estava ali em casa, eu tinha certeza. Sabia que estava fascinado por Raquel, cuja beleza eu parecia notar pela primeira vez. Mesmo assim, ele olhava para mim sem hesitar, portanto não perdi as esperanças. Abati um cabrito, um macho sem mancha alguma, como se fosse fazer um sacrifício para os deuses. Bati o painço até ficar leve como uma nuvem. Enfiei a mão sem cerimônia nos sacos onde guardava meus temperos mais preciosos e usei todo o resto de romã seca que possuía. Triturei, cortei e ralei freneticamente, achando que ele compreenderia o que eu lhe estava oferecendo. Ninguém me ajudou na cozinha, nem eu teria permitido que qualquer outra pessoa tocasse na carne ou no pão, ou até na água de cevada. Não teria deixado nem minha própria mãe pôr água em uma panela — admitiu Lia dando risada.

Eu adorava essa história e volta e meia pedia para ouvi-la outra vez. Lia era uma pessoa sempre segura e ponderada, firme demais, nunca perdia a cabeça. No entanto, quando contava sobre a primeira refeição que preparou para Jacó, era outra vez a jovem chorona e boba daquela ocasião.

— Agi como uma idiota — disse ela. — Queimei a primeira fornada de pão e comecei a chorar. Cheguei a oferecer um pedaço da bisnaga seguinte em sacrifício para que Jacó se interessasse por mim. Como fazemos quando assamos os bolos no sétimo dia para a Rainha do Paraíso, parti uma porção da massa de pão, beijei-a e atirei-a ao fogo em oferenda, com a esperança de que aquele homem me quisesse. Jamais conte isso a Zilpah, ou ela nunca mais vai parar de falar no assunto — pediu Lia cochichando com um ar zombeteiro e conspirador ao mesmo tempo. — E é claro que, se Labão, seu avô, tivesse noção da quantidade de comida que eu iria servir a um pedinte que aparecera sem trazer ao menos um cântaro de azeite de presente, ele teria me dado uma sova de vara. Mas eu dei tanta cerveja forte ao velho que ele não fez o menor comentário. Ou talvez não tenha falado de minha extravagância porque sabia que aquele parente lhe traria sorte. Talvez pressentisse ter encontrado um genro que não exigiria um dote muito grande. Era difícil descobrir o que o velho sabia ou deixava de saber. Ele parecia um boi, o seu avô.

— Uma estaca — eu replicava.

— Uma pedra de fogão — retorquia minha mãe.

— Um monte de excremento de cabra — eu acrescentava.

Minha mãe sacudia o dedo para mim como se faz com uma criança levada e depois ria alto, porque falar mal de Labão era uma das brincadeiras favoritas das filhas dele.

Ainda sei de cor o cardápio daquele dia. Carne temperada com coentro, marinada em leite de cabra azedo e servida com molho de romã. Dois tipos de pão: de cevada sem fermento e de trigo fermentado. Compota de marmelo, figos cozidos com amoras, tâmaras frescas. Azeitonas, é claro. E, para beber, podia-se escolher entre vinho doce, três diferentes tipos de cerveja e refresco de cevada.

Jacó estava tão exausto que quase perdeu a refeição que Lia preparou com tanto empenho. Zilpah custou muito para acordá-lo e acabou tendo de jogar água no pescoço dele, dando-lhe um susto tão grande que ele ergueu os braços de repente e atirou-a violentamente de costas no chão, perdendo o fôlego e sibilando como um gato.

Zilpah não se sentia nem um pouco satisfeita com a chegada desse tal de Jacó. Notava que sua presença tinha mudado muita coisa entre as irmãs e que iria enfraquecer seus laços com Lia. Ele a incomodava porque era muito mais atraente que os outros homens que conheciam, pastores desbocados e comerciantes eventuais que olhavam para as irmãs como se elas fossem um rebanho de ovelhas.

Jacó tinha boas maneiras e um rosto bonito. E, quando o olhar dele encontrou o de Lia, Zilpah compreendeu que suas vidas nunca mais seriam as mesmas. Ela se sentia angustiada, irritada e impotente para impedir a mudança, embora tenha tentado.

Quando Jacó finalmente acordou e veio sentar-se à direita de Labão do lado de fora de sua tenda, ele comeu bem. Lia lembrava-se de cada bocado que ele levou à boca.

— Ele se servia do guisado de carne uma vez atrás da outra, e comeu três porções de pão. Vi que gostava de sabores doces e que preferia a cerveja preparada com mel à amarga que Labão tomava sem parar. Eu já sabia como agradar à sua boca, pensei comigo. Saberia também como agradar ao resto de seu corpo.

Essa frase sempre fazia minhas outras mães rirem alto e baterem a palma das mãos nas coxas, pois Lia era uma mulher prática, mas também a mais lasciva das irmãs.

— E então, depois de todo aquele trabalho, depois de toda aquela comilança, o que você imagina que aconteceu? — Lia perguntou, como se eu já não soubesse a resposta tão bem quanto conhecia a pequena cicatriz em forma de meia-lua acima da junta de seu polegar direito. — Jacó passou mal, foi o que houve. Vomitou tudo. Vomitou até ficar fraco e começar a choramingar. Invocou El, Ishtar, Marduk e sua bendita mãe para que acabassem com aquela agonia ou o deixassem morrer. Zilpah, aquela peste, esgueirava-se para dentro da tenda dele para ver como ia passando e depois me dava notícias, mas fazia as coisas parecerem muito piores do que estavam na realidade. Dizia-me que ele estava mais branco do que a lua cheia, que latia como um cachorro e que estava cuspindo sapos e cobras. Fiquei arrasada... e apavorada também. E se ele morresse por causa da minha comida? Ou, pior, se ficasse bom e me culpasse por todo aquele sofrimento? Quando vi que a refeição não fizera mal a mais ninguém, percebi que não tinha sido a comida. E então, tola como era, comecei a achar que o contato comigo é que devia fazer mal a ele. Ou que talvez eu tivesse feito a oferta de pão da maneira errada, mais como um ato de magia do que uma homenagem a um deus ou uma deusa. Tornei-me religiosa de novo e derramei o que restava do bom vinho em nome de Anath, a que cura. Isso foi no terceiro dia da doença de Jacó, e na manhã seguinte ele estava curado.

Nesse ponto, Lia sempre sacudia a cabeça e suspirava.

— Não foi um começo muito auspicioso para um casal tão fértil, não é mesmo?

⁂

Jacó recuperou-se rapidamente e foi ficando ali, semana após semana, parecendo afinal que sempre vivera naquele lugar. Encarregou-se do esquelético rebanho, de modo que Raquel não precisava mais seguir os animais, uma tarefa que lhe coubera na falta de irmãos.

Meu avô atribuía ao fato de todos os seus filhos varões terem morrido ao nascer ou na primeira infância, deixando-o apenas com filhas mulheres, o estado em que se encontravam seus rebanhos e suas minguadas posses. Não refletia sobre a sua própria indolência, acreditando que somente um filho inverteria a sua sorte. Consultou os sacerdotes do lugar, que lhe aconselharam sacrificar um touro e seus melhores carneiros não castrados para que os deuses lhe dessem um menino. Deitara-se com suas esposas e concubinas nos campos, como sugerira uma velha parteira, e todo aquele esforço só lhe dera coceiras nas costas e machucados nos joelhos. Na época em que Jacó chegou, Labão já havia perdido as esperanças de ter um filho. Ou de melhorar de vida.

Não esperava mais nada de Ada, que já passara da idade de ter filhos e estava doente. Suas outras três mulheres haviam morrido ou fugido, e ele não dispunha de quaisquer recursos para pagar o preço de uma nova esposa, nem mesmo de umas poucas moedas para comprar uma escrava barata. Assim, dormia sozinho, com exceção das noites em que ia para as colinas importunar os rebanhos, como um adolescente excitado. Raquel dizia que a luxúria de meu avô era lendária entre os pastores. "As ovelhas correm como gazelas quando Labão sobe a colina", caçoavam eles.

Suas filhas o desprezavam por uma centena de razões, e eu conhecia todas. Zilpah contou-me que, alguns meses antes de sua primeira menstruação, um dia em que lhe coube levar a refeição do meio-dia a meu avô, ele estendeu a mão e segurou o bico do seio dela com o polegar e o indicador, apertando-o como se ela fosse uma cabra.

Lia também disse que Labão certa vez enfiou a mão por baixo de sua túnica. Quando ela contou isso a Ada, minha avó bateu em Labão com um pilão até tirar sangue dele. Ela também arrancou os chifres do deus-lar favorito dele, e, quando o ameaçou com pragas de furúnculos e impotência, ele jurou nunca mais tocar em nenhuma de suas filhas e procurou reparar os danos. Comprou pulseiras de ouro para Ada e todas as filhas — até para Zilpah e Bilah, e aquela foi a única vez que as reconheceu como de seu sangue. E levou para casa uma bela *asherah* — um pilar alto, quase do tamanho de Bilah — feita pelo melhor oleiro que encontrou. As mulheres colocaram-na no *bamah*, o lugar elevado onde se ofereciam sacrifícios. O rosto da deusa era muito bonito, com olhos amendoados e um sorriso aberto. Quando derramávamos vinho sobre ela na escuridão de cada lua nova, tínhamos a impressão de que o riso em sua boca se alargava ainda mais de tanto prazer.

Mas isso foi alguns anos antes da chegada de Jacó, quando Labão ainda tinha uns poucos servos cujas mulheres e filhos enchiam o acampamento de cheiro de comida cozinhando e de risadas. Na época da chegada de meu pai, só havia uma mulher doente e quatro filhas.

Labão estava bastante satisfeito com a presença de Jacó, embora os dois homens tivessem uma profunda aversão um pelo outro. Apesar de serem tão diferentes quanto um corvo e um jumento, tinham laços de sangue e logo estariam ligados também por acordos de negócios.

Jacó, como logo se viu, tinha uma grande disposição para o trabalho e talento para lidar com animais, especialmente com cães. Transformou os três vira-latas imprestáveis de Labão em excelentes cães pastores. Quando assobiava, os cães corriam para ele. Batia as mãos e os cães corriam em círculos para fazer as ovelhas andarem atrás dele. Emitia um canto ululante, alternando a voz normal e o falsete, e os vira-latas viravam cães de guarda tão ferozes que os rebanhos de Labão nunca mais foram atacados por raposas ou chacais. E os que invadiam a propriedade para caçar sem permissão preferiam correr a enfrentar os dentes arreganhados daquela pequena e ameaçadora matilha.

Os cães de Jacó passaram a ser cobiçados por outros homens, que se ofereciam para comprá-los. Em vez disso, ele trocava um dia de trabalho dessas pessoas pelo uso como reprodutor de um cachorro com olhar astuto de lobo. E, quando a menor de nossas cadelas teve uma ninhada de cinco filhotes do cão-lobo, Jacó treinou-os e vendeu quatro deles por algo que parecia uma montanha de dinheiro, bem depressa convertido em presentes que vieram provar como ele já conhecia bem as filhas de Labão.

Levou Raquel até o poço onde a encontrara e deu-lhe o anel de lápis-lazúli que ela usou até morrer. Foi procurar Lia onde ela estava cardando lã e, sem dizer uma palavra, ofereceu-lhe três pulseiras de ouro finamente lavradas. Para Zilpah, ele deu um pequeno vaso votivo com a forma de Anath, que deixava escorrer as libações pelo bico dos seios. Depositou um saco de sal diante dos pés inchados de Ada. Lembrou-se até de Bilah, que ganhou uma pequenina ânfora de mel.

Labão reclamou que o sobrinho deveria ter entregue diretamente a ele o lucro pela venda dos filhotes, já que a mãe era propriedade sua. Mas o velho amoleceu diante de um saco de moedas que o fez correr até o povoado e trazer Ruti para casa. Aquela pobre coitada.

Em um ano, Jacó tornou-se o administrador da propriedade de Labão. Com seus cães, Jacó guiava os rebanhos para que os cordeiros pudessem se alimentar do capim mais tenro, para que as ovelhas pastassem em locais onde havia relva suculenta e os carneiros adultos percorressem os pastos onde predominava uma vegetação mais agreste. Os resultados foram tão bons que, na próxima temporada de tosquia, Jacó teve de contratar dois rapazes para acabar o trabalho antes da estação das chuvas. Raquel juntou-se a Lia, Zilpah e Bilah na horta, onde aumentaram o canteiro do trigo.

Jacó fez Labão concordar em sacrificar dois cordeiros gordos e um cabrito ao deus de seu pai como agradecimento pela prosperidade. Para o sacrifício realizado de acordo com as instruções de Jacó, Lia assou bolos levedados feitos com a preciosa reserva de trigo. Como seus antepassados, ele queimou os bolos inteiros e os melhores pedaços dos animais, em vez de apenas algumas porções. As mulheres comentavam em voz baixa entre si sobre aquele desperdício.

Foi um ano de mudanças para minha família. Os rebanhos se multiplicaram, a colheita de grãos aumentou, e ainda por cima havia um casamento à vista. Pois, logo no primeiro mês depois de sua chegada, Jacó perguntou a Labão qual era o preço de noiva referente a Raquel, como ela havia afirmado que ele faria. Como era evidente que o sobrinho não possuía bens nem propriedades, Labão achou que poderia explorá-lo e ainda exibiu ares magnânimos ao oferecer a filha pela ninharia de sete anos de trabalho.

Jacó riu da ideia.

— Sete anos? Estamos falando de uma moça, não do trono de um rei. Daqui a sete anos, ela pode já estar morta. Eu posso já estar morto. E o mais provável ainda é que o senhor esteja morto, meu tio. Ofereço-lhe sete meses — disse Jacó. — E, quanto ao dote, vou levar a metade desse seu deplorável rebanho.

Labão ergueu-se de um salto, indignado, e chamou Jacó de ladrão.

— Você é bem filho de sua mãe — enfureceu-se. — Pensa que o mundo deve alguma coisa a você? Não banque o orgulhoso comigo, seu rebotalho, ou mando você de volta para a faca do seu irmão.

Zilpah, a melhor espiã entre as irmãs, relatou a discussão, contando a disputa dos dois sobre o valor de minha tia, fazendo-o subir e descer, como Labão vociferava e Jacó cuspia. Finalmente, decidiram-se por um ano de trabalho como preço de noiva. Quanto ao dote, Labão alegava ser pobre.

— Tenho tão pouco, meu filho — queixou-se ele, de repente transformado em amoroso patriarca. — E ela é um tesouro.

Jacó não podia aceitar uma noiva sem dote. Isso faria de Raquel uma concubina e dele um tolo por pagar com um ano de sua vida uma moça que só possuía uma pedra de amolar, uma roca e a roupa do corpo. Assim, Labão ofereceu Bilah de quebra, dando a Raquel a posição de esposa com dote e a Jacó a possibilidade de tomar uma concubina no momento oportuno.

— Também quero receber um décimo dos cordeiros e cabritos que nascerem em seus rebanhos enquanto eu tomar conta deles durante meu ano de serviço.

Ao ouvir isso, Labão amaldiçoou a descendência de Jacó e saiu esbravejando. Os dois homens levaram uma semana inteira em negociações, uma semana em que Raquel chorou mais que um bebê de colo, enquanto Lia quase não falou e só serviu mingau frio de painço, comida de velório.

Quando acertaram as condições finais, Labão foi falar com Ada para que ela começasse a planejar o casamento. Mas Ada negou-se:

— Não somos bárbaros para fazer casamentos de crianças.

Raquel não podia nem ser prometida ainda, explicou ela a seu marido. A menina podia parecer pronta para casar, mas não estava madura porque ainda não tinha sangrado. Minha avó alegou que Anath amaldiçoaria a horta se Labão ousasse infringir essa lei, e que ela própria encontraria forças para bater outra vez na cabeça dele com um pilão, se o fizesse.

Mas as ameaças foram desnecessárias. Labão percebeu as vantagens do adiamento e foi imediatamente ao encontro de Jacó, avisando que ele teria de esperar a menina amadurecer para combinarem a data do casamento.

Jacó aceitou a situação. O que mais poderia fazer? Furiosa, Raquel gritou com Ada, que a esbofeteou e mandou-a exibir seu mau gênio em outro lugar. Então Raquel deu uns tapas em Bilah, xingou Zilpah e foi ríspida com Lia. Chegou a tentar armar uma briga com Jacó, chamando-o de mentiroso e covarde, mas depois explodiu em lindas lágrimas agarrada ao pescoço dele.

Começou a alimentar temores sombrios a respeito do futuro. Nunca sangraria, nunca se casaria com Jacó, nunca teria filhos. De uma hora para outra, os seios pequenos e empinados de que tivera tanto orgulho pareciam-lhe insignificantes. Talvez ela fosse uma aberração, uma hermafrodita, como o ídolo obeso e repulsivo que havia na tenda de seu pai, aquele que tinha um tronco de árvore entre as pernas e tetas iguais às de uma vaca.

E Raquel fez de tudo para apressar seu amadurecimento. Antes da lua nova seguinte, assou bolos para oferecer à Rainha do Paraíso, algo que nunca fizera antes, e dormiu uma noite inteira com a barriga encostada na base da *asherah*. Mas a lua minguou, ficou redonda novamente, e as coxas de Raquel continuaram secas. Foi sozinha até o povoado para pedir ajuda à parteira, Inna, que lhe deu uma infusão feita com umas urtigas de aspecto desagradável que cresciam em um *wadi* próximo. Porém mais uma vez a lua nova apareceu e Raquel continuou criança.

Quando a lua seguinte minguou, Raquel esmagou pequenas frutas selvagens e chamou as irmãs mais velhas para verem a mancha em seu cobertor. Mas o sumo era roxo e Lia e Zilpah riram das sementes que tinham ficado grudadas nas pernas dela.

No mês seguinte, Raquel escondeu-se em sua tenda e de lá não saiu nem uma vez sequer para ir ao encontro de Jacó.

Finalmente, no nono mês depois da chegada de Jacó, Raquel sangrou seu primeiro sangue e chorou de alívio. Ada, Lia e Zilpah entoaram a canção estridente e gutural que anunciava os nascimentos, as mortes e a maturidade das mulheres. Enquanto o sol se punha para dar vez à lua nova em que todas as mulheres começavam a sangrar, elas passaram hena nas unhas das mãos de Raquel e na sola de seus pés. Suas pálpebras foram pintadas de amarelo e elas puseram todas as pulseiras, pedras preciosas e joias que encontraram em seus dedos das mãos e dos pés, em seus tornozelos e pulsos. Cobriram sua cabeça com o mais fino tecido bordado e a levaram para a tenda vermelha. Cantaram cantigas para as deusas: para Innana e para a Senhora Asherah do Mar. Falaram de Elath, a mãe dos setenta deuses, entre eles Anath, a ama-seca, defensora das mães.

E cantavam:

> *Quem é tão linda quanto Anath é linda,*
> *O que se compara à beleza de Astarté?*
>
> *Astarté está agora em teu ventre,*
> *Você traz o poder de Elath.*

As mulheres cantaram todas as canções de boas-vindas para ela, enquanto Raquel comia mel de tâmaras e bolo de farinha de trigo refinada assado em forma de triângulo, como o sexo das mulheres. Bebeu vinho doce até não poder mais. Ada friccionou os braços e pernas, as costas e o abdome de Raquel com óleos aromáticos até ela quase adormecer. Quando a carregaram para o campo onde ela se casou com a terra, Raquel já estava entorpecida de prazer e vinho. Não se lembrou de como suas pernas ficaram sujas de crostas de terra e de sangue, e sorria enquanto dormia.

Durante os três dias em que repousou indolentemente na tenda vermelha, viveu cheia de alegria e expectativas, recolhendo o precioso líquido em uma tigela de bronze — pois o sangue da primeira lua de uma virgem era uma poderosa libação para a horta. Ninguém se lembrava de ter visto Raquel mais serena e generosa que naquela ocasião.

Logo que as mulheres encerraram seus ritos mensais, Raquel exigiu que a data do casamento fosse marcada. De nada lhe adiantou bater pé: Ada não consentiu em mudar o costume de esperar sete meses a partir do primeiro sangue. Assim ficou acertado e, apesar de Jacó já ter trabalhado durante um ano inteiro para Labão, o contrato foi ratificado e os sete meses seguintes seriam também de Labão.

2

Foram meses difíceis aqueles. Raquel mostrava-se arrogante, Lia suspirava fundo como uma vaca em trabalho de parto, Zilpah andava amuada. Só Bilah parecia imperturbável, fiando e tecendo, arrancando ervas daninhas da horta e cuidando do fogo na tenda de Ada, agora sempre aceso para espantar o frio constante que ela sentia.

Raquel passava com Jacó todo o tempo que se atrevia, escapulindo da horta ou do tear para ir sozinha ao encontro de seu amado nas colinas. Ada estava doente demais para impedir um comportamento tão insensato, e Raquel recusava-se a obedecer a Lia, que perdera um pouco da autoridade, já que a irmã mais nova seria esposa e mãe antes dela.

Aqueles dias passados nos campos com Jacó eram a alegria de Raquel.

— Ele olhava para mim deslumbrado — contava minha linda tia —, com as mãos no meu cabelo. Fazia-me ficar na sombra e depois no sol para ver a diferença dos efeitos da luz no meu rosto. Chorava de emoção diante de minha beleza. Cantava as canções de sua família e falava-me da beleza de sua mãe.

E Raquel continuava:

— Jacó inventava histórias sobre nossos filhos, imaginava como eles também seriam bonitos. Cor de ouro como a mãe, ele dizia. Meninos perfeitos, que seriam reis e príncipes quando crescessem. Sei o que todos pensavam, minhas irmãs e os pastores, mas nunca tocamos um no outro. Bem, só uma vez. Ele me apertou junto ao peito, mas logo começou a tremer e me empurrou. Depois disso, nunca mais se aproximou de mim. E eu achava ótimo — continuou ela. — Ele cheirava mal, sabe? Muito menos que a maioria dos outros.

Mas, ainda assim, o cheiro de cabra e de homem era insuportável. Eu corria para casa e enfiava o nariz nas folhas perfumadas de coriandro.

Raquel se vangloriava de ter sido a primeira a ouvir a história da família de Jacó. Ele era o mais novo dos irmãos gêmeos, o que o tornava herdeiro de sua mãe, Rebeca. Era o mais bonito, o mais esperto. Rebeca disse ao marido, Isaac, que Jacó era fraquinho, para assim continuar a amamentá-lo mais um ano depois que desmamou Esaú.

Dar à luz os gêmeos quase matou Rebeca, que perdeu sangue demais, a ponto de nada ter restado para mais tarde manter outra vida dentro dela. Quando percebeu que não teria filhas, começou a cochichar suas histórias para Jacó.

Rebeca disse a Jacó que a bênção que Esaú, como filho mais velho, recebera do pai, na verdade, cabia a ele. Não era por outra razão que Innana o fizera o melhor dos dois. Além disso, na família dela, era a mãe quem tinha o direito de escolher o herdeiro. O próprio Isaac era o segundo filho. Por vontade de Abraão, Ismael teria sido o futuro patriarca, o chefe da família, mas Sara reclamara seus direitos e nomeara Isaac em vez dele. Foi Sara quem mandou Isaac ir procurar uma noiva entre as mulheres da família dela, como era o antigo costume.

Mesmo assim, Jacó adorava seu irmão Esaú e detestaria fazer qualquer mal a ele. Temia que o deus de Isaac, seu pai, e de Abraão, seu avô, o punisse por ter seguido as palavras de sua mãe. Era atormentado por um sonho que o fazia acordar aterrorizado, um sonho em que ele era totalmente destruído.

Raquel acariciava-lhe o rosto e mostrava que seus medos eram infundados.

— Eu falava que se ele não tivesse cumprido as ordens de sua mãe nunca teria me encontrado, e que, com certeza, o deus do Isaac que amava Rebeca veria com bons olhos o amor de Jacó por Raquel. Isso o reanimava e ele dizia que eu alegrava seu coração como um nascer do sol. Ele falava coisas tão bonitas!

Enquanto Jacó dizia palavras doces para Raquel, Lia sofria. Perdeu peso e deixou de cuidar do cabelo, mas nunca de suas obrigações. O acampamento estava sempre bem administrado, limpo, abastecido e atarefado. As rocas nunca paravam de fiar, a horta vicejava e havia verduras em quantidade suficiente para trocar por novas lamparinas no povoado.

Jacó reparava nessas coisas. Viu o que Lia fazia e percebeu que fora ela quem mantivera a ordem durante os anos de escassez, enquanto Labão se lastimava. De nada adiantava perguntar ao velho se o comerciante de barba preta vindo de Aleppo era confiável ou não, ou qual dos meninos contratar como ajudante na temporada da tosquia. Era com Lia que se falava sobre o rebanho: as ovelhas que tinham parido no ano anterior, os cabritos que eram filhos do macho negro e os do malhado. Raquel, que trabalhara com os animais, não conseguia distinguir um do outro, mas Lia lembrava-se do que via e de tudo o que Bilah contava.

Jacó aproximava-se de Lia com a mesma deferência que demonstrava para com Ada, pois, afinal de contas, elas eram parentas. Mas aproximava-se dela com muito mais frequência que o necessário, ou assim pensava Zilpah.

Jacó tinha todos os dias uma nova pergunta para fazer à filha mais velha. Aonde deveria levar os cabritos para pastar na primavera? Será que ela teria uma sobra de mel para ele usar em uma permuta por uma ovelha que lhe parecia muito boa? Já preparara tudo para a cerimônia de sacrifício da colheita de cevada? E estava sempre sequioso pela cerveja que ela preparava de acordo com receitas maravilhosas que sua mãe aprendera de um comerciante egípcio.

Lia respondia às perguntas de Jacó e servia-lhe a bebida desviando os olhos, a cabeça quase enfiada no peito, como um pássaro dentro do ninho. Era doloroso olhar para ele. E, no entanto, todas as manhãs, quando ela abria os olhos, seu primeiro pensamento era para Jacó. Será que ele viria falar com ela outra vez naquele dia? Teria percebido como a mão dela tremera enquanto enchia sua taça?

Zilpah não aguentava mais ficar perto dos dois quando estavam juntos.

— Era o mesmo que ficar perto de bodes no cio — ela contava. — E eles eram tão educados. Quase se contorciam para não se verem, com medo de pularem um sobre o outro como animais excitados.

Lia procurava ignorar o anseio de seu corpo e Raquel só tomava conhecimento dos preparativos para seu casamento, mas Zilpah só via luxúria à sua volta. Para ela, o mundo inteiro de repente parecia úmido de desejo.

Lia virava-se de um lado para outro em sua cama à noite, e Zilpah via Jacó no campo encostado a uma árvore, as mãos trabalhando em seu próprio sexo até se deixar cair, aliviado. Durante todo o mês que precedeu o casamento, Jacó parou de sonhar com batalhas, com os pais ou com o irmão. Em vez disso, passava as noites sonambulando com cada uma das quatro irmãs. Bebia a água de um riacho e via-se de repente no colo de Raquel. Levantava uma enorme pedra redonda e encontrava Lia nua debaixo dela. Corria de algo terrível que o perseguia para cair exausto nos braços de Bilah, que começava a tomar forma de mulher. Resgatava Zilpah do alto da acácia, desenredando seus longos cabelos dos galhos onde estavam presos. Acordava suando todas as manhãs, seu sexo em ereção. Desenrolava-se então de seu cobertor e encolhia-se no chão até poder levantar-se sem ficar embaraçado.

Zilpah observou o triângulo formado por Jacó, Raquel e Lia evoluir até um ponto em que lhe foi possível tirar proveito da situação. Gostava muito de Lia, mas não simpatizava nem um pouco com a linda Raquel. (Era assim que sempre a chamava: "Ah, lá vem a linda Raquel", dizia, com acidez na voz.) Sabia que não podia fazer grande coisa para impedir que Jacó se tornasse o patriarca da família e, na realidade, estava tão impaciente para ter filhos quanto as outras. Ainda assim, queria fazer o rio fluir na direção que escolhesse. E também queria fazer a linda Raquel sofrer um pouco.

Zilpah desconfiou de que Raquel estivesse temerosa de sua noite de núpcias e persuadiu-a a confessar todas as suas preocupações. A moça mais velha suspirou e balançou a cabeça, cheia de compreensão, quando Raquel revelou que sabia muito pouco sobre a mecânica do sexo. Não tinha nenhuma expectativa de prazer — só de dor. Zilpah disse então à irmã nervosa que os pastores comentavam que o sexo de Jacó era uma aberração da natureza.

— Duas vezes maior que o de qualquer homem normal — cochichava ela, mostrando uma extensão impossível entre as mãos. Zilpah levou Raquel até o pasto mais distante e apontou os garotos servindo-se das ovelhas, que baliam desconsoladas e sangravam. A irmã mais velha manifestou compaixão pela menina trêmula e murmurou, enquanto acariciava o cabelo de Raquel:

— Coitadinha, pobre fêmea...

E foi por isso que, no dia do casamento, Raquel entrou em pânico. A casta adoração de Jacó havia sido agradável, mas agora ele exigiria tudo dela e não haveria meios de recusar. Seu estômago ficou embrulhado e ela tinha ânsias de vômito. Arrancou punhados de cabelo. Arranhou o rosto com as unhas até tirar sangue. Implorava às irmãs que a salvassem.

— Raquel chorava enquanto tentávamos vesti-la para o banquete — contou Lia. — Alegava que não estava preparada, dizia que se sentia indisposta e que era pequena demais para o marido. Tentou até repetir o estratagema das frutas selvagens esmagadas, levantando a saia, choramingando e dizendo que Jacó a mataria se encontrasse sangue da lua no leito nupcial. Eu disse a ela que parasse de se comportar como uma criança porque já estava usando um cinto de mulher adulta.

Mas Raquel gemia em altos brados e caiu de joelhos, implorando à irmã que tomasse seu lugar debaixo do véu de noiva.

— Zilpah disse que você consentiria — bradava ela.

— Fiquei muda de espanto — lembrava Lia. — Porque, é claro, Zilpah estava certa. Antes, nem me permitira imaginar tal coisa: que poderia ser eu quem estaria com ele naquela noite. Mal podia admitir a ideia para mim mesma, que dirá então para minha irmã, que naquele momento não estava tão bonita como de costume, os olhos vermelhos de tanto chorar, o rosto sujo de sangue e do sumo das frutas vermelhas. Primeiro, eu disse não. Ele descobriria logo, porque nenhum véu seria capaz de disfarçar a diferença de altura entre nós duas. Ele me rejeitaria e daí em diante eu passaria a ser mercadoria estragada, não arranjaria mais casamento e só me restaria ser vendida como escrava. No entanto, ao mesmo tempo que minha boca fazia objeções, meu coração dizia sim. Raquel estava me pedindo para fazer o que eu mais queria na vida. Portanto, apesar de ter protestado, aceitei.

Ada estava doente demais para ajudar a vestir a noiva naquela manhã, de modo que Zilpah se encarregou da estratégia, friccionando as mãos e os pés de Lia com hena, contornando os olhos dela com *khol* e cobrindo-a de enfeites. Raquel ficou sentada em um canto, abraçando os joelhos dobrados de encontro ao peito, e estremecia ao ver Lia se preparando para o que deveria ter sido a noite do seu próprio casamento.

— Eu estava mais feliz do que nunca — contou Lia —, mas também sentia um medo terrível. E se ele recuasse ao ver que era eu, se mostrasse aversão por mim? Se ele corresse para fora da tenda e me comprometesse para sempre? Alguma coisa dentro de mim, porém, dizia que ele me aceitaria.

Foi uma festa simples, para poucos convidados. Vieram dois flautistas do povoado, mas não se demoraram muito. Um dos pastores levou azeite de presente e foi-se embora assim que encheu a barriga. Labão estava bêbado desde o início, a mão sob a roupa da pobre Ruti. Tropeçou nos próprios pés quando conduziu Lia até Jacó. A noiva, bem curvada sob o véu, rodeou o noivo três vezes para um lado, três vezes para o outro. Zilpah serviu a refeição.

— Achei que o dia nunca iria terminar — disse Lia. — Ninguém me distinguia debaixo do véu e eu também não enxergava direito dali, mas como era possível Jacó não saber que era eu? Esperei agoniada que ele me denunciasse a qualquer momento, que se levantasse de um salto e declarasse que havia sido logrado. Mas ele não o fez. Ficou sentado a meu lado, tão perto que eu sentia o calor de sua coxa encostada na minha. Comeu carne de cordeiro e pão, bebeu não apenas vinho como também cerveja, embora nem tanto que o deixasse sonolento ou embrutecido. Finalmente, Jacó pôs-se de pé e ajudou-me a levantar. Conduziu-me para a tenda onde passaríamos nossos sete dias, com Labão vindo atrás fazendo algazarra e desejando-nos filhos varões — recordou Lia. — Jacó só se aproximou de mim quando cessou o barulho lá fora. Então, tirou o meu véu. Era uma linda peça com bordados de muitas cores, usada por várias gerações de noivas que haviam passado centenas de noites de núpcias cheias de prazer, violência, medo, encanto, decepção. Estremeci ao imaginar o destino que me caberia. O interior da tenda não estava inteiramente às escuras. Ele viu meu rosto e não demonstrou surpresa. Respirava pesadamente. Tirou o resto de minhas roupas, removendo primeiro o manto de meus ombros, desamarrando a faixa de minha cintura e depois ajudando-me a sair de cima da túnica que caíra por terra. Eu estava nua diante dele. Minha mãe dissera que meu marido apenas ergueria minha túnica e me penetraria ainda usando a dele. Mas eu estava despida e logo depois ele também estava, seu sexo apontando para mim. Parecia uma *asherah* sem rosto! A ideia era tão hilariante que eu teria rido alto se conseguisse respirar. Mas eu estava com medo. Deitei-me no cobertor e ele veio rapidamente deitar-se ao meu lado. Acariciou minhas mãos, tocou em meu rosto e colocou-se por cima de mim. Eu estava com medo. Mas lembrei o conselho de minha mãe e relaxei as mãos e os pés, prestando atenção ao som da minha própria respiração, em vez de concentrar-me na dele. Jacó foi bom para mim. Penetrou-me lentamente da primeira vez, mas acabou tão depressa que eu ainda nem tivera tempo de me acalmar e ele já estava parado, pesado, sobre o meu corpo, como se tivesse morrido, durante o que me pareceram horas. Então, suas mãos voltaram à vida. Percorreram meu rosto, meu cabelo e depois, ah, meus seios e minha barriga, minhas pernas e meu sexo, que ele explorou com o mais leve dos toques. Era o toque da mãe acompanhando o desenho da orelha do filho recém-nascido, uma sensação tão doce que eu sorri. Ele notou o meu prazer e assentiu com um gesto de cabeça. Nós dois rimos juntos.

Então, Jacó disse ternamente para sua primeira esposa:

— Meu pai raramente falava comigo e sempre parecia preferir a companhia de meu irmão — sussurrou ele. — Mas, certa vez, quando estávamos viajando, passamos por uma tenda onde um homem estava batendo em uma mulher; esposa, concubina ou escrava, não havia como saber. Isaac, meu pai, suspirou e contou-me que nunca levara outra mulher para sua cama a não ser minha mãe, embora ela somente lhe tivesse dado dois filhos no início de seu casamento. Rebeca o recebera com carinho e paixão ao se casarem porque, quando era seu noivo, tratava-a como se ela fosse a Rainha do Paraíso e ele o seu consorte. A união deles foi como a do mar com o céu, da chuva com a terra seca.

Da noite com o dia, do vento com a água. Suas noites eram repletas de estrelas e suspiros enquanto representavam seus papéis de deusa e deus. Quando se tocavam, engendravam mil sonhos. Dormiam nos braços um do outro todas as noites, exceto quando era o tempo dela na tenda vermelha ou quando estava amamentando os filhos. Esses foram os ensinamentos de meu pai sobre maridos e mulheres — disse Jacó, meu pai, a Lia, minha mãe, em sua primeira noite juntos. E depois ele chorou a perda do amor de seu pai.

Lia chorou com ele, não só de pena de seu marido como de alívio e alegria por sua boa sorte. Sabia que sua própria mãe também havia chorado na noite de núpcias, só que lágrimas de desespero, pois Labão havia sido um grosseirão desde o princípio.

Lia beijou seu marido. Ele retribuiu o beijo. Beijaram-se muitas e muitas vezes. E, mesmo naquela primeira noite, em que ela estava dolorida por ter sido aberta por um homem, Lia mostrou-se sensível às carícias dele. Gostava do cheiro que ele tinha e de sentir a barba dele em sua pele. Quando ele a penetrou, ela flexionou as pernas e o sexo com uma espécie de vigor que a surpreendeu e o deliciou. Quando Jacó afinal gritou de prazer, ela foi inundada pela noção do poder que possuía. E, quando seguiu o ritmo de sua própria respiração, ela descobriu o que era sentir prazer, uma entrega e uma plenitude que a faziam suspirar, ronronar e depois dormir como não dormia desde criança. Ele a chamava de Innana. Ela o chamava de Baal, irmão-amante de Ishtar.

Foram deixados a sós durante os sete dias e sete noites inteiros. Alguém de fora levava as refeições para eles ao amanhecer e ao entardecer, e eles comiam com a fome voraz dos amantes. Por volta do fim da semana, já tinham feito amor em todas as horas do dia e da noite. Estavam certos de que tinham inventado mil novos métodos de dar e receber prazer. Dormiram abraçados. Riam como crianças da estupidez de Labão, das estranhas manias de Zilpah. No entanto, não falaram de Raquel.

Foi uma semana dourada, cada dia mais doce que o anterior, mas também mais triste. Nunca mais haveria outra ocasião em que Lia e Jacó pudessem devanear ouvindo cada um contar suas lembranças ou preguiçar em plena luz do dia nos braços um do outro. Aquelas seriam as únicas refeições que os dois jamais partilhariam, conversando e encontrando afinidades quando falavam de negócios e políticas familiares.

Decidiram que Jacó fingiria estar muito zangado ao sair da tenda. Iria até Labão e diria: "Fui enganado. Serviram-me um vinho forte e o senhor me deu a megera que é a Lia em vez de minha amada Raquel. Meu trabalho por

Raquel foi pago com um embuste, pelo qual exijo ressarcimento. E, embora tenha passado esses sete dias e noites com sua filha mais velha como era o meu dever, só vou considerá-la minha esposa quando o senhor me der um dote em nome dela e quando Raquel também for minha".

E foi precisamente isso o que Jacó disse quando saiu da tenda:

— Tomarei a donzela Zilpah como parte do dote de Lia, da mesma forma como Bilah será parte do dote de Raquel. Levarei um outro décimo de seu rebanho para livrá-lo dessa filha desgraciosa. E, para não deixar de ser justo, trabalharei para o senhor outros sete meses como preço de noiva referente a Lia. Essas são as minhas condições.

Jacó fez seu discurso diante de todas as pessoas do acampamento no dia em que ele e Lia encerraram seu período de reclusão. Lia manteve os olhos no chão enquanto seu marido recitava as palavras que haviam ensaiado na noite anterior, nus, suando o suor um do outro. Ela fingiu chorar quando torceu a boca fazendo força para não rir.

Enquanto Jacó apresentava suas condições, Ada sacudia a cabeça assentindo. Zilpah ficou branca ao ouvir mencionar seu nome. Labão, que passara toda a semana bêbado em homenagem ao casamento de sua filha, ficou tão estupefato que só pôde emitir um protesto engrolado, erguer as mãos amaldiçoando todo o mundo e refugiar-se outra vez na escuridão de sua tenda.

Raquel cuspiu nos pés de Jacó e afastou-se enraivecida. Quando a semana do casamento estava chegando ao fim, ela já se arrependera de seu pânico. Havia perdido para sempre sua posição de primeira esposa e, além disso, ouvira os sons que vinham da tenda nupcial — risos e gritos abafados de prazer. Raquel confiara suas mágoas a Bilah, que a levou para ver dois cães se acasalando, depois um carneiro e uma ovelha, nenhum deles mostrando qualquer sinal de sofrimento durante o ato. Raquel foi ao povoado e contou a Inna o que havia acontecido. Inna, por sua vez, contou-lhe histórias de paixão e prazer e levou-a para dentro de sua choupana, mostrando-lhe como desvendar os segredos de seu próprio corpo.

Quando Jacó se encontrou com Raquel junto à árvore de sempre, ela o agrediu com palavras pesadas, chamando-o de ladrão e canalha, demônio, porco que se inseria em ovelhas, cabras e cadelas. Acusou-o de não a amar. Esganiçou-se para dizer que ele já devia saber que era Lia, mesmo escondida sob o véu, quem estava sentada a seu lado durante o banquete de casamento. Ele poderia ter impedido tudo aquilo. Por que não o fizera? Ela chorava amargurada.

Quando as lágrimas se esgotaram, Jacó segurou-a de encontro a seu peito até ela se aquietar e dar a impressão de que estava dormindo. Então, disse que ela era a própria filha da lua, luminosa, radiante e perfeita. Que o amor que sentia por ela era reverente, uma adoração. Que tinha apenas um sentimento de dever por Lia, esta sendo mera sombra da luz de Raquel. Que somente ela, Raquel, seria a noiva de seu coração, sua primeira esposa, seu primeiro amor. Foi uma traição adorável.

Assim, aconteceu que, um dia antes da lua cheia seguinte, houve um segundo banquete de casamento, mais simples ainda que o primeiro. E foi a vez de Raquel ir para a tenda com Jacó.

Não sei muita coisa sobre aquela semana, pois Raquel nunca falou sobre ela. Não se ouviu barulho de lágrimas vindo da tenda de Jacó e Raquel, o que já era um bom sinal. Mas também não se ouviu nenhum riso. Quando a semana terminou, Raquel esgueirou-se para a tenda vermelha antes do amanhecer e lá dormiu até a manhã seguinte.

༺☙༻

Na primeira lua nova depois da semana nupcial de Lia, não houve sangue entre as suas pernas. Mas ela guardou para si a novidade. Em meio à pressa dos preparativos para o casamento de Raquel, não foi difícil esconder o fato de que ela não precisava realmente mudar de lugar na esteira de palha nem usar um trapo entre as pernas quando andava de um lado para outro.

Dois dias depois de Raquel entrar na tenda nupcial com Jacó, Lia aproximou-se da mãe e colocou a mão ressequida de Ada sobre seu ventre jovem. A mulher mais velha abraçou a filha.

— Não achei que fosse viver o suficiente para ver um neto meu — Ada disse a Lia, rindo e chorando ao mesmo tempo. — Menina adorada, filha minha.

Lia afirmou que se manteve calada a respeito de sua gravidez para proteger a felicidade de Raquel. Sua posição como esposa principal estaria garantida com o nascimento de um filho homem, e ela sabia desde o início que estava esperando um menino. Raquel, porém, ficou furiosa quando soube que Lia estava grávida. Achava que o fato de a irmã esconder dela a notícia era parte de uma trama complicada que visava envergonhá-la e assegurar o papel de primeira esposa da outra, tudo isso sendo uma forma de fazer Jacó abandoná-la.

As acusações de Raquel puderam ser ouvidas do poço, que se situava a uma boa distância da tenda onde ela berrava. Raquel acusou Lia de pedir ajuda a Zilpah para ludibriá-la e fazê-la perder o lugar que lhe cabia de direito. Insinuou que Lia não estava grávida de Jacó, mas de um pastor imbecil, de lábio leporino, que costumava rondar o poço.

— Sua vagabunda invejosa! — vociferava Raquel. — Sua desajeitada de olho grande, tudo o que gostaria é que Jacó amasse você como ele me ama, mas isso nunca vai acontecer. Eu sou a única importante. Sou a querida dele. Você é uma égua reprodutora. Sua vaca patética!

Lia segurou a língua até Raquel terminar. Então, sem se exaltar, chamou a irmã de idiota e esbofeteou-a com força, primeiro de um lado, depois do outro. Ficaram meses sem se dizer uma palavra sequer.

Imagino que seja natural presumir que Lia sempre teve ciúme de Raquel. E é verdade que Lia não cantarolou ou sorriu muito durante a semana de Raquel com Jacó. Na realidade, no decorrer dos anos, sempre que meu pai levava minha linda tia para sua cama, minha mãe mantinha a cabeça curvada sobre seu trabalho, que aumentava à medida que os filhos iam nascendo e o trabalho intenso de Jacó rendia mais lã para ser tecida.

Contudo, o ciúme de Lia não era o das moças tolas das canções de amor, que morrem suspirando de desejo. Não havia amargura na tristeza de Lia quando Jacó se deitava com suas outras esposas. Na verdade, ela gostava muito dos filhos dele e amamentou quase todos uma ou outra vez. Era certo Jacó chamá-la uma ou duas vezes por mês para conversarem sobre os rebanhos e tomarem um copo a mais de cerveja doce. Naquelas noites, ela sabia que dormiriam juntos, os braços dela enlaçando a cintura dele. Na manhã seguinte, o calor do sorriso de Lia aquecia a família e mais tarde havia sempre alguma coisa gostosa para todos comerem.

Mas estou pulando pedaços de minha história. Pois levou anos até Lia e Raquel finalmente aprenderem a partilhar o marido. No princípio, eram como cachorros bravos que andam em círculo e rosnam um para o outro à distância enquanto exploram os limites dos seus territórios.

Ainda assim, de imediato parecia que uma certa paridade se estabeleceria, porque, na lua nova seguinte, Raquel também descobriu que não precisaria da palha ou dos trapos. As duas irmãs estavam grávidas. A colheita de cevada foi enorme. Os pastores batiam nas costas de Jacó e pilheriavam sobre sua potência. Os deuses estavam sorrindo.

No entanto, logo que a barriga de Lia começou a inchar e aparecer sob a túnica, Raquel começou a sangrar. Em uma manhã bem cedo, três meses depois de seu casamento, todo o acampamento acordou com seus gritos. Lia e Zilpah acorreram e a encontraram soluçando, embrulhada em um cobertor todo sujo de sangue. Ninguém conseguiu consolá-la. Não deixou Ada se sentar junto dela. Não permitiu que Jacó a visse. Durante uma semana ficou encolhida em um canto da tenda vermelha, onde comia pouco e dormia um sono febril e sem sonhos.

Lia perdoou as palavras ásperas de Raquel e entristeceu-se por ela. Procurou tentá-la com seus doces favoritos, mas Raquel cuspiu na comida e em Lia, que parecia maior e mais redonda a cada dia, bonita como nunca estivera.

— Era uma situação tão injusta, tão triste... — lembrava Bilah, que finalmente conseguiu fazer Raquel comer algumas azeitonas e sair do cobertor manchado e endurecido de sangue. Foi também Bilah quem andou até o povoado onde morava Inna para ver se a parteira conhecia alguma poção capaz de despertar sua irmã daquele estado de quase-morte. A própria Inna voltou com Bilah e passou horas com Raquel, lavando-a, alimentando-a com minúsculos pedaços de pão mergulhados no mel e persuadindo-a a tomar goles de uma bebida aromática doce e avermelhada. Inna cochichava aos ouvidos de Raquel palavras secretas de consolo e esperança. Dizia-lhe que não seria fácil para ela ter filhos, mas vaticinou que algum dia Raquel daria à luz filhos lindos que brilhariam como estrelas e preservariam seu nome. Inna prometeu usar de toda a sua habilidade para ajudar Raquel a conceber outra vez, mas somente se ela seguisse à risca o que a parteira lhe dissesse para fazer.

Por isso, quando Lia, então no sexto mês de gravidez, procurou a bênção da irmã, Raquel pousou as mãos sobre o ventre dela e acariciou a vida contida ali. Raquel chorou nos braços de sua irmã, beijou as mãos de Ada e pediu a Zilpah para pentear seu cabelo. Chamou Bilah à parte, abraçou-a e agradeceu-lhe por ter trazido Inna. Era a primeira vez que Raquel agradecia a alguém por alguma coisa.

Na manhã seguinte, Lia e Raquel, lado a lado, saíram da escuridão da tenda vermelha e voltaram para a claridade do mundo, onde Jacó as esperava. Raquel disse que ele chorou quando as viu juntas, mas Lia disse que ele sorriu.

❧❦❧

— O primeiro parto de Lia não foi especialmente difícil — contava Raquel. Na ocasião em que me contou a história da chegada de Rubem, minha tia já vira o nascimento de centenas de bebês. E, apesar de Raquel costumar esquecer onde pusera o fuso de sua roca no momento mesmo em que o largava, era capaz de lembrar em detalhes cada nascimento que havia presenciado.

Segundo ela, tudo caminhou como deveria ser, embora o trabalho de parto tivesse começado antes do pôr do sol e só terminado com a luz do dia seguinte. A cabeça do menino estava para baixo e os quadris de Lia eram bastante largos. Ainda assim, o calor daquela noite de verão dentro da tenda vermelha era sufocante e nenhuma das irmãs jamais vira um parto. De fato, Lia sofreu mais por causa do medo de suas irmãs.

À tarde, pouco a pouco, Lia começou a sentir leves dores espasmódicas em seus quadris. Ela sorria depois de cada pequena crise, contente por já ter começado, ansiosa para fazer parte da confraria das mães. Certa de que seu corpo, tão amplo e grande, cumpriria bem o seu papel, ela ainda cantarolava na fase inicial. Músicas infantis, baladas, canções de ninar.

Porém, à medida que a noite passou, que a lua subiu no céu e depois começou a descer, acabaram-se os sorrisos e canções. Cada contração erguia o corpo de Lia e torcia-o como um pedaço de pano, deixando-a em seguida ofegante e com medo da próxima dor. Ada segurava a mão dela. Zilpah murmurava orações a Anath.

— Eu não servia para nada — lembrava Raquel. — Entrava e saía da tenda, devorada pelo ciúme. Mas, com o passar das horas e a situação cada vez mais difícil, minha inveja foi se dissipando e horrorizei-me com o sofrimento de Lia, a forte, a invencível, que estava ali por terra tremendo e de olhos arregalados. Ficava apavorada ao pensar que naquela hora poderia estar no lugar dela, e que um dia talvez fosse estar. E tenho certeza de que Zilpah e Bilah pensavam o mesmo, que era aquele pensamento que as fazia estremecer e ficar em silêncio enquanto nossa irmã estava em trabalho de parto.

Bilah afinal percebeu que precisavam de mais ajuda do que Ada podia dar e foi buscar Inna, que chegou ao amanhecer. A essa altura, Lia já estava ganindo como um cão. Logo que Inna entrou, pôs as mãos sobre a barriga de Lia e depois dentro dela. Fez com que deitasse de lado e massageou-lhe as costas e as coxas com um óleo perfumado com menta. Inna sorriu para o rosto de Lia e disse:

— O bebê está quase à porta.

E, enquanto arrumava seus utensílios, pediu às mulheres que se reunissem em volta dela para ajudar sua irmã a fazer vir a criança.

— Foi a primeira vez que vi o conjunto de instrumentos de uma parteira — contou Raquel. — A faca, o barbante, os caniços de junco para sucção, as ânforas de cominho, de hissopo e de óleo de menta. Inna pôs seus dois tijolos no chão e disse a Lia que logo ela estaria pisando neles. Colocou Zilpah de um lado e eu do outro para dar apoio a Lia quando ela se agachasse sobre uma camada de palha limpa. Zilpah e eu nos tornamos a cadeira de Lia, com nossos braços em torno dos ombros e por baixo de suas coxas.

— Moça de sorte — Inna disse a Lia, que naquela hora não se sentia nem um pouco sortuda —, olhe só que trono real de irmãs você tem.

Inna falava, falava, desfazendo o silêncio assustado que formara um muro em volta de Lia. Inna perguntou a Ada sobre suas dores e mazelas e caçoou do cabelo emaranhado de Zilpah. Porém, sempre que vinha uma contração, Inna só tinha palavras para Lia. Elogiava-a, consolava-a, dizia:

— Muito bem, muito bem, minha filha. Muito bem, muito bem.

Logo, todas as mulheres na tenda repetiam com ela "muito bem, muito bem", arrulhando como um bando de pombas.

Inna começou a massagear a pele em volta do traseiro de Lia, que inchara a ponto de ficar disforme. Ela friccionava com movimentos cada vez mais fortes à proporção que as dores se sucediam a intervalos menores. Então, pôs a mão de Raquel na barriga de Lia e ensinou-lhe como pressionar para baixo, delicada mas firmemente, quando chegasse o momento. Disse a Lia que não fizesse força, não fizesse força, até que Lia começou a berrar maldições.

Raquel contava:

— Vi aquela criança vir ao mundo como jamais vira alguma coisa em minha vida. Claramente. Sem pensar em mim mesma um minuto sequer. Pensei em minha mãe, que testemunhara aquilo tantas vezes, cujas mãos haviam guiado tantas almas a este mundo e que morrera dando-me a vida. Mas não tive tempo de ter pena de mim — continuou — porque, de repente, uma estranha bolha vermelha surgiu entre as pernas de Lia e, quase imediatamente, um rio de água sangrenta desceu pelas coxas dela.

Lia tentou ficar de pé, aterrorizada, mas Inna disse-lhe para não tirar os pés dos tijolos. Aquilo era bom, explicava. Ele estava chegando.

Lia fazia força, o rosto vermelho, os olhos salientes, brilhando, um verde e o outro azul. Suas pernas tremiam como se fossem vergar a qualquer minuto, e Zilpah e Raquel precisaram de toda a sua força para segurá-la. Então, Inna pediu a Bilah para tomar o lugar de Raquel para que ela pudesse aparar o bebê. Talvez o sangue do parto despertasse o ventre de Raquel e este se enchesse de novo. E assim Raquel se banhou no rio da vida.

Lia urrou e pariu seu filho. Ele era tão grande que Inna precisou ajudar Raquel a apará-lo, e começou a chorar antes mesmo que elas levantassem sua cabeça. Não foi preciso usar os caniços para aspirar e limpar o nariz e a boca daquela criança. Todas as mulheres riam, as lágrimas descendo pelo rosto, arfando com o esforço do parto de Lia.

Passaram o bebê de mão em mão dentro da tenda, limpando-o e beijando-o, elogiando suas pernas e braços, seu tronco, sua cabeça, seu pequeno sexo. Todas falavam ao mesmo tempo, fazendo o máximo de barulho que seis mulheres juntas são capazes de fazer. Jacó gritava lá de fora que lhe dessem notícias.

— Você é pai — disse-lhe Inna. — Vá embora. Chamaremos você daqui a pouco e vai poder ver seu filho, seu primogênito, quando acabarmos.

Ouviram Jacó berrar de alegria e transmitir a novidade aos brados para Labão e Ruti, para seus cachorros que latiam, para as nuvens do céu.

A placenta saiu de Lia, que estava quase adormecida de exaustão. Inna a fez comer e beber antes de descansar, e pôs o menino para mamar em seu seio. Mãe e filho adormeceram, as irmãs os cobriram. Ada contemplava a cena, tendo nos lábios um sorriso de avó que não se apagou nem quando ela começou a cochilar. Inna embrulhou a placenta em um pano velho e elas a enterraram naquela noite no canto leste do *bamah*, como convém a um filho primogênito.

Algumas horas mais tarde, quando despertou, Lia deu a seu filho o nome de Rubem. O nome era como um grito alegre, um nome que quase desafiava os maus espíritos a fazerem qualquer coisa à criança. Mas aquele seu menino robusto não inspirava nenhum receio a Lia. Jacó foi chamado e saudou seu filho com grande ternura.

Ao se afastar, porém, depois daquele primeiro encontro com o filho, a felicidade de Jacó pareceu evaporar-se. Quanto mais refletia sobre o que teria de fazer em seguida, mais sua cabeça ia pendendo para o peito. De acordo com o costume de sua família, o menino teria de ser circuncidado, e não havia mais ninguém ali para fazê-lo a não ser ele próprio. Jacó não deixaria Labão sequer tocar no menino, muito menos com uma faca. Não conhecia nenhum outro homem no povoado ou nas colinas próximas que soubesse como ou até mesmo por que ele precisava fazer aquilo com seu primeiro filho. Teria que ser ele mesmo.

Jacó vira seu pai cortar prepúcios dos filhos recém-nascidos de seus servos e nunca desviara o olhar ou se retraíra ao assistir. Mas ele próprio nunca o fizera nem — agora se dava conta — prestara a devida atenção na maneira como seu pai aplicava o curativo. E, é claro, nunca se importara tanto com qualquer outro bebê em sua vida.

Tinha de ser feito, contudo, e ele começou os preparativos que Zilpah acompanhou e relatou para Lia, doente com a perspectiva de ter seu bebê, seu prêmio, posto no altar do *bamah* e mutilado. Pois essa era a opinião dela. O pedaço de pele no pênis nada significava para ela. Na realidade, agora que vira como era um homem não circuncidado, preferia a aparência do sexo de Jacó — exposto, limpo, até audacioso — ao pequeno envoltório que seu filho exibia em seu membro, que era fonte de muitas piadas tolas e grosseiras entre as mulheres da tenda vermelha. A certa altura, Lia ameaçou pegar um pedaço de carvão e desenhar um rosto no sexo de Rubem para que, no momento em que Jacó puxasse o prepúcio do filho, o espanto o fizesse deixar cair a faca. As mulheres rolaram de rir em suas esteiras, dobraram-se de tanto rir do delicado equipamento que os homens carregavam entre as pernas.

Alguns dias depois, porém, as brincadeiras cessaram e Lia chorava tanto e durante tanto tempo em cima do menino em seu peito que os cachos escuros do cabelo dele ficaram salgados de lágrimas. Mesmo assim, ela não se opôs ao costume do pai do marido. Jacó sobrevivera à circuncisão, disse ela repetidas vezes às irmãs, mais para se tranquilizar. Isaac também havia sido circuncidado e Abraão antes dele. De qualquer modo, imaginar seu filho sentindo dor ou em perigo fazia a nova mãe tremer, e saber que Jacó não tinha experiência na tarefa a enchia de enorme aflição.

Zilpah observava tudo e notava que Jacó também não estava tranquilo com relação ao ritual. Todas as noites, ele se sentava no *bamah* com sua faca e afiava-a no altar. Durante três noites consecutivas, do pôr do sol até a lua surgir no céu, ele amolou e poliu a lâmina, até conseguir cortar com ela um fio de seu próprio cabelo com um simples movimento do pulso. Pediu a Ada para fazer pequenas ataduras, tecidas com lã nova tirada da primeira tosa do primeiro cordeiro nascido na temporada. Mandou perguntar a Lia se ainda tinha unguentos da parteira para ajudar a cicatrização.

Na sétima noite depois do nascimento de Rubem, Jacó manteve-se em silenciosa vigília, observando o céu até o nascer do sol. Ofereceu libações e cantou para o deus de seus pais. Também derramou libações sobre a *asherah* e abriu as mãos diante dela. Zilpah observou tudo isso e, daí em diante, parou de se referir a Jacó como "o homem novo", passando a chamá-lo por seu próprio nome.

Ao amanhecer do oitavo dia depois do nascimento de seu filho, Jacó imolou um cabrito e queimou-o sobre o altar. Lavou as mãos como se tivesse tocado em um cadáver, em seguida esfregou-as bastante com palha até ficarem avermelhadas. Então, encaminhou-se para a tenda vermelha e pediu às mulheres que lhe entregassem Rubem, filho de Lia.

Pediu a Labão que o acompanhasse e os dois homens seguiram sozinhos até o *bamah*, onde Jacó despiu o bebê, que estava de olhos abertos, e colocou-o sobre o altar. Jacó suspirou longa e sonoramente enquanto despia o menino, depois pediu a Labão que segurasse as pernas da criança. Com isso, Rubem começou a choramingar. Jacó apanhou a faca e franziu o cenho.

— Havia lágrimas nos olhos dele — recordava Zilpah. — Ele pegou o sexo do bebê e puxou a pele para cima com firmeza, segurando-a entre os dois dedos mais longos de sua mão esquerda. Com a mão direita, cortou com um golpe rápido e certeiro, como se aquilo fosse um velho hábito seu, como se soubesse o que estava fazendo — disse ela.

Rubem chorou alto e Jacó deixou a faca de lado. Rapidamente, envolveu a ferida com as ataduras de Ada e embrulhou outra vez o bebê nos cueiros, mas desajeitadamente, como os homens fazem sempre. Levou o filho de volta para a tenda das mulheres, sussurrando nas pequenas orelhas perfeitas de Rubem palavras que ninguém mais podia ouvir.

A tenda vermelha, de onde não saíra o menor ruído durante a ausência da criança, agora fervia de atividade. Lia tratou a ferida com o óleo de cominho que Inna lhe deixara para os curativos do parto. Ada enrolou Rubem direito em seus cueiros e entregou-o de volta à mãe. Ele tomou o seio dela com alívio e adormeceu.

A criança sarou depressa, assim como Lia, durante seu primeiro mês como nova mãe sob a proteção da tenda vermelha. Era mimada pelas irmãs, que mal deixavam os pés dela tocarem o chão. Jacó ia até lá todos os dias, trazendo aves recém-preparadas para ela comer. Através da lã áspera da tenda, eles contavam um ao outro as novidades do dia com um carinho que enternecia quem os ouvia.

Ada parecia radiante durante todo aquele mês e viu sua filha sair da tenda vermelha recuperada e repousada. Deliciou-se com os primeiros bocejos e espirros do neto e foi a primeira a ver Rubem levantar a cabeça. Ada segurava o bebê sempre que Lia o largava, e a alegria que ele lhe proporcionou tirou anos de seu rosto e aliviou as dores de seu corpo. Entretanto, nem a maior das alegrias poderia curar a doença que consumira suas forças. E, uma certa manhã, ela não se levantou mais de seu cobertor.

Ada havia sido a única mãe que cada uma das irmãs conhecera, e elas puseram cinzas nos cabelos para reverenciá-la. Lia lavou o rosto e as mãos de Ada. Zilpah penteou-lhe os cabelos com todo o esmero. Raquel vestiu-a com a melhor túnica que possuía e Bilah colocou os poucos anéis, colares e pulseiras de Ada em seus dedos, pescoço e pulsos enrugados. Juntas, elas cruzaram seus braços e dobraram suas pernas, de modo que ela ficou parecendo uma criança adormecida. Sussurraram pedidos e desejos em seus ouvidos para que ela os levasse para o outro lado da luz, onde os espíritos de seus antepassados acolheriam sua alma, que agora podia descansar no pó da terra e não sofrer mais.

Envolveram-na em uma mortalha de lã crua revestida de ervas perfumadas e enterraram-na entre as raízes da grande árvore onde as mulheres costumavam reunir-se para ver a lua nascer.

Jacó cavou a sepultura enquanto Labão assistia de pé ao lado, a cabeça coberta de cinzas em honra de sua primeira mulher. Com Ada, Labão enterrava sua juventude, sua força e talvez algum lado bom esquecido. Ele atirou o primeiro punhado de terra, depois se virou e foi embora antes que as quatro irmãs acabassem de cobri-la com terra, flores e lamentos ditos em voz alta.

Dois meses depois da morte de Ada, Bilah fez sua entrada na tenda vermelha. Na ausência de Ada ou de outra mulher mais velha para substituí-la, Lia, que estava amamentando o filho, tornou-se a mãe-anfitriã. Foi ela quem deu as boas-vindas à neófita, ensinou-lhe como cuidar do fluxo de sangue, como se regozijar com a fase escura da lua, como unir o ciclo de seu corpo com a repetição da vida.

A roda havia girado. E, apesar de Labão ainda manter o título de chefe do clã, o tempo de Jacó como patriarca já começara. Minhas mães, com a sabedoria das mulheres, também haviam começado a contar seus dias.

⁂

Seguiram-se muitos anos bons. As chuvas vinham no tempo certo e a água do poço era fresca e abundante. A terra foi poupada das pestes e havia paz entre as tribos dos arredores. Os rebanhos cresceram tanto que Jacó não dava mais conta sozinho do trabalho e tomou como servo, por sete anos, Shibtu, o terceiro filho de um pastor do lugar. Mais tarde, contratou Nomir, que trouxe a mulher, Zibatu, e de repente havia uma cara nova na tenda vermelha.

A boa sorte e a riqueza crescente da família não eram apenas resultado da habilidade de Jacó nem podiam ser inteiramente atribuídas à vontade dos deuses. O trabalho intenso de minhas mães era em grande parte responsável por isso. A quantidade de carneiros e cabras é um sinal de riqueza, mas só se obtém vantagem concreta de seu valor integral com as atividades domésticas das mulheres. Os queijos de Lia nunca azedavam e, quando a ferrugem das plantas atacava o trigo ou o painço, ela providenciava para que os caules afetados fossem todos arrancados, protegendo o resto da colheita. Zilpah e Bilah teciam a lã dos prósperos rebanhos de Jacó, criando motivos decorativos em preto, branco e cor de açafrão que atraíam os comerciantes e traziam novos lucros.

Foi também um tempo de grande fertilidade entre as mulheres. Muitos bebês nasceram e a maioria sobreviveu. Lia empunhava o cetro de grande mãe e dava a impressão de estar sempre grávida ou amamentando. Dois anos depois do nascimento de Rubem, ela teve o segundo filho, Simão. Levi nasceu apenas dezoito meses mais tarde. Lia abortou em seguida, mas, dentro de um ano, a alegria da chegada de seu quarto filho, Judá, dissipou todas as suas mágoas.

Aqueles irmãos de idades tão próximas, sozinhos, já formavam uma tribo. Rubem, sempre o mais alto e mais pesado, tratava os menores com meiguice. Simão era um demônio — bonito e presunçoso, exigente e rude —, mas de quem se perdoava tudo diante das suas covinhas. Levi era um ratinho manso e escravo de Simão. Judá, um menino sossegado, afetuoso com todos. Era muito mais claro que os outros filhos, e Jacó contou a Lia que ele se parecia muito com seu irmão, Esaú.

Quando Lia estava esperando Simão, Ruti, esposa de Labão, exibia também uma enorme barriga e teve um menino, Kemuel, seguido de outro, um ano mais tarde, que se chamou Beor. O velho era louco por seus filhos, que tinham a testa muito inclinada e que, de início, partilhavam as brincadeiras turbulentas típicas de meninos com os filhos de Lia, até o dia em que inventaram uma língua secreta, o que os isolou em um mundo próprio. Labão achava que isso demonstrava a superioridade de seus filhos, mas o resto da família encarava o fato como uma prova de sua natureza mal desenvolvida e suas perspectivas limitadas.

O barulho feliz das crianças cercava-os por toda parte, mas a graça de poder gerá-las não estava bem distribuída. Raquel teve um aborto atrás do outro. Depois que o fluxo sangrento levou embora suas esperanças pela quarta vez, ela adoeceu com uma febre que a fez delirar durante três dias e três noites. Suas irmãs ficaram tão assustadas que insistiram para que ela parasse de tentar engravidar e tomasse a infusão de sementes de funcho que fecha o útero, ao menos até que recuperasse o peso e as forças. Raquel, exausta, concordou.

Mas não conseguiu repousar por muito tempo em meio à algazarra dos filhos de sua irmã. Apesar de não mais detestar Lia com a mesma força do passado, Raquel não era capaz de sorrir para ela enquanto seu próprio corpo permanecia estéril. Quase sempre estava longe das tendas da família, buscando os conselhos de Inna, que aparentemente dispunha de uma lista infindável de preparados e estratégias para abrir o útero dela.

Raquel experimentou todos os remédios, todas as poções, todo tipo de cura de que ouviu falar. Só usava roupas vermelhas e amarelas, as cores do sangue da vida, e um talismã para a menstruação saudável. Dormia com o ventre encostado em árvores que se dizia consagradas a deusas da região. Sempre que via água corrente, deitava-se nela, na esperança de que a vida do rio inspirasse a vida dentro de seu corpo. Tomou uma tintura de pólen de abelha até sua língua ficar amarela e sua urina parecer uma cascata de açafrão. Ela comia carne de cobra — o animal que nasce de si mesmo ano após ano.

Quando qualquer pessoa, adulto ou criança, encontrava uma mandrágora — a raiz que se parece tanto com um marido excitado —, levava-a para Raquel e entregava-a com uma piscadela e bons votos. Rubem certa vez encontrou uma especialmente grande e levou-a para sua tia com o orgulho de um caçador de leões. Contudo, as mandrágoras de nada adiantavam para o ventre de Raquel.

No período em que se esforçou para ter um filho, Raquel auxiliou Inna e tornou-se sua aprendiz. Aprendeu o que fazer quando a criança vinha com os pés na frente, como agir quando a criança vinha depressa demais e a carne da mãe se dilacerava e inflamava. Aprendeu como impedir que a mãe de um filho natimorto entregasse a alma de tanto desespero. E como, quando a mãe morria, abrir-lhe o ventre para salvar a criança que estava dentro.

Raquel trazia para suas irmãs histórias que as faziam chorar, suspirar e se surpreender. Da mãe que morreu e o pai vendeu a criança antes que o corpo dela esfriasse. Do homem que desmaiou com a morte da esposa amada. Da mulher que chorou sangue por seu filho morto. Falava de poções que faziam milagres para determinadas mulheres e quase matavam outras, de um pequeno monstro sem braços que foi deixado ao ar da noite para morrer, do sangue que causava a morte e do sangue que curava.

Havia histórias triunfantes, também, como a dos gêmeos saudáveis e a do bebê que nascera azul, o cordão umbilical enrolado apertado no pescoço, que Inna ressuscitara aspirando a morte das narinas do pequeno com um caniço do rio. Às vezes, Raquel fazia as irmãs rirem imitando mulheres que rugiam como leões ao dar à luz, ou outras que prendiam a respiração e desmaiavam mas não davam um pio.

Raquel tornou-se a ligação delas com um mundo maior. Além de histórias de vida e de morte, ela trazia novas ervas para temperar os legumes, receitas de unguentos que ajudavam a cicatrização de feridas e remédios cada vez mais estranhos para a própria esterilidade, que não fizeram nenhum efeito.

Muitas vezes, Raquel voltava com uma pulseira nova, uma tigela ou uma meada de lã — penhores de gratidão por sua generosidade nos partos. A bela arrogante transformou-se em uma terna curandeira a serviço das mães. Chorava em todos os partos, tanto nos fáceis e felizes quanto nos que terminavam em luto e lamentos. Chorou com Ruti e até com Lia.

Quando chegou a hora de Zibatu subir nos tijolos da parteira, Raquel sozinha — sem Inna — ajudou-a a passar por toda a provação, cortou o cordão umbilical e corou de prazer quando segurou seu "primeiro", o bebê que lhe conferia o título de parteira. Lia preparou um jantar especial de comemoração para ela naquela noite e Zilpah derramou sal e vinho diante dela, em reconhecimento à sua nova posição de servidora das mulheres em nome de Anath, a que cura.

Com o passar do tempo, mais servos vieram trabalhar para Jacó e viver ali, e com eles vieram mulheres que tinham filhos e perdiam filhos. Zibatu teve Nasi, mas perdeu seu segundo bebê, uma menina que veio ao mundo dois meses antes do tempo. Iltani teve meninas gêmeas que vingaram, mas morreu de febre antes que suas filhas pudessem reconhecer o rosto da mãe. Lamassi pôs no mundo um menino, Zinri, mas sua filha foi abandonada para morrer porque tinha lábio leporino.

Na tenda vermelha, sabíamos que a morte era a sombra do nascimento, o preço que as mulheres pagam pela honra de dar a vida a alguém. Assim, nossa tristeza tinha uma medida.

Depois do nascimento de Judá, Lia mostrou sinais de cansaço. Ela, que sempre fora a primeira a se levantar e a última a se recolher, que parecia ficar mais contente quando podia fazer duas coisas ao mesmo tempo — mexer uma panela enquanto amamentava uma criança, moer grãos enquanto vigiava o movimento do fuso fiando —, começou a cambalear à tarde e ver sombras onde elas não existiam. Inna aconselhou-a a não engravidar por algum tempo e trouxe-lhe sementes de funcho, além de ensinar-lhe como fabricar um pessário de cera de abelha.

E Lia descansou. Divertia-se com o vigor dos filhos e todos os dias parava o que estava fazendo para acariciá-los e jogar com eles um jogo de seixos rolados. Assava seus bolos de mel como sempre fizera e planejou uma nova horta em que as ervas atrairiam mais abelhas para colmeias próximas. Dormia bem à noite e acordava em paz todas as manhãs.

Lia recordava-se daqueles anos sem filhos como um tempo de grande contentamento. Tinha a plenitude de cada dia em suas mãos, podendo contar com a doçura das crianças, o prazer do trabalho. Deu graças pelas sementes de funcho e pela sabedoria de usá-las. Seus bolos nunca foram tão saborosos quanto os daqueles anos, e ela correspondia aos desejos do corpo de Jacó com mais ardor do que nunca.

Quando falava daquela época, Lia dizia:

— O sabor da gratidão é como o néctar da colmeia.

Depois de dois anos, pôs de lado as sementes de funcho e o pessário e concebeu outro filho, que nasceu com facilidade e que foi chamado de Zebulun, o que, segundo Lia, significava "exaltar", porque aquele nascimento era uma exaltação à capacidade de seu corpo de se recuperar e dar à luz outra vez. Ela adorou o novo bebê quase tanto quanto tinha adorado seu primogênito. E, quando entregou seu filho a Jacó para que fosse circuncidado, Lia sorriu para o marido e ele lhe beijou as mãos.

3

Raquel foi aos poucos se retraindo. Parou de acompanhar Inna e não se levantava mais de seu cobertor até Lia ir sacudi-la, insistindo para que ajudasse o resto das mulheres no trabalho. Só então Raquel fiava, tecia ou trabalhava na horta, mas sem dizer uma palavra e sem sorrir. Jacó não conseguia despertá-la de sua tristeza. Repelido por seu silêncio irredutível, ele parou de chamá-la à noite. A melancolia dela tornou-se uma presença tão desalentadora que até as crianças pequenas começaram a evitar a companhia de sua bela tia. Raquel estava só na escuridão de sua própria noite.

Bilah percebeu o desespero de Raquel e foi até ela, que estava encolhida em seu cobertor. A irmã mais nova deitou-se ao lado de Raquel e abraçou-a com carinho de mãe.

— Deixe-me ir para Jacó em seu nome, minha irmã — sussurrou Bilah. — Deixe-me ter um filho em seus joelhos. Deixe-me ser seu ventre e seus seios. Deixe-me verter seu sangue e suas lágrimas. Deixe-me ser seu vaso até chegar a sua vez, porque sua vez ainda vai chegar. Deixe-me ser sua esperança, Raquel. Não vou desapontá-la.

Raquel não deu nenhuma resposta. Ficou calada por um longo tempo. Bilah cogitava se a irmã teria adormecido enquanto ela falava ou se a proposta a teria ofendido. Bilah disse que esperou tanto por uma resposta que começou a pensar na possibilidade de nem ter chegado a articular as palavras que enchiam seu coração.

Mas estava acostumada ao silêncio e esperou. Finalmente, Raquel virou-se e beijou-a, puxando a mulher pequenina para junto de seu corpo e reconfortando-se com seu calor.

— E as lágrimas que chorou não eram amargas, nem mesmo salgadas — disse Bilah —, mas doces como a água da chuva.

Bilah sabia que, apesar de seu oferecimento a Raquel ter sido feito por amor à irmã, também atendia aos desejos de seu próprio coração. Ela compreendia os anseios de Raquel porque eram iguais aos dela. Já estava mais do que na idade de ter filhos. Os sons dos casais fazendo amor no nosso confinado mundo de tendas muitas vezes a despertaram à noite, deixando-a abalada e insone. Assistir aos partos de suas irmãs fizera-a querer participar do grande mistério maternal, cujo ingresso é comprado com dor para se receber em troca o sorriso luminoso e a pele sedosa de uma criança.

A franca e honesta Bilah abriu todos os cantos de seu coração para Raquel, que conhecia a sensação de vazio que a irmã descrevia. Choraram juntas e adormeceram nos braços uma da outra. Na manhã seguinte, Raquel procurou Jacó e pediu-lhe que fizesse um filho em Bilah em seu nome. Não era uma solicitação, porque Raquel tinha o direito de ter um filho com Jacó.

Não havia mais ninguém a quem pedir ou de quem obter permissão. Jacó concordou. (Por que não o faria? Lia estava amamentando o último filho deles e Raquel dera-lhe as costas já havia meses.) Portanto, naquela noite, sob a lua cheia de um mês gelado, Bilah foi para a tenda de Jacó e deixou-a na manhã seguinte, não mais uma virgem, porém sem ser uma noiva.

Não houve hena para as mãos de Bilah, nem festa, nem presentes. Ela não teve sete dias para conhecer os segredos do corpo de Jacó ou o significado de suas palavras. Quando o sol nasceu no dia seguinte, Jacó saiu para cuidar dos rebanhos e Bilah foi ao encontro de Raquel, para quem contou cada detalhe de sua noite. Anos mais tarde, contou-os para mim.

Estava chorando quando entrou na tenda de Jacó, mas ficara surpresa com as próprias lágrimas. Queria ser iniciada nos mistérios do sexo, abrir suas pernas e aprender os antigos modos dos homens e mulheres. Contudo, sentia-se solitária andando sozinha para a tenda de seu marido, sem o acompanhamento de irmãs, sem cerimônia ou comemoração. Não tinha direito aos rituais de uma noiva, mas ainda assim sentia falta deles.

— Jacó foi bondoso — lembrava Bilah. — Pensou que minhas lágrimas eram sinal de medo, abraçou-me como se eu fosse uma criança e deu-me uma pulseira de lã. — Não era nada. Não era feita de metal precioso, de marfim ou de qualquer material valioso. Só uma tira trançada feita de sobras, o tipo de coisa que os meninos pastores fazem distraidamente, sentados sob uma árvore na hora quente do dia, com tufos de lã que ficam agarrados em arbustos ou rolam pelo chão. Jacó havia torcido os fios castanhos, negros e brancos em cima de sua coxa até ter uma quantidade suficiente para fazer uma pequena trança.

Tirou o enfeite simples de seu braço e cortou-o para caber no dela. Um preço de noiva insignificante, que ela no entanto usou durante todo o seu primeiro ano como terceira esposa de Jacó, até que rebentou um dia e ela o perdeu sem ao menos saber onde. Pensando em sua pulseira, Bilah sorria e traçava com o dedo o lugar onde uma tira de lã a ligara a Jacó.

— Ele me consolou com aquele presente modesto sem dizer uma palavra, e eu parei de chorar. Sorri para ele. Então, ah, fui tão audaciosa que mal acreditava que era eu mesma. Coloquei a mão sobre seu sexo e a dele no meu. Ele levantou minha saia e massageou minha barriga e meus seios. Enterrou o rosto entre minhas coxas e eu quase ri alto de tanto prazer. Quando ele me penetrou, foi como se eu mergulhasse em uma lagoa cheia d'água, como se a lua cantasse as sílabas do meu nome. Era tudo o que eu tinha esperado que fosse. Dormi nos longos braços de Jacó, aninhada como uma criança pela primeira vez desde o dia em que minha mãe me segurara, que seu nome fique gravado nas estrelas. Por aquela noite apenas, amei Jacó.

Bilah contou tudo isso a Raquel. Não foi fácil para minha linda tia ouvir aquele relato, mas ela insistiu com Bilah para que não omitisse nada. E a irmã mais nova repetiu a história tantas vezes quantas Raquel lhe pediu, até a lembrança da consumação de Bilah tornar-se uma lembrança da própria Raquel e o prazer e a gratidão da irmã se tornarem parte de seus próprios sentimentos por Jacó.

No dia seguinte àquele em que Jacó conheceu Bilah, ele precisou partir para fazer negócios com um comerciante em Carchemish, uma viagem de dois dias. Bilah sofreu com a sua ausência, pois estava ansiosa para se deitar com ele outra vez. Raquel sofreu por saber que Jacó se sentira feliz com Bilah. Lia sofreu por sentir-se tão distante da vida de suas irmãs. Zilpah observava tudo, falava pouco e suspirava muito.

Quando retornou, Jacó trouxe um colar de contas para Raquel e passou sua primeira noite com ela. Lia ainda estava amamentando, de modo que ele chamou Bilah à sua tenda com frequência nos meses seguintes, principalmente quando Raquel estava ausente ajudando algum parto.

Jacó e sua terceira esposa falavam muito pouco quando estavam juntos, mas seus corpos se uniam em posições simples e diretas, o que proporcionava a ambos prazer e alívio ao mesmo tempo.

— Jacó dizia que eu lhe dava paz — afirmava Bilah, com grande satisfação.

Bilah engravidou. Raquel saudou a notícia com beijos e alegrou-se com sua irmã. À medida que os meses se passavam e o ventre de Bilah crescia, Raquel mimava-a e pedia-lhe que mencionasse cada sensação, cada pontada, cada estado de espírito. Bilah sabia em que momento a vida se enraizara? Sentia o cansaço da gravidez nos joelhos ou nos olhos? Tinha desejos por comidas doces ou salgadas?

As duas partilharam o mesmo cobertor durante a gravidez de Bilah. A mulher estéril sentiu a barriga da irmã inchar lentamente, e seus seios tornarem-se cada vez mais pesados. Observou a pele distendendo-se em faixas castanhas na barriga e nas coxas escuras e notou a mudança gradativa da cor dos mamilos. Conforme a criança crescia dentro de Bilah, sugando-lhe as cores e a energia, Raquel desabrochava. Seu corpo ganhou curvas e maciez com o de Bilah, e os vazios que a tristeza cavara em suas faces aos poucos desapareceram. Ela ria e brincava com os sobrinhos e com as outras crianças do acampamento. Assava pão e fazia queijo sem que precisassem pedir-lhe. Vivia tão profundamente dentro da gravidez de Bilah que, durante o nono mês, seus tornozelos incharam e, quando estava próxima a hora de a criança vir ao mundo, Raquel mandou chamar Inna para ser a parteira, de modo que ela pudesse postar-se sozinha atrás de Bilah durante seu trabalho de parto, amparando-a e sofrendo com ela.

Felizmente para Bilah, o parto foi tão fácil e rápido quanto foi penosa a gravidez. Após uma manhã gemendo e arfando, ela subiu nos tijolos enquanto Raquel acocorava-se em torno dela. Os cotovelos de Bilah apoiaram-se nos joelhos abertos de Raquel, e foi como se as duas mulheres tivessem o mesmo útero no momento terrível em que a criança abriu caminho para sair. Os dois rostos contraíram-se e avermelharam-se ao mesmo tempo, e as duas gritaram em uníssono quando a cabeça apareceu. Inna disse que teve a impressão de estar diante de uma mulher de duas cabeças dando à luz e que aquela foi uma das coisas mais estranhas que viu em sua vida.

Quando o menino nasceu e o cordão umbilical foi cortado, Raquel segurou a criança primeiro, as lágrimas descendo pelo rosto, durante um longo tempo. Pelo menos foi o que pareceu a Bilah, que mordeu a língua e esperou ansiosa pelo momento em que teria nos braços o primeiro fruto de seu ventre. Os olhos de Bilah acompanharam cada movimento de Raquel, que limpou o sangue do corpo do bebê e examinou-o para ver se era inteiro e perfeito. Bilah mal respirava enquanto o tempo transcorria e seus braços permaneciam vazios, mas não dizia nada. Pela lei, aquele filho pertencia a Raquel.

Os anos que passara ajudando tantos partos haviam amolecido o coração de Raquel, que, com um grande suspiro, pôs o menino nos braços de Bilah, onde ele ergueu os olhos para a mãe e sorriu para ela antes de tomar-lhe o seio.

Naquele instante, Raquel despertou de seu sonho e viu que o bebê não era seu filho. Seu sorriso murchou, seus ombros vergaram e as mãos agarraram seus seios de menina. Inna dissera-lhe que o leite brotaria dentro dela se deixasse o bebê sugá-la por algum tempo, e ela então poderia ser sua mãe de leite. Mas Raquel não confiava na capacidade de seu corpo para manter uma vida. Fazer uma criança mamar em um peito vazio causaria sofrimento a seu filho, que afinal não era seu coisa alguma, mas de Bilah. Além disso, Bilah poderia adoecer e até morrer se não esvaziasse os seios, pois ela já vira isso acontecer. E Raquel amava sua irmã. Esperava que o bebê que estava no seio de Bilah se tornasse um homem tão bom quanto sua mãe era uma mulher boa.

Raquel deixou Bilah com seu filho e foi procurar Jacó. Contou ao marido que chamariam o menino de Dan, que significa "julgamento". Para a mulher que o gerou, Dan tinha uma doce ressonância, mas para aquela em nome de quem havia sido gerado tinha um toque de amargura.

A visão do bebê nos braços de Bilah, dia após dia, abalou o ânimo de Raquel outra vez. Ela era só a tia, a espectadora, a estéril. Dessa vez, porém, não maldisse os céus nem infernizou a vida das irmãs com seu mau humor. Sentou-se, infeliz demais para chorar, sob a acácia, a árvore consagrada a Innana, onde os pássaros se reuniam ao amanhecer. Dirigiu-se à *asherah*, prostrou-se diante da deusa que sorria seu sorriso largo e murmurou:

— Dê-me filhos ou morrerei de tristeza.

Jacó viu seu sofrimento e levou-a para junto de si com a maior das ternuras. E, depois de tantos anos, de tantas noites, de todos os abortos e esperanças perdidas, Raquel afinal descobriu o prazer nos braços dele.

— Até aquela ocasião, eu realmente não sabia por que Lia e Bilah gostavam tanto de ir para a cama de Jacó — contou Raquel. — Antes, eu ia de bom grado quando ele me chamava, mas ia sobretudo por obrigação. Porém, depois que Dan abriu o ventre de Bilah, de alguma forma a minha paixão igualou-se à de Jacó e compreendi a disposição de minhas irmãs para se deitarem com ele. E senti ciúme novamente de todos os anos perdidos, em que eu deixara de desfrutar aquelas loucas delícias dos amantes.

Raquel e Jacó passaram muitas noites juntos explorando o novo ardor que tomara conta deles. E as esperanças de Raquel reacenderam-se. Algumas parteiras diziam que o prazer superaquecia a semente e a matava. Mas outras alegavam que os bebês só vêm quando as mulheres sorriem. Foi essa a história que ela contou a Jacó para inspirar suas carícias.

ᘕᗝᘗ

Durante os últimos meses da gravidez de Bilah, Zilpah foi para a cama de Jacó pela primeira vez. Porém não se ofereceu para isso como Bilah fizera, apesar de ser no mínimo cinco anos mais velha que ela, da mesma idade de Lia, que já pusera cinco filhos no mundo naquela época.

Zilpah sabia que aquilo aconteceria mais cedo ou mais tarde e estava resignada. No entanto, ao contrário de Bilah, Zilpah nunca pediria. Lia teria de dar a ordem. Finalmente ela o fez.

— Certa noite, quando eu estava passeando à luz da lua cheia, Lia surgiu à minha frente — lembrou Zilpah. — A princípio, achei que estivesse sonhando. Minha irmã tinha o sono pesado, igual ao de nosso pai Labão, e nunca se levantava à noite. Até seus filhos pequenos custavam a acordá-la. Mas lá estava ela, em meio à noite tranquila. Caminhamos de mãos dadas sob a luz branca e intensa da senhora lua por um longo tempo. E mais uma vez tive dúvida se aquela seria realmente minha irmã ou um fantasma, porque a mulher ao meu lado estava calada, enquanto Lia sempre tinha alguma coisa para dizer. Por fim — continuou —, ela falou sobre a lua usando palavras cuidadosas. Disse-me quanto amava a sua luz branca, como falava com a lua e a chamava pelo nome todos os meses. Lia dizia que a lua era a única face da deusa que parecia aberta para ela por causa da maneira como a lua provocava o encher e o esvaziar de seu corpo. Minha irmã agiu com bom senso — observou Zilpah. — Ela parou, olhou para mim, segurou minhas mãos e perguntou: "Você está preparada para engolir a lua afinal?" O que eu poderia responder? — indagou Zilpah. — Era a minha vez.

Na realidade, talvez Lia tivesse esperado demais para pedir, e Zilpah, com seus vinte e cinco anos, esperava de certa forma já ter passado da idade de ter filhos. A idade só não bastava para fazer boas previsões. Raquel era estéril desde a juventude, apesar de todos os seus esforços. E Lia, fértil como uma planície bem aguada, não dava sinais de querer parar. A única maneira de descobrir o que a mãe da vida havia reservado para Zilpah seria ela ir até Jacó e tornar-se a menos importante de suas esposas.

Na manhã seguinte, Lia falou com Jacó. Bilah ofereceu-se para pôr hena nas mãos de Zilpah, mas ela cerrou os lábios e recusou. Naquela noite, ela caminhou lentamente até a tenda de Jacó, ele se deitou com ela e a conheceu. Zilpah não sentiu prazer com Jacó.

— Fiz o que tinha de fazer — disse ela, com um tom de voz tal que ninguém se atreveu a pedir-lhe para falar mais nada.

Zilpah nunca se queixou das atenções de Jacó. Ele fez o melhor que pôde para acalmar os temores dela, assim como fizera com as outras esposas. Mandou chamá-la muitas vezes, tentando conquistá-la. Pediu-lhe que cantasse canções das deusas e escovou seu cabelo. Contudo, nada que ele fizesse sensibilizava Zilpah.

— Nunca entendi a sofreguidão de minhas irmãs em se deitarem com Jacó — dizia, com um gesto enfastiado de sua longa mão. — Era uma obrigação, como moer os grãos, algo que desgasta o corpo mas é necessário para que a vida possa prosseguir. Veja bem, não me decepcionei nem um pouco — explicava ela. — Não era algo de que iria gostar, achava eu.

Zilpah concebeu durante a gravidez de Bilah. E, logo depois que o Dan de Bilah nasceu, parecia mesmo que Zilpah tinha engolido a lua. Em sua estrutura esguia, o ventre se destacava, imenso e perfeitamente redondo. As irmãs caçoavam dela, mas Zilpah limitava-se a sorrir. Estava contente por se ver livre das atenções de Jacó, pois os homens não se deitavam com mulheres grávidas. Exultava com seu novo corpo e tinha sonhos maravilhosos de poder e voo.

Sonhou que dava à luz uma filha, que não era uma criança humana mas uma espécie de ser sobrenatural, uma mulher-espírito. Nascia já adulta, com seios crescidos. Usava apenas uma faixa trançada nos quadris que se prolongava na frente e atrás. Percorria a terra a passos largos e seu sangue da lua fazia as árvores crescerem por todo lugar onde passava.

— Eu adorava dormir quando estava grávida. Viajava para longe em cima de meus cobertores naqueles meses — dizia Zilpah.

No entanto, quando chegou sua hora, a criança custou a aparecer e Zilpah sofreu. Seus quadris eram estreitos demais e o trabalho de parto estendeu-se de um pôr do sol a outro durante três dias. Zilpah chorava e gemia, certa de que a filha morreria, ou de que ela própria morreria antes de ver sua menina, sua Ashrat, pois já escolhera o nome e comunicara-o às irmãs para o caso de não sobreviver.

Zilpah passou um mau pedaço. Ao anoitecer do terceiro dia, estava quase morta de tantas dores, que, mesmo fortes, não pareciam trazer o bebê para mais perto deste mundo. Finalmente, Inna recorreu a uma poção ainda não experimentada que havia comprado de um comerciante cananeu. Levou a mão até a obstinada porta do ventre de Zilpah e friccionou-a com uma forte resina aromática que fez efeito rápido, arrancando um grito estridente da garganta de Zilpah, que àquela altura estava tão rouca de gritar que o som não parecia o de uma voz de mulher, mas de um animal encurralado pelo fogo. Inna murmurou um trecho de uma fórmula mágica em nome da deusa da cura:

Gula, apressa o parto.
Gula, apelo para ti, infeliz e atormentada,
torturada pela dor, tua serva.
Sê misericordiosa e atende a esta oração.

Logo Zilpah estava sobre os tijolos, com Lia de pé atrás dela, auxiliando o nascimento da criança gerada em seu nome. Zilpah já esgotara todas as lágrimas quando Inna mandou que fizesse força. Sua pele estava fria e acinzentada. Parecia quase morta e não teve forças nem para gritar quando a criança afinal chegou, dilacerando sua carne na frente e atrás.

Não era a filha esperada, mas um menino comprido, magro e de cabelos negros. Lia abraçou a irmã e declarou que ela tinha sorte por ter um filho assim e por estar viva. Lia chamou-o de Gad, para dar sorte, e disse:

— Que ele dê a você a lua e as estrelas e a proteja na velhice.

Porém as comemorações na tenda vermelha foram interrompidas porque Zilpah gritou novamente. A dor tinha voltado.

— Estou morrendo, estou morrendo — soluçava ela, chorando pelo filho que jamais conheceria a mãe. — Vai viver como eu vivi — lamentava-se ela —, órfão de uma concubina, perseguido por sonhos com a mãe morta, fria. Menino sem sorte — choramingava. — Filho sem sorte de uma mãe sem sorte.

Inna e Raquel agacharam-se, uma de cada lado da mãe em desespero, buscando a razão daquela nova dor. Inna pegou a mão de Raquel e pousou-a na barriga de Zilpah, mostrando-lhe que havia uma segunda criança lá dentro.

— Não desista ainda, mãezinha. Você vai ter gêmeos esta noite. Como não sonhou com isto? Ela não é grande coisa como sacerdotisa, não é? — Inna disse para Zilpah, rindo.

A segunda criança veio depressa, já que Gad abrira caminho. Caiu do ventre da mãe como um fruto maduro, e era um outro menino, também moreno, mas muito menor que o primeiro.

Mas a mãe não o viu. Um rio de sangue jorrou em seguida e a luz dos olhos de Zilpah se extinguiu. Inna e Raquel aplicaram-lhe repetidamente compressas de lã e ervas para estancar o sangramento. Molharam os lábios dela com água e fortes infusões adocicadas. Cantaram cânticos de cura e queimaram incenso para impedir que seu espírito voasse para fora da tenda. Contudo, Zilpah ficou estendida no cobertor, sem ter morrido mas também sem estar viva, por mais de oito dias. Permaneceu inconsciente durante a circuncisão de Gad e de seu segundo filho, a quem Lia chamou Asher, em homenagem à deusa que Zilpah amava. Lia amamentou os meninos, assim como Bilah e uma das servas.

Dez dias depois, Zilpah deixou escapar um gemido e ergueu as mãos.

— Sonhei com dois filhos — disse ela, em uma espécie de grasnido. — É verdade? — Trouxeram-lhe os dois meninos, morenos e saudáveis. E Zilpah riu. Seu riso era um som raro, mas o nome das crianças a fez rir bastante. — Gad e Asher. A sorte e a deusa. Parece o nome de um mito dos tempos antigos — divertia-se ela. — E eu fui Ninmah, a dama enaltecida, que os pôs no mundo.

Zilpah comeu, bebeu e recuperou-se, apesar de não poder amamentar seus filhos. Seus peitos tinham secado com a doença. Entretanto, essa era uma tristeza que ela conseguia suportar. Tinha dois filhos, ambos perfeitos e fortes, e não sentia falta da filha dos seus sonhos. Quando os meninos cresceram e se afastaram dela, Zilpah lamentou o fato de não ter uma filha a quem ensinar. Porém, quando os segurou nos braços, só experimentou a alegria de todas as mães, as lágrimas mais doces.

Inna aconselhou-a a tomar cuidado para não conceber durante no mínimo os dois anos seguintes, mas Zilpah não pretendia passar por todo aquele sofrimento outra vez. Dera dois filhos à sua família. Procurou Jacó certa manhã antes que ele saísse para o pasto e disse-lhe que outra gravidez certamente a mataria. Pediu-lhe que se lembrasse disso ao chamar uma das esposas para sua cama e nunca mais dormiu com Jacó.

Na verdade, Jacó sentira apreensão ao saber que tivera gêmeos com ela. Ele próprio era um gêmeo, e isso só lhe trouxera aborrecimentos.

— Esqueçam que eles partilharam o ventre da mãe — determinou ele. E assim foi, não por determinação de Jacó, mas porque os dois meninos eram muito diferentes. Gad, alto e magro, com suas flautas e tambores. Asher, o vigoroso fazendeiro, com o talento do pai para lidar com animais.

A gravidez seguinte de Lia também trouxe dois gêmeos, Naftali e Issacar. Ao contrário dos filhos de Zilpah, porém, esses meninos pareciam-se tanto um com o outro que, quando pequenos, nem a mãe conseguia distingui-los. Só Bilah, que sabia ver cada folha de uma árvore à sua própria luz, nunca se enganava com aqueles dois, que se amavam com uma espécie de harmonia tranquila que nenhum dos meus outros irmãos conheceu.

Pobre Bilah. Depois de Dan, todos os seus bebês — um menino e duas meninas — morreram antes de ser desmamados. Mas ela nunca deixou a mágoa envenenar seu coração e amou todos nós no lugar deles.

⁕

Jacó era agora um homem com quatro esposas e dez filhos, e seu nome passou a ser conhecido na região. Era um bom pai e começou a levar seus meninos com ele para as colinas assim que se tornaram capazes de carregar sua própria água, ensinando-lhes os costumes dos carneiros e das cabras, os segredos das boas pastagens, os hábitos das longas caminhadas, as habilidades com a funda e a lança. Lá, também, longe das tendas de suas mães, ele lhes contou a terrível história de seu pai, Isaac.

Quando Jacó e seus filhos ficavam em pastagens distantes montando quarda onde um chacal fora visto, ou simplesmente desfrutando o ar fresco de uma noite de verão, ele contava aos meninos como seu avô, Abraão, amarrara os braços e pernas de Isaac e erguera uma faca sobre sua garganta para oferecer a El o sacrifício de seu filho favorito. El era o único deus diante do qual Jacó se curvava, um deus ciumento e misterioso, amedrontador demais para ser reproduzido como ídolo por mãos humanas, grande demais para caber em qualquer lugar, até mesmo em um lugar tão grande quanto o céu. El era o deus de Abraão, Isaac e Jacó, que desejava que os filhos também o aceitassem como seu deus.

Jacó era um tecelão de palavras que sabia prender a atenção de seus ansiosos ouvintes com os fios da história, descrevendo o cintilar da faca, os olhos de Isaac arregalados de medo. A salvação viera no último instante, quando a faca já tocava a garganta de Isaac e uma gota de sangue descia pelo seu pescoço, enquanto as lágrimas transbordavam dos olhos de Abraão. Então um espírito flamejante deteve a mão do patriarca e trouxe um carneiro branco imaculado para ser sacrificado no lugar de Isaac. Rubem e Simão, Levi e Judá fixavam os olhos no braço erguido do pai, com o céu estrelado ao fundo, e estremeciam ao se imaginarem deitados no altar.

— O deus de meus pais é um deus misericordioso — dizia Jacó.

Entretanto, quando Zilpah ouviu a história contada pelos filhos, disse:

— Que espécie de misericórdia é essa, que prega um susto assim no pobre Isaac? O deus de seu pai pode ser poderoso, mas é cruel.

Anos depois, quando os netos afinal encontraram o menino da história, nessa época um homem já idoso, ficaram abismados ao notar como Isaac gaguejava ao contá-la, ainda aterrorizado pela faca do pai.

Os filhos de Jacó adoravam o pai, e os vizinhos respeitavam seu sucesso. Mas ele se sentia constrangido. Labão possuía tudo o que ele conseguira obter: os rebanhos, os servos e suas famílias, os frutos da horta, a lã a ser comercializada. Jacó não era o único a ter ressentimentos de Labão. Lia e Raquel, Bilah e Zilpah impacientavam-se sob o domínio do pai, que parecia tornar-se mais grosseiro e arrogante à medida que os anos se passavam. Tratava as próprias filhas como se fossem escravas e batia nos filhos delas. Tirava proveito do trabalho de seus teares sem uma palavra de agradecimento. Lançava olhares maliciosos às mulheres dos servos e bebia a cerveja que elas lhe davam como suborno contra sua luxúria. Maltratava Ruti todos os dias.

As quatro irmãs falavam dessas coisas dentro da tenda vermelha, para onde sempre iam um dia antes do resto das mulheres no acampamento. É possível que os seus primeiros anos juntas, quando eram as únicas mulheres no acampamento, tivessem criado em seus corpos o hábito de fazer vir o fluxo de sangue algumas horas antes do das outras mulheres. Ou talvez fosse simplesmente uma necessidade de seus corações passarem um dia sozinhas. Seja como for, as servas não se queixavam nem tinham o direito de dizer qualquer coisa. Além do mais, as esposas de Jacó sempre as recebiam com doces quando chegavam para celebrar a lua nova e descansar nas esteiras de palha.

Ruti não dizia nada, mas seus olhos roxos e seu corpo machucado a acusavam. Da mesma idade que Lia, Ruti fora ficando pálida e abatida vivendo no meio delas. Depois do nascimento dos filhos, Labão a tratara bem: o pão--duro trouxera até pulseiras de presente para enfeitar os pulsos e tornozelos da nova mulher. No entanto, Ruti parou de conceber, e ele começou a bater nela e xingá-la com palavras tão feias que mais tarde minhas mães não tinham coragem de repeti-las para mim. Os ombros de Ruti curvaram-se de desespero e vários dentes seus foram quebrados com a força dos socos de Labão. Mesmo assim, ele continuou a usar o corpo dela para seu próprio prazer, uma ideia que fazia minhas mães estremecerem.

Apesar de toda a pena que tinham de Ruti, as esposas de Jacó não a aceitavam bem. Ela era a mãe dos rivais de seus filhos, sua inimiga fundamental. As mulheres dos servos viam como as irmãs se mantinham distantes de Ruti e seguiam o exemplo. Seus próprios filhos riam dela e a tratavam como um animal. Ruti, que já era sozinha, isolava-se mais ainda. Transformou-se em uma figura tão deprimente de olhar, esfarrapada, aniquilada, que ninguém a enxergava. Quando se dirigiu a Raquel para um pedido desesperado de ajuda, mais parecia um fantasma que uma mulher.

— Senhora, eu lhe suplico. Dê-me ervas para tirar a criança que está dentro de mim — disse em um sopro surdo, frio. — Prefiro morrer a dar outro filho a ele e, se for uma menina, vou afogá-la antes que cresça o suficiente para sofrer nas mãos dele. Ajude-me, pelo amor dos filhos de seu marido. — A voz de Ruti parecia vir de além-túmulo. — Sei que não faria isso por mim. Vocês me detestam, todas vocês.

Raquel transmitiu as palavras de Ruti para as irmãs, que escutaram em silêncio e se envergonharam.

— Você sabe como fazer isso? — perguntou Lia.

Raquel fez um gesto com a mão, querendo dizer que a pergunta nem merecia consideração. Não era uma questão difícil, sobretudo porque Ruti estava no primeiro mês.

Os olhos de Bilah faiscaram.

— Não somos muito melhores que ele, deixando-a sofrer sozinha, não lhe oferecendo nenhum consolo, nenhuma ajuda.

Zilpah virou-se para Raquel e perguntou:

— Quando você vai fazer isso?

— Temos de esperar pela próxima lua nova, quando todas as mulheres vêm ficar conosco — Raquel respondeu. — Labão é ignorante demais para desconfiar de qualquer coisa. Acho que nem o mais esperto dos homens percebe quanto sabemos e o que fazemos entre nós, mas é sempre melhor ter cuidado.

As irmãs aparentemente não mudaram a maneira de tratar Ruti. Não falavam com ela nem lhe demonstravam qualquer bondade especial. Mas à noite, enquanto Labão roncava, uma das quatro ia ao encontro de Ruti, encolhida em seu cobertor sujo em um canto afastado da tenda, e alimentava-a com caldo de carne ou pão com mel. Zilpah tomou a si o sofrimento de Ruti. Não podia suportar seu olhar vazio nem o desespero que pairava à sua volta como uma névoa saída do mundo dos mortos. Passou a visitá-la todas as noites para sussurrar palavras de estímulo em seu ouvido, mas ela não se movia, surda a qualquer esperança.

Afinal, a lua minguou e todas as mulheres foram para a tenda vermelha. Lia postou-se diante das servas e mentiu por uma boa causa:

— Ruti está doente. Suas regras estão atrasadas, mas sua barriga está quente e achamos que vai abortar hoje à noite. Raquel vai fazer tudo o que puder, com ervas e orações, para salvar a criança. Vamos cuidar de nossa irmã Ruti.

Em poucos minutos ficou claro para a maioria que o tratamento ministrado por Raquel não pretendia salvar a criança, mas eliminá-la. Do canto mais afastado da tenda vermelha, os bolos e o vinho intocados, as mulheres assistiram Raquel preparar uma infusão negra de ervas, que Ruti bebeu em silêncio.

Ruti ficou deitada, imóvel, os olhos fechados. Zilpah resmungou o nome de Anath, a que cura, e de Gula, a deusa antiga que auxilia as mulheres no parto, enquanto Raquel murmurava palavras elogiosas a Ruti, cuja coragem se revelou no decorrer da noite.

Quando as ervas começaram a fazer efeito, causando cólicas intensas e dilacerantes, Ruti não emitiu o menor som. Quando o sangue começou a fluir, escuro e cheio de coágulos, seus lábios não se abriram. As horas passavam, o sangue continuava a jorrar sem parar e ainda assim ela nada dizia. Raquel aplicou-lhe compressas de lã muitas vezes, até que por fim a hemorragia cessou.

Nenhum homem soube o que aconteceu naquela noite. Nenhuma criança deixou escapar o segredo porque nenhuma mulher jamais falou sobre aquilo uma palavra sequer, até Zilpah contar-me a história. Na ocasião, porém, ela nada mais era do que um eco do túmulo.

⁂

Minha mãe contou-me que, depois do nascimento de seus filhos gêmeos, ela decidiu não ter mais filhos. Seus seios estavam iguais aos de uma velha, sua barriga ficara flácida e suas costas doíam todas as manhãs. A ideia de outra gravidez a aterrorizava, e, sendo assim, passou a tomar funcho para evitar que a semente de Jacó criasse raízes outra vez.

Mas aconteceu que o estoque de sementes de funcho foi acabando enquanto Inna viajava pelo norte distante. Os meses se passaram, e ela não voltava com seus saquinhos de ervas. Lia tentou um velho remédio: encharcar uma mecha de lã em azeite de oliva velho e colocá-la na entrada de seu útero antes de deitar-se com Jacó. Porém tudo foi em vão e, pela primeira vez, saber que trazia uma outra vida dentro de si deixou-a desanimada.

Lia não desejava levar esse problema para Raquel, cujo desejo ardente por um filho não diminuíra. A esposa fértil procurava poupar os sentimentos da irmã estéril mantendo-se a uma distância respeitosa dela. As duas dividiam as obrigações de esposa principal. Lia encarregava-se da tecelagem e da cozinha, da horta e dos filhos. Raquel, ainda bonita e de corpo esbelto, servia o marido e recebia os comerciantes que vinham ao acampamento. Cuidava das necessidades de Jacó e, à medida que cresciam suas habilidades como curandeira, tratava das dores e doenças dos homens, das mulheres e até dos animais no acampamento.

Nascimentos de crianças e a lua nova obrigaram as duas mulheres a ficar juntas dentro da tenda vermelha. Entretanto, Lia costumava dormir virada para um lado, Raquel para o lado oposto, e as duas só se falavam por intermédio das outras irmãs: Lia por meio de Zilpah e Raquel por meio de Bilah.

Agora, Lia não tinha outra alternativa. Inna não voltara e Raquel era a única que conhecia as ervas, as orações e a massagem apropriada. Não havia mais ninguém a quem pudesse pedir ajuda.

Quando Raquel saiu para ajudar um parto em um acampamento próximo, Lia arranjou a desculpa de ir buscar água e acelerou o passo até alcançar Raquel no caminho. As faces de Lia queimavam e ela pregou os olhos no chão quando pediu à irmã para ajudá-la como havia ajudado Ruti. E surpreendeu-se com a meiguice na voz de Raquel ao responder:

— Não se livre de sua filha — disse ela. — Você está esperando uma menina.

— Então, ela vai morrer — respondeu Lia, pensando nos abortos de Raquel. (Inna afirmara que todas as crianças que ela perdera tinham sido meninas.) — E, mesmo que sobreviva, não vai conhecer a mãe, porque estou quase morta de tanto ter filhos.

Mas Raquel procurou dissuadi-la, argumentando em nome de todas as irmãs que há muito vinham guardando seus tesouros para uma filha.

— Faremos tudo por você enquanto espera a nossa menina. Lia, por favor — pediu ela, pela primeira vez chamando a irmã pelo nome, desde um tempo que as duas eram incapazes de lembrar.

E, em seguida, brincalhona:

— Faça como eu digo, senão conto para Zilpah — ameaçou, num tom malicioso. — Ela vai atormentar sua vida falando de deusas desprezadas se souber do seu plano.

Lia riu e cedeu, pois sua vontade de ter uma filha ainda era forte.

Enquanto eu dormia no ventre de minha mãe, apareci para ela e para cada uma de minhas tias em sonhos muito vívidos.

Bilah sonhou comigo uma noite em que estava nos braços de Jacó.

— Vi você usando um vestido branco de fino linho, coberta com uma longa túnica de contas azuis e verdes. Seu cabelo estava trançado e você vinha segurando um lindo cesto através de uma pastagem tão verde como eu nunca vira. Você vivia com rainhas, mas estava só.

Raquel sonhou com o meu nascimento:

— Você saiu do ventre de sua mãe com os olhos abertos e a boca já cheia de dentes pequeninos e perfeitos. Veio falando enquanto deslizava por entre as pernas dela: "Olá, mamães. Cá estou eu finalmente. Há alguma coisa para comer aí?" O que fez nós todas rirmos. Centenas de mulheres assistiam ao seu nascimento, algumas vestidas com roupas estrangeiras, de cores exageradas, cabelos cortados muito curtos. Ríamos todas sem parar. Acordei rindo no meio da noite.

Minha mãe, Lia, disse que sonhava comigo todas as noites:

— Você e eu cochichávamos uma com a outra como se fôssemos velhas amigas. Você era muito sensata, dizendo o que eu deveria comer para acalmar meu estômago embrulhado, como acabar com uma briga entre Rubem e Simão. Eu contava a você tudo sobre Jacó, seu pai, e sobre suas tias. Você me contava como era o outro lado do universo, onde a escuridão e a luz não são separadas. Você era uma companhia tão boa que eu detestava ter de acordar. Só uma coisa me incomodava naqueles sonhos — prosseguia minha mãe. — Eu nunca via seu rosto. Você estava sempre atrás de mim, bem atrás de meu ombro esquerdo. E, cada vez que eu me virava para tentar ver você, você desaparecia.

No sonho de Zilpah não havia risadas nem companheirismo. Ela dizia que me via chorando um rio de sangue que fazia surgirem monstros verdes achatados que abriam bocas onde se viam fileiras de dentes pontiagudos.

— Mesmo assim, você não demonstrava medo. Andava sobre as costas deles, subjugava toda aquela feiura e desaparecia na luz do sol.

⁂

Nasci durante uma lua cheia, em uma primavera lembrada mais tarde pela plenitude dos rebanhos de ovelhas. Zilpah postou-se do lado esquerdo de minha mãe, enquanto Bilah dava-lhe apoio do lado direito. Inna também estava lá, para participar da comemoração e recolher a placenta em seu balde antigo. Mas Lia pedira a Raquel para ser parteira e aparar-me.

Foi um parto fácil. Depois de todos os meninos que chegaram antes de mim, vim depressa e sem causar sofrimento, quanto isso é possível em um parto. Eu era uma criança grande — tão grande quanto Judá, que fora o maior de todos. Inna proclamou-me "a filha de Lia" com uma voz cheia de satisfação. Como fizera com todos os bebês, minha mãe olhou primeiro para meus olhos e sorriu ao ver que ambos eram castanhos, como os de Jacó e de todos os seus filhos.

Depois que Raquel me limpou, entregou-me para Zilpah, que me abraçou, e passou-me em seguida para Bilah, que me beijou. Tomei o seio de minha mãe com avidez, o que fez todas as mulheres do acampamento baterem palmas para nós duas. Bilah serviu leite adoçado com mel e bolo à minha mãe. Lavou os cabelos de Lia com água perfumada e massageou seus pés.

Enquanto Lia dormia, Raquel, Zilpah e Bilah levaram-me para fora e, à luz da lua, puseram hena em meus pés e mãos, como se eu fosse uma noiva. Pronunciaram uma centena de bênçãos ao meu redor, norte, sul, leste e oeste, para proteger-me contra Lamashtu e outros demônios ladrões de crianças. Deram-me mil beijos.

De manhã, minha mãe começou a contar os dois ciclos lunares que passaria na tenda vermelha. Depois do nascimento de um menino, as mães descansavam de uma lua à seguinte, mas o nascimento de uma geradora de vidas exigia um período mais prolongado de afastamento do mundo dos homens.

— O segundo mês foi muito agradável — contou-me minha mãe. — Minhas irmãs nos tratavam como rainhas. Você não era deixada nem um minuto sozinha em cima de um cobertor. Havia sempre alguém para segurá-la no colo, aconchegá-la, acariciá-la. Passávamos óleo em seu corpo pela manhã e à noite. Cantávamos canções em seu ouvido, mas sem balbuciar ou arrulhar. Falávamos com você dizendo as palavras completas, como se você fosse uma irmã crescida e não um bebezinho. E, antes de completar um ano de idade, você nos respondia falando perfeitamente, sem nenhum vestígio dos erros das crianças pequenas.

Enquanto eu passava dos braços de minha mãe para os de minhas tias, uma após outra, elas discutiam qual seria o meu nome. Era um assunto que nunca terminava, e cada uma das mulheres tinha um nome favorito que reservara durante muito tempo para uma filha nascida de seu próprio ventre.

Bilah sugeriu Adahni em memória de minha avó Ada, que amara todas elas. Isso levou a uma longa sessão de suspiros e lembranças de Ada, que ficaria tão contente com todos os seus netos. Mas Zilpah receava que o nome confundisse os demônios, e que eles viessem atrás de mim pensando que Ada escapara do outro mundo.

Zilpah gostava do nome Ishara, que homenageava a deusa e era fácil de rimar. Ela planejava fazer muitas canções em minha honra. Mas Bilah não gostava do som da palavra:

— Parece um espirro — ela criticava.

Raquel sugeriu Bentresh, um nome hitita que ouvira a mulher de um comerciante mencionar.

— Soa como música — dizia Raquel.

Lia escutava uma por uma e, quando as irmãs se inflamaram demais dando palpites sobre sua filha, ameaçou chamar-me de Lillu, um nome que todas detestavam.

Na segunda lua depois de meu nascimento, Lia reencontrou seu marido e disse a Jacó qual seria o meu nome. Contou-me mais tarde que fui eu mesma quem o escolheu.

— Durante os meus sessenta dias, sussurrava em sua orelha pequenina cada um dos nomes que minhas irmãs sugeriram. E também todos os nomes que eu já tinha ouvido, e até alguns que eu mesma inventei. Porém, quando eu disse "Dinah", você deixou o bico do peito cair de sua boca e levantou os olhos para mim. Portanto, você é Dinah, minha mais nova. Minha filha. Minha memória.

José foi concebido nos dias que se seguiram ao meu nascimento. Raquel fora ao encontro de Jacó levando a notícia de que ele finalmente era pai de uma menina saudável. Os olhos dela brilhavam quando lhe contou, e Jacó sorriu ao ver como sua esposa estéril estava satisfeita com o bebê de Lia. Naquela noite, depois de se deleitarem um com o outro da maneira tranquila dos casais que já têm longa intimidade, Raquel sonhou com seu primeiro filho e acordou sorrindo.

Não disse nada a ninguém quando seu sangue da lua não veio. Os muitos rebates falsos e perdas prematuras a tinham deixado assombrada e ela guardou segredo rigorosamente. Foi para a tenda vermelha na lua nova e mudou a palha como se a tivesse sujado. Era tão esguia que o ligeiro aumento de sua cintura passou despercebido a todos, com exceção de Bilah, que ficou calada.

No quarto mês, procurou Inna, que lhe disse que os sinais pareciam bons para aquele menino, e Raquel começou a ter esperanças. Mostrou sua barriga crescida para as irmãs, que dançaram em roda em volta dela. Pôs a mão de Jacó sobre a pequena colina de seu ventre. O pai de dez filhos chorou.

Raquel começou a andar empinada para trás. Seus seios pequenos ficaram cheios e doloridos. Seus tornozelos perfeitos incharam. No entanto, tudo o que costuma aborrecer as mulheres em gestação só fazia deliciá-la. Começou a cantar enquanto cuidava do fogo da cozinha e voltou a fiar. A família surpreendeu-se com a doçura de sua voz, que ninguém jamais ouvira elevar-se em uma canção. Jacó dormiu com Raquel todas as noites de sua gravidez, o que era uma transgressão escandalosa às regras dos bons costumes e um convite aos demônios. Mas ele não deu ouvidos às advertências e Raquel regalava-se com as atenções do marido à medida que seu corpo crescia.

No oitavo mês, Raquel começou a adquirir uma aparência doentia. Empalideceu e seu cabelo caiu. Mal podia ficar de pé, logo se sentia desfalecer. O medo sobrepôs-se à esperança e ela mandou chamar Inna, que prescreveu fortes caldos de carne feitos dos ossos de touros e carneiros não castrados. Recomendou-lhe que repousasse e visitava sua amiga sempre que havia uma oportunidade.

Inna veio para o parto de Raquel. Os pés do bebê estavam para baixo, e houve sangramento muito antes que ele aparecesse. As tentativas de Inna para virar a criança causaram dores horríveis em Raquel, e ela deu gritos tão lancinantes que todas as crianças no acampamento explodiram em lágrimas ao ouvi-los. Jacó estava sentado no *bamah*, os olhos fixos no rosto da deusa, indeciso, sem saber se deveria fazer-lhe alguma oferenda, apesar de ter prometido adorar somente o deus de seu pai. Arrancava tufos de capim e segurava a cabeça nas mãos, até que não aguentou mais ouvir os gritos de Raquel e foi para a pastagem da montanha esperar que tudo acabasse.

Passaram-se dois dias até mandarem Rubem ir buscá-lo. Dois dias terríveis em que Lia, Zilpah e Bilah chegaram a se despedir de Raquel, porque tudo indicava que ela iria morrer.

Mas Inna não desistiu. Deu a Raquel todas as ervas e todos os remédios possíveis que trazia em seus saquinhos. Tentou combinações que nenhum herborista havia utilizado ainda. Resmungou orações secretas, embora não fosse iniciada nos mistérios das palavras mágicas e encantações.

Raquel também não desistiu, lutando por um desejo de seu coração que lhe fora negado durante quinze anos. Brigou como um animal, revirando os olhos, o suor escorrendo pelo corpo. Nem mesmo depois de três dias e três noites de dores intensas ela pediu que a morte a livrasse daquele tormento.

— A força dela era impressionante de ver — elogiava Zilpah.

Enfim, Inna conseguiu virar a criança. Mas o esforço pareceu quebrar alguma coisa dentro de Raquel, e seu corpo foi tomado por um tremor que não cessava. Os olhos dela rolaram para dentro das órbitas e o pescoço retesou-

-se tanto que seu rosto ficou virado para trás. Era como se os demônios tivessem se apossado de seu corpo. Até Inna prendeu a respiração.

E então passou. O corpo de Raquel livrou-se das garras da morte, a cabeça do bebê apareceu e Raquel ainda encontrou um resto de forças para empurrá-lo para fora.

Ele era pequeno e muito cabeludo. Um bebê como qualquer outro, enrugado, desgracioso e perfeito. O melhor de tudo é que era de Raquel. A tenda silenciou, enquanto todas as mulheres choravam lágrimas de gratidão. Sem uma palavra, Inna cortou o cordão umbilical e Bilah aparou a placenta. Lia limpou Raquel e Zilpah lavou o bebê. Elas suspiraram e enxugaram os olhos. Raquel viveria para ver seu filho crescer.

Raquel recuperou-se lentamente, mas não pôde amamentar. Três dias depois do nascimento de José, seus seios endureceram e esquentaram. Compressas aliviaram a dor, mas o leite secou. Lia, que estava me amamentando naquela época, pôs José também em seu peito. A velha zanga de Raquel contra Lia reacendeu-se por causa disso, mas dissipou-se quando ela descobriu que José era um menino desassossegado, que gritava e esperneava enquanto não voltasse para os braços da mãe.

Parte II
MINHA HISTÓRIA

1

Não tenho certeza se minhas lembranças mais antigas são minhas de verdade porque, quando me vêm à mente, sinto a respiração de minhas mães em cada palavra. Mas lembro bem do gosto da água do nosso poço, vivo e frio em meus dentes de leite. E estou certa de que sempre havia um braço forte para me segurar toda vez que tropeçava, porque não me recordo de nenhuma ocasião do início de minha vida em que estivesse sozinha ou sentisse medo.

Como toda criança amada, sabia que era a pessoa mais importante do mundo para minha mãe. E a mais importante não apenas para Lia, minha própria mãe, como também para minhas mães-tias. Apesar de adorarem seus filhos, era eu quem elas vestiam e acariciavam enquanto os meninos estavam lutando no meio da poeira. Fui só eu quem continuou a ir para a tenda vermelha com elas muito tempo depois de desmamada.

Quando pequena, José foi meu companheiro constante, primeiro como irmão de leite e mais tarde como meu amigo mais verdadeiro. Com oito meses de idade, ele se levantou e andou até onde eu estava, no meu lugar favorito diante da tenda de minha mãe. Apesar de ser muitos meses mais velha que ele, eu ainda não tinha muita firmeza nas pernas, provavelmente porque minhas tias gostavam muito de me carregar no colo. José estendeu as mãos para mim e eu me levantei. Minha mãe disse que, em retribuição por ele ter me mostrado como andar, eu o ensinei como falar. José gostava de contar às pessoas que sua primeira palavra havia sido "Dinah", embora Raquel me garantisse que fora "ema", a palavra que significa mamãe.

Ninguém achava que Raquel teria outro filho depois da sua terrível experiência com o nascimento de José, de modo que ele e eu recebemos o tratamento dado aos últimos rebentos de uma primeira esposa. De acordo com o antigo costume, o filho mais moço tinha direito à bênção da mãe e, de uma ou de outra maneira, o pai acabava fazendo o mesmo. Mas, além disso, José e eu éramos mimados e estragados porque éramos os bebês — a mais nova de minha mãe e a alegria de nosso pai. Éramos também as vítimas de nossos irmãos mais velhos.

As idades separavam os filhos de Jacó em duas tribos distintas. Rubem, Simão, Levi e Judá eram quase homens quando aprendi a chamá-los pelo nome. Estavam quase sempre longe de casa, cuidando dos rebanhos com nosso pai, e, como grupo, não tinham muito em comum conosco, os pequenos. Rubem, por natureza, era bondoso com crianças, mas fugíamos de Simão e Levi, que riam de nós e implicavam com Tali e Issa, os gêmeos:

— Como é que sabem quem é quem? — caçoava Levi.

Simão era ainda pior:

— Se um de vocês morrer, nossa mãe nem vai chorar, já que tem outro filho exatamente igual.

Isso sempre fazia Tali chorar.

Eu tinha a impressão de que Judá sentia vontade de juntar-se a nós quando nos via brincando. Era crescido demais para isso, mas, sendo o mais novo do outro grupo, viam-no como o menos importante entre eles, o que o fazia sofrer. Judá sempre me carregava nas costas e me chamava de Ahatti, irmãzinha. Eu o considerava o meu paladino entre os meninos maiores.

A princípio, Zebulun era o líder dos menores e seria visto como um valentão se nós não o adorássemos e obedecêssemos de bom grado. Dan era seu ajudante de ordens, leal e doce como seria de esperar de um filho de Bilah. Gad e Asher eram companheiros de brincadeiras difíceis, turbulentos e voluntariosos, mas eram mímicos tão extraordinários — imitavam Labão, com seu andar pesado e sua fala arrastada de bêbado, com perfeição — que lhes perdoávamos tudo em troca de uma exibição de seus talentos. Naftali, que só era chamado de Tali, e Issacar, ou Issa, tentavam exercer alguma autoridade sobre mim e José, porque eram quase dois anos mais velhos que nós. Chamavam-nos de bebês, mas, daí a pouco, vinham sentar-se conosco no chão e jogar pedrinhas para o ar, vendo quem pegava mais de uma só vez na mesma mão. Era nossa distração favorita até eu começar a pegar dez pedrinhas contra as cinco deles. Meus irmãos então declararam que aquela era uma brincadeira de meninas e nunca mais brincaram daquilo.

Por volta dos seis anos, José e eu assumimos a liderança dos mais jovens, porque éramos melhores para inventar histórias. Nossos irmãos carregavam-

-nos do poço até a tenda de minha mãe e curvavam-se até o chão diante de mim, sua rainha. Fingiam morrer quando José, o rei, apontava o dedo para eles. Nós ordenávamos que partissem para combater demônios e trazer grandes tesouros. Eles coroavam nossa cabeça com guirlandas de plantas silvestres e beijavam nossas mãos.

Lembro-me do dia em que essa brincadeira acabou. Tali e Issa estavam cumprindo uma ordem minha, empilhando pequenas pedras para erguer um altar em minha homenagem. Dan e Zebulun abanavam-nos com folhas. Gad e Asher estavam dançando diante de nós.

Então, nossos irmãos mais velhos passaram por nós. Rubem e Judá sorriram e seguiram adiante, mas Simão e Levi pararam e começaram a rir.

— Olhem só como os nenês fazem o que querem com os grandes! Esperem só até contarmos ao pai que Zebulun e Dan bancam os bobos para os traseiros de fora! Vão ter de esperar mais uns dois anos antes que ele os deixe vir conosco para a pastagem da montanha.

E só pararam de ridicularizar quando José e eu ficamos sozinhos, abandonados por nossos companheiros de brinquedo, que de um momento para o outro se viram com os olhos frios dos irmãos.

A partir daí, Zebulun e Dan recusaram-se a continuar fiando para nossas mães e, depois de muito insistir, foram autorizados a ir com os irmãos mais velhos para as colinas. Os dois pares de gêmeos, quando não estavam arrancando ervas daninhas na horta ou ajudando no tear, brincavam sozinhos, e os quatro passaram a formar uma tribo independente que se ocupava com brincadeiras de caçadas e lutas corporais.

José e eu nos voltamos mais e mais um para o outro, mas não era tão divertido brincarmos só os dois. Nenhum de nós dobraria o joelho diante do outro por causa de uma história e, ainda por cima, José tinha de enfrentar as zombarias de nossos irmãos, que caçoavam dele até por simplesmente brincar comigo. Havia poucas meninas em nosso acampamento — as mulheres faziam troça dizendo que Jacó pusera veneno no poço contra elas. Tentei fazer amizade com as poucas filhas dos servos que havia, mas ou era grande ou pequena demais para as brincadeiras delas, de modo que, assim que fui capaz de carregar um cântaro de água do poço, passei a considerar-me mais um dos membros do círculo de minha mãe.

As crianças não costumavam brincar o tempo todo à vontade. Logo que tínhamos idade suficiente para carregar pequenos feixes de gravetos, éramos postos para trabalhar arrancando mato e tirando insetos da horta, carregando água, cardando lá e fiando. Não me lembro do tempo em que minha mão ainda não sabia segurar um fuso. E não esqueço as repreensões que recebia por minha falta de jeito, por deixar calombos em minha lá e pelo fio irregular que produzia.

Lia era a melhor das mães, mas não era a melhor das professoras. Suas habilidades vinham-lhe tão sem esforço que nem ao menos atinava que uma criança pequena pudesse encontrar dificuldade para realizar uma tarefa tão simples quanto enrolar um fio. Perdia a paciência comigo muitas vezes.

— Como é possível que uma filha de Lia tenha mãos tão desajeitadas? — disse ela certo dia ao ver o emaranhado que fizera de meu trabalho.

Detestei-a por dizer aquelas palavras. Pela primeira vez na vida detestei minha mãe. Meu rosto afogueou-se, as lágrimas subiram-me aos olhos e atirei um dia de trabalho ao chão. Foi um gesto tremendo de desrespeito e desperdício, e acho que nós duas custamos a acreditar que eu o tivesse cometido. Em um instante, o som agudo do estalar da palma da mão dela em minha face cortou o ar. Para mim, o choque foi maior que a dor. Minha mãe dava uns tabefes em meus irmãos de vez em quando, mas era a primeira vez que batia em mim.

Fiquei ali parada por um longo momento vendo o rosto dela se contorcer de sofrimento pelo que havia feito. Sem dizer palavra, fiz meia-volta e saí correndo à procura do colo de Bilah, onde chorei e me queixei da enorme injustiça que havia sofrido. Contei à minha tia tudo o que me pesava no coração. Chorei por meus dedos inúteis, que nunca fariam a lá se enrolar de maneira uniforme ou o fuso se mover com suavidade. Tinha medo de envergonhar minha mãe sendo tão desastrada. E também me envergonhava a raiva tão repentina que sentira de alguém que eu amava de modo tão absoluto.

Bilah acariciou meu cabelo até eu parar de chorar e pôs em minha boca um pedaço de pão molhado em vinho doce.

— Agora, vou lhe ensinar o segredo do fuso — disse ela, pousando um dedo em meus lábios. — Foi sua avó quem me ensinou, agora é minha vez de mostrar a você.

Bilah pôs-me no colo, para o qual eu era um tanto grande demais. Seus braços mal davam para me envolver, mas lá estava eu sentada, de novo um bebê, sendo abraçada, sentindo-me segura, enquanto Bilah sussurrava a história de Uttu em meu ouvido:

— Há muito tempo, antes que as mulheres aprendessem como transformar a lã em fio e o fio em tecido, as pessoas andavam nuas pelo mundo. Queimavam sob o sol durante o dia e tiritavam de frio à noite, e suas crianças morriam. Mas Uttu ouviu o choro das mulheres e teve pena delas. Uttu era filha de Nanna, deus da lua, e de Ninhursag, a mãe das planícies. Uttu perguntou ao pai se poderia ensinar às mulheres como fiar e tecer para que seus filhos não morressem. Nanna riu com desdém e disse que as mulheres eram estúpidas demais para aprenderem a seguir a sequência de cortar, lavar e pentear a lã, construir os teares e montar a trama e a urdidura. Além disso, seus dedos eram grossos demais para dominar a arte de fiar. Porém, como Nanna amava sua filha, deixou-a ir. Uttu seguiu primeiro para oeste, para a terra do Rio Verde, mas as mulheres de lá não quiseram deixar de lado seus tambores e flautas para escutar o que a deusa tinha a dizer. Uttu foi para o sul, mas chegou em meio a uma seca inclemente, em que o sol roubara as lembranças das mulheres. "Precisamos apenas de chuva", disseram, esquecendo os meses em que suas crianças haviam morrido de frio. "Dê-nos chuva ou vá embora." Uttu viajou para o norte, onde as mulheres envoltas em peles eram tão ferozes que arrancavam um dos seios para estarem preparadas para as caçadas constantes. Aquelas mulheres eram impetuosas demais para as artes vagarosas do fio e do tear. Uttu foi para o leste, onde nasce o sol, mas descobriu que os homens tinham roubado a língua das mulheres e elas não sabiam responder por conta própria. Como Uttu não sabia falar com homens, ela veio para Ur, que é o ventre do mundo, onde encontrou a mulher chamada Enhenduanna, que desejava aprender. Uttu pôs Enhenduanna em seu colo e envolveu os pequenos braços de Enhenduanna com seus grandes braços e colocou suas mãos de ouro sobre as mãos de barro de Enhenduanna e guiou sua mão esquerda e guiou sua mão direita. Uttu deixou cair um fuso feito de lápis-lazúli, que girou como uma grande bola azul flutuando no céu dourado e produziu fios feitos de luz do sol. Enhenduanna adormeceu no colo de Uttu. Enquanto Enhenduanna dormia, ela fiava sem ver nem saber, sem esforço ou fadiga. Fiou até haver fio suficiente para encher todo o depósito do grande deus Nanna. Este ficou tão satisfeito que permitiu que Uttu ensinasse também às filhas de Enhenduanna como fazer cerâmica e bronze, música e vinho. Daí em diante, as pessoas deixaram de comer mato e beber água e passaram a comer pão e beber cerveja. E seus filhos, envoltos em cobertores de lã, não morreram mais de frio e cresceram para oferecer sacrifícios aos deuses.

 Enquanto Bilah contava a história de Uttu, pôs seus dedos ágeis sobre os meus dedos desajeitados. Eu sentia o suave e almiscarado cheiro de terra que emanava de minha tia mais moça, escutava sua voz doce, líquida, e esquecia tudo sobre a tristeza em meu coração. Quando a história chegou ao fim, ela me mostrou que o fio em meu fuso ficara tão forte e uniforme quanto o próprio fio de Lia.

Dei mil beijos em Bilah e corri para mostrar à minha mãe o que eu fizera. Ela me abraçou como se eu tivesse retornado do mundo dos mortos. Não houve mais tapas depois disso. Cheguei até a apreciar a tarefa de converter nuvens disformes de lã em fios bons e fortes que se transformariam na roupa e nos cobertores de minha família e em mercadoria para troca. Aprendi a gostar de deixar minha mente divagar por onde quisesse ao mesmo tempo que minhas mãos seguiam seu próprio rumo. Mesmo depois de envelhecer e passar a fiar linho em vez de lã, não esqueci o perfume de minha tia e o modo como ela pronunciava o nome da deusa, Uttu.

⁂

Contei para José a história de Uttu, a tecelã. Contei-lhe também a história da viagem da grande deusa Innana à terra dos mortos, e a do seu casamento com o rei-pastor, Dumuzi, e de como o amor deles proporcionou uma abundância de tâmaras, vinho e chuva. Essas eram histórias que eu escutava na tenda vermelha, contadas e recontadas por minhas mães e pelas mulheres de comerciantes de passagem, que chamavam os deuses e deusas por nomes estranhos e às vezes davam finais diferentes a lendas antigas.

José, por sua vez, contou-me a história de Isaac, de como foi amarrado e do milagre de sua libertação, e do encontro de nosso bisavô Abraão com os mensageiros dos deuses. Contou-me que Jacó, nosso pai, falava com o El de seus pais todos os dias, de manhã e à noite, mesmo quando não oferecia sacrifícios. Nosso pai dizia que o deus sem face nem forma e também sem nome, chamado apenas Deus, aparecia-lhe à noite, em seus sonhos, e durante o dia, em sua solidão, e que Jacó estava certo de que o futuro de seus filhos seria abençoado por Ele.

José descreveu-me o maravilhoso bosque de terebintos em Mamre, onde nossa bisavó falava com seus deuses toda tarde e aonde nosso pai um dia nos levaria para fazer uma libação em nome de Sara. Aquelas eram histórias que José ouvira de Jacó, sentado com nossos irmãos enquanto os carneiros e as cabras pastavam. Eu achava as histórias das mulheres mais bonitas, mas José preferia as que nosso pai contava.

Nossas conversas não eram sempre tão elevadas. Partilhávamos segredos sobre sexo e procriação e ríamos, estupefatos, ao pensar em nossos pais comportando-se da mesma maneira que os cães no meio do pó. Mexericávamos sem parar sobre nossos irmãos, constantemente atentos à rivalidade entre Simão e Levi, sempre prestes a explodir ao menor pretexto, até a maneira de encostar um cajado em uma árvore. Havia uma competição permanente, também, entre Judá e Zebulun, os dois touros da família, mas essa era uma luta bem-humorada para ver quem era o mais forte, e um irmão aplaudia a capacidade do outro para levantar pedras imensas ou carregar ovelhas adultas de um lado a outro do pasto.

José e eu percebemos como os filhos de Zilpah tornaram-se os paladinos de minha mãe, pois as excentricidades da sua própria mãe encabulavam Gad e Asher. Ela era incapaz de fazer um pão razoável, o que os atraiu para a tenda de minha mãe. Os dois não compreendiam ou valorizavam a habilidade de Zilpah no tear, e é claro que não tinham meios de conhecer o talento dela para contar histórias. Portanto, depositavam seus pequenos troféus — flores, pedras de cores vivas, os restos de um ninho de passarinhos — no colo de minha mãe. Ela passava os dedos nos cabelos deles, dava-lhes comida e os dois saíam marchando orgulhosos como pequenos heróis.

Por outro lado, Tali e Issa, os gêmeos saídos do próprio ventre de Lia, não gostavam dela tanto assim. Detestavam o fato de serem tão parecidos e culpavam a mãe por isso. Faziam tudo o que podiam para se distinguirem um do outro e quase nunca eram vistos juntos. Issa apegou-se a Raquel, que parecia encantada com suas atenções e deixava-o prestar-lhe pequenos serviços. Tali tornou-se o melhor amigo de Dan, filho de Bilah, e os dois gostavam de dormir lado a lado na tenda de Bilah e ouvir, fascinados, cada palavra de seu irmão mais velho Rubem, também atraído pela paz e o sossego que sempre envolviam minha tia.

Lia tentou trazer Issa e Tali de volta para perto de si, subornando-os com doces e mais pão, mas estava ocupada demais com o trabalho de sua família para se empenhar pela atenção de dois de seus muitos filhos. E ela não sofria por falta de amor. Quando eu a surpreendia observando um de seus meninos seguindo para a tenda de outra mãe ao cair da noite, eu puxava a sua mão. Então, ela me pegava no colo de modo que nossos olhos se encontrassem e beijava uma das minhas faces, depois a outra e depois a ponta do meu nariz. Isso sempre me fazia rir, o que por sua vez despertava um sorriso caloroso no rosto de minha mãe. Um de meus grandes segredos era saber que eu tinha o poder de fazê-la sorrir.

Meu mundo era cheio de mães e irmãos, trabalho e brincadeiras, luas novas e boa comida. As colinas que nos rodeavam à distância continham minha vida em uma redoma cheia de tudo o que eu poderia desejar.

Eu ainda era criança quando meu pai nos conduziu para longe da terra dos dois rios, para o sul, a região onde ele próprio nascera. Por mais jovem que eu fosse, sabia perfeitamente por que estávamos indo embora. Podia sentir uma tórrida barreira de rancor entre meu pai e meu avô. Quase dava para ver o calor da raiva que havia entre eles nas raras ocasiões em que se sentavam lado a lado.

Labão ressentia-se de tudo o que meu pai conseguira com os rebanhos e de seus filhos, que eram tão numerosos e tão mais habilidosos que seus dois meninos. Labão abominava a ideia de dever sua prosperidade ao marido das duas filhas. Seu humor azedava sempre que o nome de Jacó era mencionado.

Quanto a meu pai, mesmo sendo ele o responsável pela multiplicação dos rebanhos, por encher o acampamento de servos e por fazer os comerciantes descobrirem o caminho de nossas tendas, na verdade não passava de um criado de Labão. Seu pagamento era modesto, mas ele era econômico e inteligente na administração de suas pequenas posses e havia sido cuidadoso no trabalho de reprodução de seu próprio pequeno rebanho de cabras malhadas e carneiros cinzentos.

Jacó detestava a indolência de Labão e a maneira como ele e os filhos desperdiçavam os resultados de tanto esforço. Quando o menino mais velho, Kemuel, abandonou seu posto de guarda dos bodes no cio em uma primavera, os melhores deles morreram em consequência dos combates entre os machos mais fortes. Quando Beor bebeu vinho demais e dormiu no pasto, um falcão acabou com um cabrito recém-nascido que Jacó reservara para sacrifício.

O pior foi quando Labão perdeu os dois melhores cachorros de Jacó — o mais esperto e o mais querido. O velho fora para Carchemish em uma viagem de três dias com a finalidade de fazer negócios e, sem pedir, levara os cães para acompanharem um rebanho tão pequeno que um menino teria dado conta dele sozinho. Na cidade, Labão vendeu os dois por uma ninharia, que depois perdeu em um jogo de azar.

A perda de seus cães pôs meu pai fora de si. Na noite em que Labão voltou para o acampamento, ouvi os gritos e pragas deles até pegar no sono. Então, a expressão carrancuda no rosto de meu pai ficou impenetrável. Seus punhos só se distenderam depois que ele foi procurar Lia e desabafou, contando todos os detalhes daquele último agravo.

Minha mãe e minhas tias eram mais que solidárias aos motivos de Jacó. A lealdade delas a Labão nunca fora forte, e, com o correr dos anos, as razões para desprezá-lo foram se acumulando: preguiça, mentiras, a arrogância e a estupidez de seus filhos e a maneira como tratava Ruti, que só piorava à medida que o tempo passava.

Alguns dias depois da briga por causa dos cachorros, Ruti veio procurar minha mãe e atirou-se aos seus pés.

— Estou perdida — chorava ela, um patético amontoado de mulher caído no chão. Seu cabelo estava solto e coberto de cinzas como se ela tivesse acabado de enterrar a própria mãe.

Labão perdera mais que umas poucas moedas naquele jogo em Carchemish. Apostara Ruti também, e agora um comerciante chegara para reclamá-la como sua escrava. Labão estava dentro de sua tenda e recusava-se a sair para admitir o que fizera à mãe de seus filhos, mas o comerciante exibia o bastão que ele deixara como garantia e trouxera seu feitor como testemunha. Ruti encostava a testa no chão e implorava a ajuda de Lia.

Lia escutou tudo e então se virou para cuspir sobre o nome de seu pai.

— O traseiro de um asno tem mais valor que Labão — disparou ela. — Meu pai é uma cobra. Ele é o refúgio apodrecido de uma cobra.

Pôs de lado o jarro de leite no qual estava preparando coalho e, com andar pesado, dirigiu-se para o pasto vizinho onde meu pai ainda lastimava a perda de seus cães. Estava tão imersa em seus pensamentos que aparentemente nem percebeu que eu a seguia.

As faces de Lia ruborizaram-se quando se aproximou de seu marido. E então fez algo extraordinário. Ajoelhou-se, pegou a mão de Jacó e beijou seus dedos. Ver tamanha submissão em minha mãe era o mesmo que ver um carneiro perseguindo um chacal ou um homem amamentando uma criança. Minha mãe, que nunca mostrou dificuldade com as palavras, quase gaguejava ao falar.

— Meu marido, pai de meus filhos, amigo querido — começou ela. — Vim defender uma questão sem merecimento, só por piedade. Marido, Jacó — ela sussurrou —, sabe que coloco minha vida unicamente em suas mãos e que abomino o nome de meu pai. Mesmo assim, vim pedir que resgate a mulher de meu pai da escravidão a que ele a condenou. Um homem vindo de Carchemish veio reclamar Ruti, que Labão apostou em um jogo de azar como se ela fosse um animal do rebanho ou uma estranha entre nós, e não a mãe dos filhos dele. Peço-lhe que a trate melhor que seu próprio marido. Peço-lhe que aja como pai.

Jacó franziu a testa diante do pedido da mulher, embora no fundo talvez lhe tenha agradado que ela se dirigisse a ele não só como marido, mas igualmente como chefe da família. Erguia-se acima de Lia, que curvara a cabeça, e baixava o olhar para ela com ternura.

— Mulher — disse ele, segurando suas mãos para levantá-la. — Lia. — Seus olhos se encontraram e ela sorriu.

Fiquei perplexa. Viera observar como se desenrolaria a história de Ruti e descobrira outra coisa inteiramente diferente. Presenciei a atração física entre minha mãe e seu marido. Vi que Jacó podia causar o brilho de aquiescência e felicidade que eu pensava ser a única a despertar em Lia.

Meus olhos se abriram pela primeira vez para o fato de meu pai ser um homem. Vi que era não apenas alto como tinha ombros largos e quadris estreitos. Apesar de naquela época provavelmente já ter passado dos quarenta anos, suas costas eram retas, ainda conservava quase todos os dentes e o olhar era claro. Meu pai era bonito, percebi naquele momento. Meu pai era digno de minha mãe.

Entretanto, essa descoberta não me consolou. Lia e Jacó voltaram para as tendas caminhando lado a lado, a cabeça quase se tocando enquanto ela enumerava em voz baixa tudo o que Jacó poderia reunir com as esposas para resgatar Ruti: mel e ervas, uma pilha de pulseiras de cobre, uma peça de linho e três peças de lã. Ele escutava em silêncio, balançando a cabeça de vez em quando. Não havia lugar para mim junto deles, não precisavam de mim. Minha mãe só tinha olhos para Jacó. Eu não era importante para ela do mesmo jeito que ela era importante para mim. Tive vontade de chorar, mas percebi que era crescida demais para isso. Logo seria uma mulher e teria de aprender a viver com o coração dividido.

Infeliz, segui meus pais até eles entrarem no círculo formado pelas tendas. Lia então se calou e passou a caminhar atrás do marido como de costume. Foi buscar um jarro de sua cerveja mais forte para ajudar Jacó a abrandar a resolução do comerciante. Mas o homem já reparara que, apesar de acabada e sem atrativos, a mulher de Labão não tinha lábio leporino nem era manca, como seu preço fizera-o supor. E era suficientemente perspicaz para notar que sua presença causara um certo alvoroço. Pressentiu que estava em posição vantajosa, e foi necessário abrir mão de todos os tesouros das mulheres e mais um dos filhotes dos cães de Jacó para que o comerciante perdoasse a dívida e fosse embora sem levar Ruti. Logo, todas as mulheres do acampamento tomavam conhecimento do que acontecera e, durante várias semanas, Jacó comeu como um rei.

Labão nunca se referiu ao fato de Jacó ter resgatado sua mulher. Limitou-se a maltratá-la ainda mais e, daí em diante, os olhos dela pareciam permanentemente roxos. Os filhos, seguindo o padrão de comportamento do pai, não demonstravam nenhum respeito pela mãe. Não carregavam água para ela cozinhar nem lhe traziam carne de suas caçadas. Ela se esgueirava em torno deles servindo-os em silêncio.

Entre as mulheres, Ruti só falava da bondade de minha mãe. Transformou-se na sombra de Lia, beijando suas mãos e a fímbria de sua roupa, sentando-se o mais perto possível de sua salvadora. A presença da mulher esfarrapada não agradava a Lia, que de vez em quando perdia a paciência com ela.

— Vá para a sua tenda — dizia ela, quando Ruti a estorvava.

Mas minha mãe sempre se arrependia de chamar a atenção de Ruti, que se encolhia à menor palavra de desagrado vinda de Lia. Depois de mandá-la embora, minha mãe ia procurá-la e sentava-se ao lado da pobre e esgotada criatura, aceitando seus beijos e agradecimentos incessantes.

2

Nos dias que se seguiram ao resgate de Ruti, Jacó começou a planejar seriamente nossa partida. Nas noites com Lia e nas noites com Raquel, costumava falar de seu desejo de deixar as tendas de Labão e voltar para a terra do pai. Confidenciou a Bilah que a inquietação consumia a sua paz interior e que ele estava dormindo mal. Encontrou Zilpah em uma noite em que a insônia impelira os dois, cada um por si, para o sussurro reconfortante do grande terebinto que se erguia junto ao altar. Até em noites paradas, sem ar, sempre havia brisas escondidas entre as largas folhas achatadas da árvore de Zilpah. Jacó contou à quarta esposa que o deus dele lhe aparecera e dissera que era tempo de deixar a terra dos dois rios. Era tempo de sair dali com suas esposas e seus filhos levando a riqueza que acumulara com as próprias mãos.

Disse a Zilpah que seus sonhos haviam se tornado violentos. Noite após noite, vozes enfurecidas chamavam-no de volta para Canaã, para a terra de seu pai. Eram sonhos perturbadores mas também cheios de intenso júbilo. Rebeca brilhava como o sol e Isaac sorria abençoando-o. Seu próprio irmão não o ameaçava mais, surgindo como um imenso touro avermelhado que o convidava para montar em seu amplo lombo. E parecia que Jacó de fato não precisava mais temer seu irmão, pois comerciantes de Canaã haviam trazido a notícia de que Esaú se tornara um próspero criador de gado, com muitos filhos homens e fama de generoso.

No dia em que ficavam sozinhas na tenda vermelha, as mulheres de Jacó comentavam os sonhos e planos do marido. Os olhos de Raquel brilhavam diante da perspectiva de mudar-se para o sul. Era a mais viajada de todas, tendo assistido partos em vários pontos das colinas, em Carchemish e, uma vez, até na cidade de Haram.

— Ah, ver as grandes montanhas, ver uma cidade de verdade! — dizia ela. — Mercados cheios de bons produtos e de frutas com nomes que nem mesmo sabemos quais são! Vamos encontrar gente dos quatro cantos do mundo. Vamos ouvir música de pandeiros de prata e de flautas de ouro.

Lia não estava tão ansiosa por descobrir os novos mundos que estavam além do vale que a vira nascer.

— Estou bem satisfeita com os rostos que vejo à minha volta — retrucava —, mas gostaria imensamente de me ver livre do fedor de Labão. Vamos ter de ir, é claro. Mas vou embora com pena.

Bilah concordou com um gesto de cabeça.

— Vai ser muito triste para mim deixar os ossos de Ada para trás. Vou sentir falta de ver o sol nascer no lugar onde tive meu filho. Vou lamentar o fim de nossa juventude. Mas estou preparada. E nossos filhos estão loucos para sair daqui.

Bilah expressara uma verdade de que não se falava. Não havia espaço suficiente para tantos filhos se estabelecerem em Haram, onde cada outeiro já tinha dono havia gerações. Não havia mais terras disponíveis na pátria de suas mães. Se a família não fosse embora junta, logo os corações das mulheres se partiriam vendo os filhos se voltando uns contra os outros ou desaparecendo para buscar seus próprios caminhos.

A respiração de Zilpah ia ficando mais ruidosa e irregular conforme as irmãs voltavam mais e mais os olhos para o futuro.

— Não posso ir — explodiu. — Não posso deixar a árvore sagrada, que é a fonte de meu poder. Ou o *bamah*, que está encharcado de oferendas minhas. Como os deuses vão saber onde estou se não estiver aqui para servi-los? Quem vai me proteger? Irmãs, vamos ser perseguidas por demônios!

Os olhos dela estavam arregalados.

— É nesta árvore, neste lugar, que ela está, a minha pequena deusa, Nanshe.

As irmãs sentaram-se ao ouvir Zilpah pronunciar o nome de sua divindade pessoal, algo que só se fazia no leito de morte. Zilpah encontrava-se em total desespero, a voz embargada pelas lágrimas:

— Vocês também, irmãs. Todos os deuses dos seus nomes moram aqui. É aqui que somos conhecidas, que sabemos como servir. Sair daqui será o mesmo que morrer. Estou certa disso.

Fez-se silêncio enquanto as outras olhavam para ela. Bilah foi a primeira a falar:

— Todo lugar tem seus nomes sagrados, suas árvores e elevações — disse, com a voz calma da mãe falando com um filho assustado. — Haverá deuses nos lugares para onde vamos.

Mas Zilpah não olhava Bilah nos olhos e só sacudia a cabeça de um lado para outro.

— Não, não — dizia em voz baixa.

Lia falou em seguida.

— Zilpah, nós é que somos sua proteção. Sua família, suas irmãs são sua única segurança contra a fome, contra o frio, contra a loucura. Às vezes me pergunto se os deuses não seriam sonhos e histórias para fazer passar o tempo e amenizar o desconforto das noites frias e dos pensamentos sombrios. — Lia segurou a irmã pelos ombros. — É melhor confiar em mim e em Jacó do que em histórias feitas de vento e de medo.

Zilpah encolheu-se ao toque das mãos da irmã e virou de costas.

— Não — repetiu.

Raquel escutou perplexa a sensata blasfêmia de Lia e falou, escolhendo as palavras para ideias que lhe ocorriam à medida que as formulava.

— Jamais poderemos encontrar provas para acalmar seus medos, Zilpah. Porque os deuses estão sempre em silêncio. Sei de mulheres em trabalho de parto que encontram força e conforto no nome de seus deuses. Já vi casos além de qualquer esperança em que elas começam a lutar assim que ouvem uma prece. Vi casos em que a vida ganhou a batalha no último instante sem outra explicação além da esperança. Contudo, sei também que os deuses não conseguem proteger nem mesmo as mulheres mais bondosas e piedosas de desgostos ou da morte. Portanto, Bilah está certa. Vamos levar Nanshe conosco — disse ela, citando a deusa protetora dos sonhos e dos cantores, a pequena deusa que Zilpah amava tanto. — Vamos levar Gula, também — referindo-se à deusa da cura a quem ela própria fazia oferendas. E então, à medida que a ideia crescia em sua mente, Raquel disse, em um impulso: — Vamos pegar todas as imagens dos deuses que estão em nossas tendas e levar conosco para Canaã com nosso marido e nossos filhos. Não nos vão fazer mal algum, tenho certeza — continuou, falando cada vez mais depressa à medida que o plano se formava em sua cabeça. — Se estiverem sob nossa guarda, também não vão fazer bem algum a Labão — acrescentou, maliciosa.

Bilah e Lia riram um riso nervoso ao imaginar Labão despojado de suas imagens sagradas. O velho sempre consultava as estatuetas quando tinha alguma escolha a fazer, acariciando as favoritas distraidamente durante horas. Lia dizia que elas o acalmavam como um seio farto acalma um bebê irritado.

Partir levando os deuses domésticos seria incitar o ódio de Labão. De qualquer forma, Raquel tinha direitos sobre eles. Nos velhos tempos, quando a família vivera na cidade de Ur, a filha mais nova tinha o direito inquestionável de herdar todas as coisas sagradas. Eram costumes que não se respeitavam mais em todos os lugares, e Kemuel poderia igualmente reclamar as imagens por direito de primogenitura com a mesma autoridade.

As irmãs ficaram caladas, refletindo sobre a ideia audaciosa de Raquel. Por fim, Raquel falou:

— Vou levar os deuses e eles serão uma fonte de poder para nós. Serão um sinal de nosso direito de primogenitura. Nosso pai vai sofrer do mesmo modo como fez outras pessoas sofrerem. Este assunto está encerrado.

Zilpah enxugou os olhos. Lia pigarreou. Bilah levantou-se. A questão havia sido decidida.

Eu mal respirava. Tinha medo de que me mandassem sair da tenda se lembrassem da minha presença. Fiquei imóvel, sentada entre minha mãe e Bilah, impressionada com o que ouvira.

Raquel era devota de Gula, a curandeira. Bilah fazia oferendas de cereais para Uttu, a tecelã. Lia tinha uma queda especial por Ninkasi, a que preparava cerveja, a que usava um tonel feito inteiramente de lápis-lazúli e uma concha feita de ouro e prata. Eu imaginava os deuses e deusas como tios e tias maiores que meus pais e que podiam viver tanto debaixo da terra quanto acima dela, como preferissem. Em minha mente, eles eram imortais, não tinham cheiro, estavam sempre felizes, fortes e interessados em tudo o que acontecia comigo. Fiquei assustada ao ouvir Lia, a mais equilibrada das mulheres, insinuar que esses amigos poderosos não passavam de invenções para acalmar os pesadelos das crianças.

Estremeci. Minha mãe pôs a mão em meu rosto para ver se eu estava com febre, mas minha pele estava fresca. Naquela noite acordei gritando e suando frio, sonhando que caía, mas Lia veio e deitou-se ao meu lado, e o calor de seu corpo reconfortou-me. Protegida pela certeza do amor de minha mãe, já começava a atravessar os portais do sono outra vez quando despertei por um segundo pensando ouvir a voz de Raquel, que dizia:

— Lembre este momento, em que o corpo de sua mãe cura toda aflição de sua alma.

Olhei em volta, mas minha tia não estava por perto.

Três dias depois, Lia foi até a pastagem pedregosa a oeste dizer a Jacó que suas mulheres estavam prontas para partir com ele de volta à sua terra natal.

Fui com ela, levando um pouco de pão e de cerveja para meu pai. Não estava muito satisfeita por ser obrigada a prestar serviços em um dia tão quente.

Quando cheguei ao ponto mais alto da elevação que separava nosso acampamento do pasto, parei maravilhada diante de uma cena de pura beleza. Muitas ovelhas estavam prenhas e moviam-se lentamente no calor do início do dia. O sol nascente intensificava o perfume dos trevos que cresciam misturados à vegetação. O único ruído era o zumbir das abelhas sob o azul escancarado do céu.

Parei, deixei que minha mãe seguisse adiante. O mundo parecia tão perfeito, tão completo, e ainda assim tão transitório, que quase chorei. Teria de falar com Zilpah sobre aquele sentimento e perguntar se sabia alguma canção para ele. Porém percebi que alguma coisa no universo havia saído do lugar. Algo importante havia mudado. Corri os olhos pelo horizonte: o céu ainda estava claro, o trevo ainda exalava perfume, as abelhas zumbiam.

Percebi que minha mãe e meu pai não estavam sós. Lia estava de frente para seu marido. A seu lado estava Raquel.

Anos antes, as duas mulheres haviam estabelecido uma espécie de paz. Não trabalhavam juntas nem trocavam opiniões. Não se sentavam juntas dentro da tenda vermelha e não se dirigiam diretamente uma à outra. E jamais compareciam à presença do marido ao mesmo tempo. Contudo, lá estavam os três, à vista, conversando como velhos amigos. As mulheres estavam de costas para mim.

A conversa terminou quando me aproximei. Minha mãe e minha tia afastaram-se de Jacó e, ao dar comigo, reassumiram a expressão solene e os sorrisos falsos que os adultos exibem para as crianças quando querem esconder alguma coisa. Não retribuí seus sorrisos. Sabia que estavam falando sobre ir embora. Depositei a comida e a bebida aos pés de meu pai e já me virara para acompanhar Lia e Raquel na volta para as tendas quando Jacó, meu pai, chamou-me.

— Dinah — disse ele. Foi a primeira vez que lembro ter ouvido meu nome em sua boca. — Obrigado, menina. Que você seja sempre um conforto para as suas mães.

Olhei-o no rosto e ele sorriu para mim, um sorriso de verdade. Mas eu não sabia como sorrir para meu pai ou responder-lhe, portanto corri atrás de Lia e de Raquel, que já tinham começado a caminhar na direção das tendas. Enfiei minha mão na de Lia e virei depressa a cabeça para dar mais uma olhadela em Jacó, mas ele já estava distante de mim.

Jacó começou a negociar a nossa partida. Naquela noite e nas muitas noites seguintes, as mulheres foram-se deitar em suas camas com o som das vozes exaltadas dos homens em seus ouvidos. Labão estava bem satisfeito com a partida de Jacó, das filhas e dos netos, que comiam demais e o respeitavam de menos. Mas o velho não admitia que Jacó saísse dali como um homem rico.

Durante as longas noites de gritaria, Labão sentava-se entre seus dois filhos, Kemuel e Beor. Os três tomavam cerveja e vinho, bocejavam na cara de Jacó e davam por encerradas as conversas antes de resolver qualquer coisa.

Jacó sentava-se entre seus dois filhos mais velhos, Rubem e Simão, e não tomavam nenhuma bebida mais forte que cerveja de cevada. Atrás dele postavam-se Levi e Judá. Os sete meninos mais novos ficavam fora da tenda, esforçando-se para ouvir o que era dito. José contava-me o que conseguia escutar e eu repetia tudo para minhas mães. Porém eu nada contava a José a respeito das conversas cochichadas entre as mulheres. Não contei a ele sobre o estoque de pão dormido que elas estavam fazendo nem que estavam costurando e recheando de ervas as bainhas de suas roupas. Sabia muito bem que não podia deixar escapar nada a respeito do plano de Raquel de levar os deuses domésticos.

Noite após noite, Labão argumentou que só devia a Jacó os dotes mirrados que concedera a Lia e Raquel, o que deixava meu pai só com as tendas que nos abrigavam. Então, querendo parecer muito generoso, Labão ofereceu vinte ovelhas e vinte cabras, uma para cada ano de trabalho de Jacó, trabalho este que havia enriquecido Labão muito mais do que ele poderia sonhar.

Jacó, por sua vez, reivindicava o que cabia de direito a todo administrador, ou seja, um décimo dos rebanhos, além da escolha das reses. Exigia ainda os bens pessoais de suas mulheres, que abrangiam mós, rocas e fusos, teares e jarras, joias e queijos. Lembrou a Labão que devia ao trabalho de suas mãos as tendas, os rebanhos e os servos sob sua responsabilidade naquele momento. Ameaçou buscar justiça no tribunal de Haram, o que fez Labão apenas rir com expressão escarninha. Jogara e bebera com os patriarcas da cidade durante muitos anos e sabia de antemão de que lado ficariam.

Certa noite bem tarde, depois de semanas de conversas inúteis, Jacó afinal encontrou as palavras que convenceram Labão. O marido de Lia e Raquel, o pai dos filhos de Zilpah e Bilah, olhou fixo para o sogro e disse a ele que o deus de seus pais não olharia com bondade para quem lesasse o ungido de sua tribo. Jacó revelou que seu deus lhe falara em sonho e ordenara que partisse com suas mulheres e filhos e abundantes rebanhos. E que aqueles que tentassem impedi-lo sofreriam em seu corpo, em seus rebanhos e em seus filhos.

Aquilo perturbou o velho, que se arrepiava diante do poder de qualquer deus. Quando Jacó invocou o deus de seus pais, o sorriso de troça desapareceu do rosto de Labão. O sucesso de Jacó com os rebanhos, a saúde de seus onze filhos, a lealdade que os servos lhe dedicavam e até as proezas de seus cães, tudo indicava que Jacó era abençoado pelos céus. Labão recordou-se de todos os anos de sacrifícios generosos oferecidos por Jacó a seu deus e calculou que El devia estar bastante satisfeito com tanta devoção.

No dia seguinte, Labão recolheu-se com seus deuses e só apareceu no fim do dia, quando mandou chamar Jacó. No momento em que Jacó se viu diante de seu sogro, percebeu que a vantagem agora pendia para seu lado. Começou a negociar com toda a determinação.

— Meu pai — disse ele, com voz suave —, porque o senhor foi bom para mim, gostaria de levar apenas os animais malhados ou pintados, aqueles cuja lã e couro renderão menos no mercado. O senhor ficará com os puros-sangues do rebanho. Partirei de sua casa pobre mas cheio de gratidão.

Labão desconfiava de que houvesse algum ardil na oferta de Jacó, mas não conseguia descobrir onde estava a vantagem. Todos sabiam que os animais escuros não produziam lã clara para fiar ou peles que curtissem por igual. O que Labão não sabia é que os animais "piores" eram mais resistentes e saudáveis do que aqueles que produziam lã mais atraente e pele mais bonita. As ovelhas malhadas tinham crias gêmeas com mais frequência, a maioria das crias era fêmea, o que significava mais queijo. O pelo das cabras malhadas era particularmente oleoso, e era possível fazer cordas mais fortes com ele. Esses eram, porém, os segredos de Jacó, aprendidos durante anos de trabalho com os rebanhos. Labão estava pagando caro por sua preguiça.

Labão declarou:

— Então, que seja assim. — E os homens tomaram vinho para selar o acordo.

Jacó partiria com suas mulheres e seus filhos, com as reses malhadas e pintadas, que não excediam sessenta cabras e sessenta ovelhas. Por direito, poderia levar mais gado, mas preferiu que Labão lhe cedesse dois dos servos com suas mulheres. Em troca de um jumento e de um boi velho, Jacó concordou em deixar dois de seus cães, incluindo o melhor dos cães pastores.

Todos os utensílios domésticos de Lia e Raquel pertenciam a Jacó, assim como a roupa e as joias usadas por Zilpah e Bilah. Jacó reivindicou os mantos e lanças de seus filhos, dois teares, vinte e quatro minas de lã, seis cestos de cereais, doze botijas de azeite, dez odres de vinho e um odre de água para cada pessoa. Entretanto, esse era apenas o cálculo oficial, que não levava em conta a esperteza de minhas mães.

Foi estabelecida uma data para a nossa partida: daí a três meses. Parecia uma eternidade quando a anunciaram, mas as semanas passaram voando. Minhas mães puseram-se a recolher, jogar fora, empacotar, separar, trocar, lavar. Fabricaram sandálias para a viagem e assaram grandes quantidades de pão duro. Esconderam as melhores joias no fundo dos cestos de cereais para o caso de sermos abordados por ladrões na estrada. Vasculharam as colinas atrás de ervas para abastecer suas sacolas.

Se quisessem, poderiam ter levado tudo o que havia na horta, sem deixar nada para trás. Poderiam ter arrancado cada bulbo de cebola, desenterrado cada reserva de cereal e esvaziado cada colmeia das proximidades. Porém levaram apenas o que consideravam que lhes pertencia e nada mais. Não agiram assim por respeito a Labão, mas em atenção às servas e seus filhos que não nos acompanhariam.

Tendo de servir a todas, também trabalhei muito. Ninguém mais perdia tempo comigo fazendo mimos ou cuidando de meu cabelo. Ninguém sorria mais para mim ou elogiava os fios que eu fiava. Sentia-me maltratada e ignorada, mas ninguém prestava atenção quando eu ficava amuada, portanto parei de ter pena de mim e fazia tudo o que me mandavam.

Poderia ter sido uma temporada alegre se não fosse por Ruti, que, nas últimas semanas de nossos preparativos, perdeu de todo qualquer ânimo. Deu para sentar no chão de terra na entrada da tenda de minha mãe, a própria imagem do desespero, obrigando todo mundo a se desviar dela. Lia abaixava-se e tentava convencer Ruti a sair dali, a entrar em sua tenda e comer alguma coisa, a aceitar algum consolo. Mas Ruti já estava além de qualquer consolo. Lia sofria pela pobre mulher que era da mesma idade que ela e no entanto já perdera todos os dentes, e arrastava os pés como uma velha. Não havia nada a fazer, contudo, e, depois de várias tentativas para tirá-la daquele desalento, minha mãe se levantava e seguia com suas tarefas.

Na noite anterior à última lua nova que passamos na terra dos dois rios, as esposas de Jacó reuniram-se na tenda vermelha. As irmãs ficaram sentadas muito quietas, sem vontade de tocar nos bolos de três pontas arrumados na cesta à sua frente. Bilah disse:

— Ruti vai acabar morrendo, agora. — As palavras pairaram no ar, incontestáveis e verdadeiras. — Qualquer dia desses, Labão vai bater nela com força demais, ou ela vai simplesmente definhar aos poucos de tanto sofrimento.

Zilpah suspirou em meio ao silêncio reinante e Lia enxugou os olhos. Raquel olhava para as mãos. Minha mãe puxou-me para seu colo, apesar de eu estar grande demais para ele. Mas deixei-me ficar ali e ser tratada como um bebê enquanto ela me acariciava distraidamente.

As mulheres queimaram em oferenda uma parte do bolo da lua, como sempre faziam a cada lua nova, como faziam a cada sete dias. Mas não cantaram canções de agradecimento nem dançaram.

No dia seguinte, as mulheres dos servos juntaram-se às esposas de Jacó para os dias da lua, mas o encontro parecia mais um funeral que uma celebração. Ninguém pediu à mulher grávida para contar mais uma vez o que estava sentindo. Ninguém falou das proezas dos próprios filhos. As mulheres não trançaram os cabelos nem untaram com óleo os pés umas das outras. Os bolos doces teriam ficado intactos se não fosse pelas crianças pequenas, que entravam e saíam procurando os seios e o colo de suas mães.

De todas as mulheres dos servos, só Zibatu e Uzna iriam para Canaã com minhas mães. As outras permaneceriam ali com seus maridos. Era o fim de um longo período de fraternidade. Todas tinham amparado as pernas de outras na hora do parto ou amamentado os filhos umas das outras. Tinham rido juntas na horta e entoado em coro canções para a lua nova. Aquele tempo havia chegado ao fim, e cada mulher estava absorta nas próprias lembranças, nas próprias perdas. Pela primeira vez, a tenda vermelha tornou-se um lugar triste, e sentei-me do lado de fora até ficar cansada o suficiente para dormir.

Ruti não apareceu na tenda. Veio a manhã, veio a noite, e ainda assim ela não apareceu. Ao amanhecer do segundo dia, minha mãe mandou que eu fosse procurá-la. Perguntei a José se a mulher de nosso avô havia feito pão naquela manhã. Perguntei a Judá se sabia onde estava Ruti. Perguntei a meus irmãos e às filhas das servas, mas ninguém se lembrava de ter visto Ruti. Ninguém era capaz de lembrar. Àquela altura, a desgraça tornara-a quase invisível.

Fui até o topo da colina onde vivera um momento tão feliz meses antes, mas agora o céu estava nublado e a paisagem parecia cinzenta. Corri os olhos pelo horizonte, mas não vi ninguém. Andei até o poço, mas nada encontrei. Subi nos galhos mais baixos de uma árvore que se erguia na extremidade da pastagem mais próxima, mas não vi Ruti.

Retomei o caminho de volta já preparada para dizer à minha mãe que Ruti não estava em lugar nenhum e então dei com ela. Estava estendida na encosta de um *wadi* seco, um lugar árido onde às vezes as ovelhas desgarradas vagueavam e acabavam quebrando as pernas. De início, pensei que Ruti estivesse dormindo deitada de costas, reclinada no barranco íngreme. Ao chegar mais perto, vi que estava de olhos abertos e chamei seu nome, mas ela não se mexeu nem me respondeu.

Foi quando notei que sua boca estava frouxa e que havia moscas nos cantos de seus olhos e no pulso, negro de sangue coagulado. Aves de rapina voavam em círculos no céu.

Eu nunca vira um cadáver antes. Meus olhos se encheram com a imagem do rosto de Ruti, que não era mais um rosto e sim um pedaço de pedra azul com traços de um rosto que eu conhecia. Ela não parecia triste. Não parecia sofrer. Parecia apenas vazia. Eu olhava e olhava tentando compreender para onde teria ido Ruti. Não me dera conta, mas prendera a respiração.

Talvez eu ficasse ali para sempre se José não tivesse chegado. Raquel também o mandara à procura de Ruti. Passou por mim e agachou-se ao lado do corpo. Soprou de leve nos olhos fixos dela, encostou um dedo em seu rosto e então pousou a mão direita sobre seus olhos para fechá-los. Fiquei estupefata com a coragem e a calma de meu irmão.

Mas logo depois José estremeceu e deu um salto para trás, como se uma cobra o tivesse mordido. Correu para o fundo do *wadi*, onde um dia houvera água fluindo e haviam brotado flores. Caiu de joelhos e teve ânsias de vômito no leito seco do rio. Soluçava, arquejava e tossia. Quando fiz menção de ir ao seu encontro, ele se levantou cambaleando e fez sinal para que eu não me aproximasse.

— Volte e conte o que houve — eu disse a ele em voz baixa. — Fico aqui para manter os abutres a distância.

Arrependi-me dessas palavras assim que saíram da minha boca. José nem se deu o trabalho de responder e saiu em disparada como se um lobo o perseguisse.

Dei as costas para o corpo, mas não podia deixar de ouvir o zumbido das moscas no pulso dela e na faca no chão a seu lado. Os abutres agitavam as asas e davam gritos estridentes. O vento penetrou pelo tecido da minha túnica e arrepiou-me a pele.

Andei até o alto do barranco e esforcei-me para ter pensamentos bondosos sobre Ruti. No entanto, só me vinham à cabeça o medo em seus olhos, a sujeira em seu cabelo, o cheiro acre de seu corpo, a cabeça abaixada, a atitude de derrota. Ela também fora uma mulher, da mesma forma que minha mãe era uma mulher, e contudo era uma criatura completamente diferente de minha mãe. Não entendia por que Lia era tão boa para Ruti. No meu íntimo, sentia por ela o mesmo desdém que seus filhos. Por que deixava que Labão a subjugasse tanto? Por que não exigia que seus filhos a respeitassem? Como encontrara coragem para se matar se nunca tivera coragem para viver? Eu estava com vergonha da frieza de meu coração, pois sabia que Bilah teria chorado ao ver Ruti caída ali, e que Lia derramaria cinzas no próprio cabelo quando soubesse o que havia acontecido.

Porém, quanto mais esperava, mais detestava Ruti por sua fraqueza e por me obrigar a permanecer ali de vigília. Parecia que ninguém viria em meu socorro, e tremi de aflição. Talvez Ruti se levantasse com sua faca e me castigasse pela crueldade de meus pensamentos. Talvez os deuses do submundo viessem buscá-la e quisessem me levar também. Comecei a chorar, pedindo à minha mãe que viesse salvar-me. Chamei todas as tias, uma por uma, chamei José, e Rubem, e Judá. Parecia que todos tinham esquecido de mim.

Quando afinal divisei os vultos de duas pessoas andando pelo campo, já estava doente de agonia. Mas não havia ninguém para me consolar. As mulheres tinham ficado na tenda. Só os horríveis filhos de Ruti tinham vindo. Jogaram um cobertor sobre o rosto da mãe sem dar nem ao menos um suspiro. Beor atirou a pequena trouxa que fora Ruti sobre os ombros como se carregasse um cabrito desgarrado. Segui sozinha atrás dele, pois Kemuel não deu atenção à pobre mãe morta e aproveitou o percurso de volta para caçar um coelho.

— Ha, ha! — exclamou quando a flecha acertou o alvo.

Somente quando avistei a tenda vermelha na extremidade do acampamento é que as lágrimas começaram a descer outra vez pelo meu rosto, e corri para minhas mães. Lia examinou meu rosto e cobriu-o de beijos. Raquel abraçou-me longamente e deitou-me em sua cama perfumada. Zilpah cantou para mim um acalanto que falava de chuvas abundantes e pródigas colheitas, enquanto Bilah acariciou meus pés até eu adormecer. Acordei apenas ao anoitecer do dia seguinte, e a essa altura Ruti já estava sob a terra.

Partimos alguns dias depois.

◦◯◦

Meu pai, meus irmãos mais velhos, todos os servos e os filhos de Labão foram para as pastagens mais afastadas separar os animais malhados que agora pertenciam a Jacó. De todos os homens, só Labão permaneceu no acampamento, contando os cântaros e jarros à medida que eram enchidos, fazendo desordem em pilhas já arrumadas de peças de lã, até estar seguro de que não estávamos levando nada mais além daquilo que havia sido acertado.

— É direito meu — vociferava, sem se desculpar.

Por fim, Labão cansou-se de espionar o trabalho das filhas e decidiu ir a Haram "a negócios". Lia caçoou do pretexto.

— O velho vai jogar, beber e apregoar para os outros mandriões iguais a ele que está finalmente livre do genro ganancioso e das filhas ingratas — disse-me ela enquanto preparávamos comida para ele levar na viagem. Beor iria acompanhá-lo, e Labão fez um grande estardalhaço para anunciar que o acampamento estaria sob as ordens de Kemuel.

— Ele fica com a mesma autoridade que eu para todas as coisas — declarou Labão às esposas e aos filhos mais moços de Jacó, que ele fez reunir para a sua partida. Assim que Labão desapareceu atrás da colina, Kemuel exigiu que Raquel fosse pessoalmente levar vinho forte para ele. Não me mandem nenhuma dessas criadas feias — bradou ele. — Quero minha irmã.

Raquel não fez nenhuma objeção em servi-lo, pois isso lhe dava a oportunidade de misturar à bebida dele uma erva que induzia o sono.

— Beba seu vinho, irmão — dizia ela com voz doce enquanto ele engolia o primeiro copo. — Tome outro.

Uma hora depois da partida de Labão, ele já estava roncando. Cada vez que acordava, Raquel ia à sua tenda com a mistura preparada e sentava-se com ele, fingindo-se interessada em suas grosseiras tentativas de sedução e enchendo-lhe o copo de tal maneira e com tamanha frequência que ele passou dormindo aquele dia inteiro e o seguinte.

Enquanto Kemuel roncava, os homens voltaram trazendo os rebanhos para um pasto ao lado da elevação onde estavam as tendas, de modo que as últimas horas de nossos preparativos foram pontuadas por balidos, poeira e o cheiro de animais.

Foram marcadas também pela barulheira e pela tensão inabituais causadas pela presença de tantos homens à nossa volta.

Nos dias comuns, as tendas eram usadas apenas por mulheres e crianças. Um homem enfermo ou debilitado poderia ficar deitado em sua cama ou sentar-se ao sol enquanto o trabalho com a feitura de lã, pão e cerveja prosseguia em volta dele, mas esse homem certamente procuraria não incomodar para não se sentir constrangido.

Daquela vez, tínhamos entre nós uma verdadeira multidão de homens saudáveis sem ter muito o que fazer.

— Que aborrecimento — minha mãe reclamava da presença constante de seus filhos.

— Eles estão sempre com fome — resmungava Bilah, que nunca resmungava, depois de mandar Rubem embora pela segunda vez naquela manhã com uma tigela de lentilhas e cebolas.

A cada instante, Bilah ou Lia tinham de interromper o que estavam fazendo para aquecer as pedras de assar o pão.

A presença dos homens criava mais uma dificuldade, essa mais sutil. As tendas estavam dentro da esfera de autoridade de Lia e, embora sendo aquela que sabia o que tinha de ser feito, ela não podia dar ordens com o marido a seu lado. Portanto, ficava atrás de Jacó e perguntava baixinho:

— Meu marido pode desmontar o tear grande e colocá-lo na carroça? — E ele orientava os filhos para fazerem o que era necessário. E assim foi até estar tudo pronto.

No decorrer das semanas de preparação, e especialmente depois que Labão foi para Haram, mantive-me todo o tempo junto a minha tia Raquel. Encontrava motivos para segui-la de uma tarefa a outra, oferecendo-me para levar coisas para ela, pedindo-lhe conselhos sobre minhas obrigações. Mantinha-me a seu lado até o cair da noite, chegando a adormecer sobre os cobertores dela, e acordava de manhã agasalhada com o manto impregnado de seu suave e singular perfume. Procurei ser cuidadosa, mas ela sabia que eu a estava observando.

Na noite anterior à nossa partida, os olhos de Raquel encontraram-se com os meus, que acompanhavam todos os seus movimentos. A princípio, lançou-me um olhar dardejante, mas depois sua expressão mudou e ela deu a entender que eu vencera: estava autorizada a segui-la. Fomos para o *bamah*, onde encontramos Zilpah estirada de rosto no chão diante do altar, murmurando preces para os deuses e deusas que estava prestes a abandonar. Levantou o rosto para nós quando sentamos entre as raízes da grande árvore que havia ali, mas não estou certa se Zilpah de fato viu que eu estava sentada entre os joelhos de Raquel. Enquanto esperávamos, minha tia trançou meu cabelo e falou-me das propriedades curativas de ervas corriqueiras: sementes de coriandro para dor de barriga, cominho para feridas. Já fazia tempo, ela resolvera que eu deveria aprender o que Inna havia ensinado a ela.

Ficamos no colo da árvore até que Zilpah se levantou, suspirou e foi embora. Ficamos ali sentadas até os sons vindos das tendas se extinguirem e as últimas lamparinas serem apagadas. Ficamos lá até a lua crescente subir no céu e aparecer entre os galhos acima de nossa cabeça, e só se ouvir de vez em quando o balido de uma ovelha.

    Raquel então se levantou e se encaminhou silenciosamente para a tenda de Labão. Fui atrás dela. Minha tia não dava sinal de perceber a minha presença, e só tive certeza de que sabia que eu a seguia quando segurou a abertura da tenda para eu entrar. Nunca estivera antes naquele lugar nem jamais quisera entrar ali.

    Dentro da tenda de meu avô estava escuro como o interior de um poço seco, e o ar era fétido e viciado. Raquel, que já estivera ali para encher Kemuel de bebida, passou por ele, que roncava no chão, direto para um canto da tenda, onde um banco rústico de madeira servia de altar. Os deuses domésticos estavam dispostos em duas filas. Raquel estendeu a mão para eles sem hesitar e colocou-os, um por um, no pano que amarrara na cintura, como se fosse colher cebolas. Quando o último caiu em seu avental, ela se virou e atravessou a tenda sem ao menos olhar para Kemuel, que gemeu em seu sono quando Raquel passou por ele e depois, sem um ruído sequer, segurou a abertura da tenda para eu passar.

    Saímos e tudo estava quieto do lado de fora. Meu coração pulsava em meus ouvidos e respirei fundo para tirar de mim o mau cheiro da tenda, porém Raquel não parou. Seguiu ligeira para sua tenda, onde Bilah estava dormindo. Ouvi minha tia remexer nos cobertores, mas estava escuro demais para ver onde ela escondera os ídolos. Em seguida, Raquel deitou-se e não ouvi mais nada.

    Tive vontade de sacudi-la e pedir que me mostrasse os tesouros. Queria que me abraçasse e dissesse que eu me portara bem. Mas nada fiz. Deitei-me com o coração batendo forte, achando que Kemuel iria entrar correndo na tenda e matar todas nós. Imaginava os deuses adquirindo vida e lançando feitiços terríveis sobre nós por terem sido perturbados. Achava que a manhã não chegaria nunca e tremia debaixo de meu cobertor, embora a noite não estivesse fria. Afinal, meus olhos fecharam-se em um sono sem sonhos.

    Acordei com gente falando alto fora da tenda. Raquel e Bilah já tinham saído e eu estava sozinha junto a duas pilhas de cobertores bem dobrados. Ela os levara para outro lugar, Raquel levara os ídolos sem mim. Depois de todo o trabalho que tivera para observá-la e segui-la, eu a perdera de vista. Saí apressada e vi meus irmãos enrolando as peles de cabra que tinham formado a tenda de meu pai. À minha volta, as tendas estavam no chão, as estacas empilhadas, as cordas enroladas. Minha casa havia sido desfeita. Estávamos indo embora.

Jacó levantara ao alvorecer e oferecera um sacrifício de cereais, vinho e azeite para a viagem. Os rebanhos, pressentindo alguma mudança, baliam e levantavam pó com os cascos. Os cães não paravam de latir. Metade das tendas tinham sido desmontadas, deixando o acampamento com um aspecto desigual e desolador, como se um vento forte tivesse soprado para longe metade do mundo.

Comemos a refeição da manhã salgada pelas lágrimas dos que não nos acompanhariam. As mulheres guardaram as últimas tigelas e ficaram de mãos vazias. Não havia mais nada para fazer e ainda assim Jacó não dava o sinal para a partida. Labão não retornara de Haram como havia prometido.

O sol subia cada vez mais no céu, já deveríamos ter partido há muito, mas Jacó continuava sozinho de pé no alto do barranco de onde se via a estrada que ia para Haram, os olhos apertados tentando avistar algum sinal de Labão. Os filhos de Jacó faziam comentários em voz baixa entre si. Zilpah dirigiu-se ao *bamah*, onde rasgou a túnica e cobriu os cabelos de cinzas. O ar estava quente e parado, até os animais tinham sossegado.

Então, Raquel passou por Rubem e Simão, Levi e Judá, que estavam ao pé da elevação de onde Jacó espreitava, aproximou-se de seu marido e pediu:

— Vamos embora. Kemuel disse-me que o pai vai voltar com lanças e cavaleiros para nos impedir de partir. Ele foi a Haram para dizer aos juízes que você é um ladrão. Não devemos esperar por ele.

Jacó escutou e replicou:

— Seu pai teme demais o meu deus para agir com tanta audácia. E Kemuel é um tolo.

Raquel inclinou a cabeça e acrescentou:

— Meu marido pode saber melhor do que eu o que fazer, mas os rebanhos estão prontos e tudo o que é nosso está empacotado para a viagem. Nossos pés estão calçados e não temos mais nada para fazer. Não estamos saindo na calada da noite. Só levamos o que nos pertence. A ocasião é propícia. Se esperarmos mais, a lua vai começar a sumir, e não se começa uma viagem com a lua escurecendo.

Raquel só falara a verdade, e além disso Jacó não desejava ver Labão outra vez. Na verdade, estava furioso com o velho por fazê-lo esperar, por obrigá-lo a sair como um ladrão, sem se despedir da maneira apropriada do avô de seus filhos.

As palavras de Raquel reforçavam as intenções de Jacó e, quando ela se afastou, ele deu a ordem para a partida. Impacientes para se porem a caminho, os filhos de Jacó deram um grito de alegria, mas um gemido ergueu-se das mulheres que ficariam para trás.

Meu pai fez sinal para que o seguíssemos. Conduziu-nos primeiro para o *bamah*, onde cada um de nós colocou um seixo sobre o altar. Os homens pegaram qualquer pedrinha a seus pés para deixar como adeus. Lia e Raquel pegaram pedras soltas que estavam perto do tronco do terebinto próximo que lhes proporcionara tantos anos de sombra e bem-estar.

Ninguém disse uma palavra sequer. As pedras testemunhariam por nós, apesar de Bilah ter beijado a sua ao depositá-la por cima das outras.

Só Zilpah e eu estávamos preparadas para aquele momento. Muitos dias antes, minha pesarosa tia levara-me para o *wadi* onde Ruti morrera e mostrara-me um lugar no fundo da ravina cheio de pedras lisas e ovais. Escolheu uma pedra branca pequenina, do tamanho da unha de seu polegar. Peguei uma vermelha raiada de preto, quase tão grande quanto meu punho. Ela a guardou para mim e colocou-a na palma da minha mão enquanto nos encaminhávamos pela última vez para o lugar sagrado de minha família.

Então, Jacó conduziu suas mulheres e seus filhos para além da colina, onde os servos esperavam com o rebanho. Minhas mães não olharam para trás, nem mesmo Zilpah, cujos olhos estavam vermelhos, mas secos.

3

Meu pai dispôs sua família, seus rebanhos e todas as pessoas que compunham o seu círculo familiar em uma ordem determinada para a viagem. Jacó seguia na frente, segurando um grande cajado de oliveira, ladeado por Levi e Simão, que andavam empertigados, cheios de importância. Atrás deles vinham as mulheres e as crianças pequenas demais para ajudar a cuidar do rebanho, e assim o filho e a filha de Uzna caminhavam junto às pernas da mãe e Zibatu carregava sua menininha em uma tipoia de tecido presa ao quadril. Eu comecei a jornada ao lado de Zilpah, na esperança de aliviar a tristeza que a oprimia, mas seu desalento acabou por me afugentar para perto de minha mãe e de Bilah, que estavam entretidas no planejamento das refeições e não me deram atenção. Assim, fui ao encontro de Raquel, cujo sorriso não se desfez nem mesmo quando o sol começou a nos castigar de verdade. Levava nas costas uma trouxa bastante grande, e eu estava certa de que era ali que os ídolos estavam escondidos.

José, Tali e Issa tiveram que seguir os animais de carga, perto das mulheres, o que os fez ficar de mau humor, chutar o chão e resmungar que já eram bem grandes para outro trabalho qualquer mais importante que tomar conta do jumento manso e do boi que puxava a pesada carroça.

Logo atrás de nós e dos animais de carga, Rubem fora encarregado do rebanho e dos pastores, que incluíam Zebulun e Dan, Gad e Asher, e os servos: Nomir, marido de Zibatu, e Zimri, pai dos filhos de Uzna. Os quatro cães circulavam em torno do rebanho, as orelhas achatadas junto à cabeça enquanto trabalhavam. Seus olhos castanhos só se afastavam dos carneiros e cabras quando Jacó se aproximava, e então corriam para perto do dono para se deliciarem por um momento com o toque de sua mão e o som de sua voz.

Judá, nosso guardião da retaguarda, caminhava atrás dos rebanhos, atento para que nenhum animal se extraviasse. Eu teria sentido solidão ali, sem ter com quem conversar, mas meu irmão parecia apreciar seu isolamento.

Estava deslumbrada com toda aquela quantidade de pessoas e com o que a meus olhos parecia ser nossa imensa riqueza. José explicou-me que éramos um grupo modesto em todos os aspectos, com apenas dois animais de carga para carregar nossos pertences, mas eu continuei orgulhosa das posses de meu pai e achava que minha mãe tinha a postura de uma rainha.

Ainda não tínhamos andado muito quando Levi apontou para um vulto adiante, sentado à margem do caminho. Quando chegamos mais perto, Raquel exclamou:

— Inna! — E correu à frente para cumprimentar sua amiga e mestra. A parteira estava preparada para viajar, tendo ao lado um jumento carregado de cobertores e cestos.

A caravana não parou por causa do encontro inesperado com a mulher solitária; não haveria sentido em fazer o rebanho interromper a marcha sem que houvesse água para beber. Em vez disso, Inna puxou seu jumento, alcançou Jacó e foi andando um passo atrás dele. Ela não se dirigiu diretamente a meu pai, mas falou com Raquel de modo que ele escutasse suas palavras.

Inna apresentou seus motivos com frases empoladas, que soavam estranhas em uma boca de onde habitualmente só saíam termos muito simples, às vezes até rudes.

— Ah, minha amiga — dizia Inna —, é intolerável para mim ver você partir. Minha vida ficaria vazia com sua ausência e estou velha demais para arranjar outra aprendiz. Só desejo juntar-me à sua família e ficar com vocês para o resto da vida. Daria a seu marido todos os meus bens em troca da proteção dele e de um lugar entre as mulheres de suas tendas. Eu acompanharia você como sua serva ou sua criada para praticar meu ofício no sul e aprender o que eles têm para ensinar lá. Eu atenderia à sua família, colocando os tijolos no chão para as suas mulheres na hora do parto, tratando das feridas de seus homens e fazendo oferendas a Gula, a curandeira, em nome de Jacó.

Ela adulou meu pai, a quem chamou de sábio e de bondoso. Declarou ser sua criada.

Fui uma das muitas testemunhas do discurso de Inna. Levi e Simão ficaram por perto, curiosos para saber o que a parteira queria. Lia e Bilah apressaram o passo para descobrir por que sua amiga aparecera entre eles. Até Zilpah despertou de sua apatia e se aproximou.

Raquel virou o rosto para Jacó, as sobrancelhas fazendo a pergunta, as mãos entrelaçadas sobre o peito. O marido sorriu para ela.

— Sua amiga é bem-vinda. Para mim, será sua criada. É sua, como se fosse parte de seu dote. Não há nada mais a dizer.

Raquel beijou a mão de Jacó e pousou-a por um momento sobre seu coração. Em seguida, levou Inna e seu jumento para junto de nossos animais, onde as mulheres podiam falar com mais liberdade.

— Irmã! — disse Raquel para a parteira. — O que houve?

Inna baixou a voz e começou a contar uma história triste sobre um natimorto deformado — a cabeça minúscula, os membros tortos —, nascido de uma menina que engravidara logo depois da primeira menstruação.

— Jovem demais — comentou Inna zangada, torcendo a boca.

— Muito jovem demais.

O pai era um forasteiro, um homem de cabelos desgrenhados e já maduro, que só usava uma tanga e que foi quem levou a moça à casa de Inna. Quando a criança e a mãe morreram, ele acusou a parteira de ter causado aquela infelicidade fazendo feitiços contra eles.

Inna, que passara três dias difíceis lutando para salvar a moça, não conseguiu segurar a língua. Exausta, triste, chamou o homem de monstro e acusou-o de ser o pai da menina, além de marido. E cuspiu no rosto dele.

Enfurecido, o homem apertou-lhe o pescoço e a teria matado se não fossem os vizinhos, que correram atraídos pelos gritos dela e o afastaram. Inna mostrou as manchas roxas em seu pescoço. O homem exigiu reparação do pai de Inna, mas Inna não tinha pai, muito menos irmão ou marido. Vivia sozinha desde a morte da mãe.

Tendo conservado a cabana da família, não necessitava de abrigo, e o trabalho de parteira garantia-lhe os cereais, o azeite e até lã para troca. Como não era um fardo para ninguém, ninguém se incomodara com ela. Agora, porém, o estranho enraivecido queria saber como as pessoas da cidade toleravam tamanha "abominação".

— Uma mulher sozinha é um perigo — ele vociferou para os vizinhos de Inna. — Onde estão seus juízes? Quem são seus notáveis?

Nesse ponto, Inna assustou-se. O homem mais poderoso de sua aldeia de casas de barro detestava-a desde que ela recusara uma proposta de casamento dele em nome do filho imbecil. Inna teve medo que ele incitasse os homens contra ela e talvez até a escravizasse.

— Idiotas. Todos eles — xingou e cuspiu na poeira da estrada. — Pensei em recorrer a vocês — disse, dirigindo-se a todas as mulheres de minha família, que caminhavam por perto acompanhando o relato dela. — Raquel sabe que eu sempre quis conhecer o mundo além dessas colinas poeirentas e, como Jacó trata suas esposas melhor que a maioria, considerei a partida de vocês uma dádiva dos deuses. — E continuou, agora em outro tom: — Além disso, irmãs, tenho de admitir, estou cansada de fazer sozinha a minha refeição da noite. Quero acompanhar o crescimento de uma criança que eu tenha ajudado a nascer. Quero celebrar a lua nova entre amigas. Quero ter certeza de que meus ossos serão bem enterrados depois da minha morte. — Olhou em volta e abriu um largo sorriso. — Portanto, cá estou eu.

As mulheres devolveram-lhe o sorriso, contentes por ter uma curandeira tão boa entre elas. Raquel era muito hábil, mas Inna era famosa por suas mãos de ouro e adorada por causa de suas histórias.

Zilpah encarou o aparecimento de Inna como um bom presságio. A presença da parteira animou-a tanto que mais tarde minha tia começou a cantar. Não era nenhum hino exaltado, mas simplesmente uma canção infantil sobre uma mosca que incomodava um coelho, que engolia o inseto mas era comido por um cão, que por sua vez era devorado por um chacal, que era perseguido por um leão, que era morto por um homem fanfarrão, que era arrebatado por An e Enlil, os deuses do céu, e deixado lá em cima para aprender uma lição.

Era uma canção simples que toda criança sabia de cor e, consequentemente, todo adulto que já fora criança. Lá pela última estrofe, todas as minhas mães, as servas e seus filhos estavam cantando também. Até meus irmãos juntaram-se ao coro, com Simão e Levi competindo para ver quem cantava mais alto. Quando a canção acabou, todos riram e bateram palmas. Era bom estar livre do jugo de Labão. Era bom estar começando vida nova.

Foi a primeira vez que ouvi vozes masculinas e femininas se unirem para cantar e, de fato, no decorrer de toda a viagem, as fronteiras entre homens e mulheres tornaram-se mais flexíveis. Ajudávamos os homens a dar água ao rebanho, eles nos ajudavam a desembrulhar os víveres para a refeição da noite. Escutávamos suas canções de pastoreio, dirigidas ao céu noturno e cheias de histórias sobre as constelações. Eles escutavam nossas canções de fiar, cantadas enquanto caminhávamos, trabalhando a lã com pequenos fusos. Uns aplaudiam os outros e ríamos todos juntos. Foi um tempo extraordinário, como um intervalo em nossas vidas. Parecia um sonho.

A cantoria acontecia em geral antes de dormir ou de manhã cedo, enquanto ainda estávamos descansados. À tarde, todos estavam famintos e com os pés doendo. As mulheres levaram muitos dias para se acostumarem a usar sandálias de manhã à noite — em casa, andávamos descalças dentro e em volta das tendas. Inna tratou das bolhas e aliviou as dores massageando nossos pés com óleo perfumado com tomilho.

Não havia nenhum problema, todavia, com relação ao nosso apetite. Os dias compridos deixavam todos com uma fome voraz, e era bom que meus irmãos pudessem complementar a refeição simples da estrada, constituída de pão e mingau, com aves e coelhos que caçavam ao longo do caminho. A carne tinha um gosto estranho mas maravilhoso da maneira como Inna a preparava, com um tempero amarelo-vivo que conseguira em uma troca.

Quase não se conversava durante a refeição da noite. Os homens agrupavam-se em seu próprio círculo, as mulheres ficavam juntas. Na hora em que a lua subia no céu, todos já estavam dormindo: as mulheres e crianças pequenas amontoadas em uma tenda grande, os homens e meninos em cobertores sob as estrelas. Ao amanhecer, fazíamos uma refeição ligeira de pão frio, azeitonas e queijo e retomávamos a caminhada. Depois de alguns dias, mal me lembrava de minha antiga vida, enraizada em um lugar só.

Cada manhã trazia uma nova surpresa. No primeiro dia, Inna juntou-se a nós. No segundo, com a tarde já avançada, encontramos um rio enorme. Meu pai dissera que cruzaríamos a grande água, mas eu não refletira sobre o significado de suas palavras. Ao chegarmos ao topo de uma colina de onde se via todo o vale do rio, fiquei estupefata. Nunca vira tanta água reunida em um só lugar, e nenhum dos outros vira também, com exceção de Jacó e Inna. O rio não era muito largo no ponto em que o vadeamos, e ainda assim era vinte vezes maior que os riachos que eu conhecera. Estendia-se pelo vale como uma estrada cintilante, o sol poente incendiando-o ao passar.

Chegamos a um local de travessia onde o fundo estava coberto de seixos e o vau era amplo. O solo das duas margens havia sido batido e alisado por numerosas caravanas, e meu pai decidiu que ficaríamos ali até a manhã seguinte. Os animais foram levados para beber água e montamos acampamento. Porém, antes da refeição, meu pai e minhas mães reuniram-se às margens do Eufrates e ofereceram uma libação de vinho ao grande rio.

Não éramos os únicos viajantes acampados ali. Em vários pontos das margens, comerciantes também haviam parado para comer e dormir. Meus irmãos perambulavam, observando rostos diferentes e trajes estranhos.

— Um camelo! — bradou José, e nossos irmãos seguiram-no para ver de perto o bicho de pernas finas e compridas.

Não podia ir com eles, mas não me incomodei por ser deixada para trás. Pude assim descer até o rio, que me atraía como um contador de histórias.

Fiquei à beira d'água até o último vestígio da luz do dia escorrer do céu e, mais tarde, depois de comer, voltei para aspirar deliciada o perfume do rio, para mim inebriante como incenso, pesado, escuro, em tudo diferente do aroma da água de poço, doce e tênue. Minha mãe, Lia, teria dito que eu estava sentindo o cheiro do capim em decomposição nos brejos e da mistura de tantos animais e homens, mas eu reconhecia o aroma daquela água da mesma forma que conhecia o perfume do corpo de minha mãe.

Os outros foram dormir e permaneci sentada ali. Balancei os pés dentro d'água até ficarem enrugados, macios e mais brancos do que jamais os vira. À luz da lua, acompanhei a dança das folhas das árvores descendo devagar na correnteza até desaparecerem. Fui embalada pelo sereno murmúrio das águas roçando na parte rasa das margens, e estava quase adormecendo quando ouvi vozes e despertei. Virei-me para olhar rio acima e distingui dois vultos que se moviam quase no meio do rio. Por um momento, achei que fossem demônios ou animais aquáticos que tinham vindo arrastar-me para algum túmulo submerso. Não tinha noção de que as pessoas pudessem deslocar-se na água daquele jeito — nunca tinha visto ninguém nadando. Logo percebi que eram apenas homens, os egípcios que possuíam o camelo, falando um com o outro em sua língua esquisita, ronronante. Riam e falavam em voz baixa, mas a água trazia o som de suas vozes como se estivessem sussurrando direto em meus ouvidos. Só fui para meu cobertor quando eles se retiraram e o rio continuou sua viagem pacífica através da noite, imperturbável.

Pela manhã, meu pai e meus irmãos entraram na água sem hesitação, levantando as túnicas para não molhá-las. Minhas mães penduraram as sandálias nas faixas da cintura e davam risadinhas por estarem mostrando tanto as pernas. Zilpah cantarolou baixinho uma canção do rio enquanto atravessávamos. Os gêmeos lançaram-se à frente, esparramando água um no outro, estouvados.

Mas eu estava com medo. Apesar de me ter apaixonado pelo rio, podia ver que, no trecho mais fundo, a água batia na cintura de meu pai. Isso significava que eu afundaria até o pescoço e seria engolida pelas águas. Pensei em segurar a mão de minha mãe, como uma criancinha pequena, mas ela estava equilibrando uma trouxa na cabeça. As mãos de todas as minhas mães estavam ocupadas e eu era orgulhosa demais para pedir a José para me dar a dele.

Não tinha tempo para ter medo. Os animais de carga estavam atrás de mim, forçando-me a prosseguir. Portanto, entrei no rio e senti a água subindo dos tornozelos para as panturrilhas. A correnteza parecia acariciar meus joelhos e coxas. Em poucos instantes minha barriga e meu peito estavam cobertos, e dei uma risada. Não havia razão para ter medo! A água não era uma ameaça, era um abraço do qual eu não tinha vontade de sair. Afastei-me para o lado e deixei o boi passar, depois o resto dos animais. Mexia os braços na água sentindo-os flutuar na superfície, observando as ondulações e o sulco que meus movimentos causavam. Isso era mágica, pensei. Isso era algo sagrado.

Vi os carneiros esticando o pescoço para fora da água, as cabras, de olhos esbugalhados, mal encostando os cascos no fundo. E então vieram os cães, que, não sei como, pareciam possuir um talento especial para correr pela água, agitando as pernas e avançando, resfolegando mas não sofrendo. Isso também era mágica: nossos cães sabiam nadar tão bem quanto os egípcios.

Finalmente, Judá surgiu ao meu lado, parecendo tão inseguro a respeito da água quanto eu me sentira minutos antes.

— Irmã — disse ele —, preste atenção, venha comigo. Segure a minha mão — ofereceu.

Entretanto, quando estendi a mão, desequilibrei-me e tombei para trás. Judá agarrou-me e puxou. Eu estava deitada de costas, o céu lá no alto, e senti a água mantendo-me à tona. Aiee. Um gritinho agudo escapou de minha boca. Um demônio do rio, pensei. Um demônio do rio apossou-se de mim. Mas Judá levou-me para cima dos seixos da outra margem e perdi a louca leveza de meu corpo.

Naquela noite, quando me deitei para dormir entre as mulheres, contei para minhas mães o que vira e sentira na margem do rio e depois dentro d'água, durante a travessia. Zilpah declarou que eu havia sido enfeitiçada pelo deus do rio. Lia estendeu um braço e apertou minha mão, tranquilizando-nos as duas. Inna, porém, disse-me:

— Você é filha da água. Seu espírito respondeu ao espírito do rio. Vai ter de viver perto de um rio um dia, Dinah. Só junto a um rio você será feliz.

⚜

Adorei todos os momentos da viagem para Canaã. Contanto que eu mantivesse meu fuso trabalhando, minhas mães não se importavam com o que eu fazia ou onde eu estava, e assim eu ia de uma ponta a outra da caravana, tentando estar em todos os lugares e ver todas as coisas. Lembro pouco da terra ou do céu, que deve ter mudado à medida que prosseguíamos. Certa vez, Raquel e Inna levaram-me com elas para colher ervas e flores no alto de uma colina, que se tornou cada vez mais íngreme e escarpada conforme nos dirigíamos para o sul. Espantei-me ao ver bosques com árvores tão próximas umas das outras que mulheres magras como Raquel e Inna tinham de andar em fila para passar entre elas. Lembro das curiosas folhas dessas árvores, em formato de agulha, que deixavam um cheiro de coisas verdes em meus dedos o dia inteiro.

O melhor de tudo era o que se via na estrada. Havia caravanas voltando para o Egito carregadas de cedro, fileiras de escravos sendo levados para Damasco e comerciantes de Shechem indo para Carchemish, perto de onde morávamos. Muitas pessoas estranhas passavam por nós: homens sem barba, o rosto liso como o de um menino; homens negros enormes, de peito nu. Encontravam-se poucas mulheres no caminho, mas vi de relance algumas envoltas em véus escuros, jovens escravas nuas e uma dançarina que usava um peitoral feito de moedas de cobre.

José ficava tão fascinado com essas pessoas quanto eu, e às vezes ele corria para olhar de mais perto algum animal ou uma roupa particularmente diferente. Eu era tímida demais para acompanhá-lo. Além disso, minhas mães não teriam permitido. Meu irmão descrevia-me o que vira e tudo nos causava intensa admiração.

Não partilhava com José, todavia, o que observava a respeito de nossa própria família. Sentia-me como um ladrão, espionando meus pais e irmãos, mas estava ávida para saber mais sobre eles — especialmente sobre meu pai. Como Jacó andava um pouco ao nosso lado todos os dias, eu o observava e reparava como ele tratava minhas mães. Ele falava com Lia sobre mantimentos e planos; com Raquel, falava das lembranças de sua viagem de ida para o norte, para Haram. Tinha cuidado para não desconsiderar nenhuma das duas mulheres com suas atenções.

Zilpah curvava a cabeça quando meu pai se aproximava e ele fazia o mesmo, mas os dois raramente se falavam. Jacó sorria para Bilah como se ela fosse sua filha. Era a única em quem ele tocava, correndo a mão por seu cabelo negro e macio sempre que passava por ela. Era um gesto de familiaridade que parecia expressar o carinho que ele sentia, mas que também revelava a falta de poder da esposa menos importante. Bilah não dizia nada, porém enrubescia vivamente com essas carícias.

Notei que a dedicação de Rubem por ela não esmorecera com o passar do tempo. A maioria dos meus irmãos, conforme cresciam e lhes nascia barba, ia afrouxando os laços de infância que os ligavam às mães e tias. Todos exceto Rubem, que gostava de estar perto das mulheres, especialmente de Bilah. Durante a viagem, tinha-se a impressão de que ele sabia o tempo todo onde ela estava. Quando a chamava, ela respondia: "Sim, irmão", embora ele fosse seu sobrinho. Bilah nunca falava sobre Rubem e creio que nunca a ouvi pronunciar seu nome, mas eu notava a afeição constante que os unia, o que me alegrava.

Rubem era fácil de conhecer, mas Judá era irrequieto. Ele próprio escolhera seu posto atrás do rebanho, mas de vez em quando pedia a um dos irmãos mais novos para tomar seu lugar para que pudesse vaguear um pouco. Escalava uma das colinas pedregosas até o topo e lá de cima gritava para nós, depois desaparecia e só voltava ao cair da noite.

— Ainda é cedo para isso, mas esse daí já está seco por uma mulher — Inna comentou em voz baixa para minha mãe uma noite, quando Judá se aproximou mais tarde do fogo procurando por sua ceia.

Virei-me para olhar para ele e percebi que o corpo de Judá começara a tomar a forma de um corpo de homem, com os músculos dos braços bem desenvolvidos, as pernas cabeludas. Era o mais bonito de todos os meus irmãos. Tinha dentes perfeitos, alvos e pequenos; lembro-me disso porque ele sorria tão raramente que a beleza de seus dentes era sempre uma surpresa. Anos mais tarde, quando vi pérolas pela primeira vez, pensei nos dentes de Judá.

Olhando para Judá como um homem, ocorreu-me que Rubem decerto tinha idade bastante para casar e ter filhos. Na realidade, não era muito mais novo que Nomir, cuja filha estava quase começando a andar. Simão e Levi também já estavam em idade de ter esposas. E descobri um outro motivo por que tínhamos deixado Haram: para que meus irmãos conseguissem preço de noiva sem a interferência dos dedos pegajosos de Labão. Quando perguntei à minha mãe sobre o assunto, ela disse: "Bem, é claro que sim", e fiquei encantada com meu conhecimento da vida e minha capacidade de perceber as coisas.

Ninguém mais falava de Labão. Os dias foram passando, a lua começou a minguar e parecia que afinal estávamos livres das garras de meu avô. Jacó deixara de visitar Judá na retaguarda do rebanho e olhar para trás para ver se o sogro vinha chegando.

Em vez disso, seus pensamentos agora se voltavam para Edom e para seu encontro com Esaú, o irmão que fazia vinte anos ele não via, desde que roubara a bênção do pai e fugira. Quanto mais nos distanciávamos de Haram, mais Jacó falava de Esaú.

Um dia antes da lua nova, paramos no início da tarde para que tivéssemos tempo de preparar a tenda vermelha e cozinhar para os três dias concedidos às mulheres. Como permaneceríamos naquele lugar por mais de uma noite, meu pai também armou sua tenda. Ao lado, havia um pequeno riacho encantador onde o alho selvagem crescia em profusão. O cheiro de pão logo se espalhou pelo acampamento e prepararam-se panelões de ensopado para que os homens tivessem bastante comida para comer enquanto minhas mães se recolhiam e deixavam de servi-los.

Minhas mães e Uzna entraram na tenda das mulheres antes do pôr do sol. Eu fiquei do lado de fora para ajudar a servir os homens. Nunca trabalhei tanto em minha vida. Não era brincadeira alimentar catorze homens e meninos, além de duas crianças pequenas, sem falar nas mulheres dentro da tenda. A maior parte do trabalho coube a mim, pois Zibatu estava sempre amamentando a filha. Inna não tinha paciência com meus irmãos.

Sentia-me orgulhosa por estar alimentando minha família, por estar fazendo o trabalho de uma mulher adulta. Quando finalmente nos reunimos às minhas mães na tenda depois de escurecer, jamais o descanso foi tão gratificante para mim. Dormi bem e sonhei que usava uma coroa e servia água. Segundo Zilpah, esses eram sinais seguros de que faltava pouco para eu me tornar mulher. Foi um sonho agradável, mas terminou na manhã seguinte com um pesadelo assombrado pela voz de Labão.

Não era sonho. Meu avô havia chegado, exigindo justiça.

— Entreguem-me o ladrão que levou meus ídolos — berrava ele. — Onde estão meus ídolos?

Saí correndo da tenda no exato momento em que meu pai, o cajado de oliveira na mão, vinha com passadas largas ao encontro de Labão. Beor e Kemuel postavam-se atrás de meu avô, com três servos de Haram, que preferiram manter os olhos grudados no chão a encarar Jacó, que eles adoravam.

— A quem chama de ladrão? — meu pai interpelou-o. — A quem está acusando, velho tolo? Trabalhei para você por vinte anos sem pagamento, sem honra. Não havia nenhum ladrão aqui até você vir perturbar a paz deste lugar.

Labão emudeceu diante do tom assumido pelo genro.

— Sou eu o responsável pelo conforto de que desfruta em sua velhice — continuou Jacó. — Fui um servo honesto. Não trouxe nada que não fosse meu. Só tenho aqui o que você concordou que me caberia, e não foi um pagamento justo para mim por tudo o que lhe dei em troca. Suas filhas são minhas esposas e não querem nada de você. Seus netos são meus filhos e nada lhe devem. Enquanto estava em suas terras, concedi-lhe um respeito que você não merecia, mas agora não estou mais preso aos compromissos do hóspede para com o anfitrião.

Àquela altura, todos os meus irmãos já tinham se reunido atrás de Jacó, e juntos pareciam um exército. Até José trazia um cajado na mão. O ar fremia de ódio.

Labão recuou.

— Meu filho! Por que me repreende? — replicou, dissimulado, de repente com a voz fraca de um velho. — Estou aqui apenas para dizer adeus a minha amada família, minhas filhas e meus netos. Somos parentes, você e eu. Você é meu sobrinho e eu o considero um filho. Compreendeu mal minhas palavras. Desejo apenas beijar minha família e dar-lhe a minha bênção — disse, estendendo os dedos da mão, curvando a cabeça como um cão submisso. — Não é o deus de Abraão também o deus de meus pais? Ele é grande, decerto. Mas, meu filho — Labão levantou o rosto e olhou para Jacó —, o que houve com meus outros deuses? O que você fez com eles?

— O que quer dizer com isso? — perguntou meu pai.

Labão apertou os olhos e respondeu:

— Meus deuses domésticos foram roubados, desapareceram quando vocês partiram. Vim reclamá-los para mim e para meus filhos. Por que deseja privar-me da proteção deles? Será que teme a sua ira, mesmo adorando apenas o deus sem rosto?

Meu pai cuspiu aos pés de Labão.

— Não tirei nada de ninguém. Não há nada que lhe pertença em minha casa. Não há lugar para ladrões em minhas tendas.

Contudo, Labão manteve-se firme:

— Meus ídolos são preciosos para mim, sobrinho. Não sairei daqui sem levá-los.

Jacó, então, encolheu os ombros.

— Não estão aqui — afirmou. — Veja você mesmo.

Deu as costas para Labão e afastou-se na direção do bosque, desaparecendo de nossa vista.

Labão começou a procurar. Meus irmãos permaneceram ali, de braços cruzados contra o peito, vendo o velho desfazer todas as trouxas e embrulhos, desenrolar todas as tendas, enfiar os dedos em todos os sacos de grãos, apertar todos os odres de vinho. Quando se dirigiu para a tenda de Jacó, Simão e Levi tentaram barrar-lhe o caminho, mas Rubem fez sinal para que o deixassem passar. Seguiram Labão e ficaram olhando enquanto ele remexia nos cobertores de nosso pai e até levantava o tapete do chão para bater com o pé na terra e verificar se algum buraco havia sido cavado ali.

O dia foi passando e Labão continuava a sua busca. Eu ia e vinha de onde meu avô estava para a tenda vermelha relatando a minhas mães o que via. O rosto delas se mantinha impassível, mas eu sabia que estavam preocupadas. Nunca vira as mãos das mulheres trabalhando durante a lua nova, e no entanto todas elas estavam ocupadas com seus fusos.

Depois de Labão revistar a tenda de meu pai, não lhe restava mais onde procurar a não ser na tenda vermelha. Seus olhos fixaram-se na tenda das mulheres armada na extremidade do acampamento. Era impensável que um homem saudável entrasse lá andando sozinho durante aquele período do mês. Os homens e meninos acompanharam-no com o olhar para ver se ele iria se meter entre mulheres menstruadas — que, pior ainda, eram suas próprias filhas.

Labão resmungava para si mesmo enquanto se aproximava da tenda das mulheres. Na entrada, parou e olhou para trás. Encarou com expressão feroz seus filhos e netos, levantou a abertura da tenda e entrou.

A respiração arquejante de Labão era o único som que se ouvia dentro da tenda. Ele relanceou a vista em torno de si, nervoso, evitando os olhos das mulheres. Ninguém se mexeu ou falou. Por fim, com grande desdém, disse "Bah" e encaminhou-se para uma pilha de cobertores.

Raquel levantou-se de seu lugar na esteira de palha. Não baixou o olhar quando falou com o pai. Na realidade, olhou direto para ele e, sem raiva, medo ou qualquer emoção aparente, disse:

— Eu os tirei, pai. Estão todos comigo. Todos os seus deuses estão aqui. Estou sentada sobre eles. Os deuses de sua família estão agora banhados por meu sangue mensal, e com isso estão irremediavelmente maculados. Pode levá-los, se quiser — Raquel continuou calmamente, como se falasse de coisas corriqueiras. — Posso desenterrá-los e até os limpar se o senhor preferir, pai. Mas a mágica deles se virou contra o senhor. De agora em diante, o senhor não pode mais contar com a proteção de seus deuses.

Ninguém sequer respirava enquanto Raquel falou. Os olhos de Labão arregalaram-se e ele começou a tremer. Sua linda filha parecia brilhar na luminosidade rosada que se filtrava através da tenda. Foi um longo e terrível momento, que terminou quando Labão se virou e saiu arrastando os pés. Lá fora, na claridade, viu-se cara a cara com Jacó, que voltara.

— Não encontrou coisa alguma — afirmou meu pai, com total confiança. Labão não replicou e Jacó prosseguiu: — Não há ladrões em minhas tendas. Este é o nosso último encontro. Não temos mais nada a ver um com o outro.

Labão não disse nada, mas abriu as mãos e sacudiu a cabeça, aquiescendo.

— Venha — disse ele afinal. — Vamos encerrar nossa questão. — Meu avô fez um gesto para que Jacó subisse com ele a colina até seu acampamento. Meus irmãos seguiram-nos para servirem de testemunhas.

Labão e Jacó escolheram dez pedras cada um e empilharam uma sobre a outra até criarem um monte que marcou os limites entre eles. Labão derramou vinho sobre o monte. Jacó derramou azeite. Os dois homens juraram paz entre si, um tocando a coxa do outro. Então, Jacó virou-se e desceu a colina. Foi a última vez que qualquer um de nós viu Labão, o que foi uma dádiva.

⁂

Jacó estava ansioso para sair daquele lugar, de modo que a tenda vermelha foi desmanchada na manhã seguinte e continuamos nossa viagem para a terra que meu pai chamava de lar.

Meu pai estava obcecado pelas lembranças de Esaú. Vinte anos tinham-se passado, mas meu pai ainda podia ver a expressão do rosto do irmão quando Esaú finalmente percebeu de fato o que lhe acontecera. Não apenas Jacó o traíra roubando-lhe a bênção de seu amado pai, como era evidente que Rebeca, sua mãe, estivera por trás de tudo, o que era a última prova da preferência dela pelo filho mais novo.

Jacó acompanhara no rosto do irmão o que se passava em seu íntimo enquanto o outro reunia os pedaços da traição familiar, e meu pai sentia vergonha. Compreendia a dor de Esaú e sabia que se estivesse no lugar dele também iria em seu encalço com uma adaga desembainhada.

A visão do temível irmão vingador tornou-se uma obsessão para ele, que a descrevia diariamente para os filhos, assim como para Lia, Raquel e Bilah em suas noites com elas, pois passou a armar sua tenda para ser confortado por uma mulher até a chegada da manhã. O medo de Jacó era tão grande que apagara de sua mente todas as lembranças do amor do irmão, que sempre fora mais forte que seus breves ataques de raiva. Esqueceu as ocasiões em que Esaú o protegera e alimentara, rira com ele e o elogiara.

O medo de meu pai transformou Esaú em um demônio de vingança, e eu o imaginava ruivo como uma raposa e com braços enormes como troncos de árvores. Esse tio assombrou meus sonhos e transformou a viagem de que eu gostara tanto em uma angustiante marcha forçada para a morte certa.

Eu não era a única a andar com medo. Não houve mais cantoria na estrada ou no acampamento depois que meu pai começou a contar suas histórias sobre Esaú. A viagem transcorreu em silêncio depois que nos despedimos para sempre de Labão, e nem Judá queria mais caminhar sozinho atrás do rebanho.

Logo havia outro rio para ser atravessado, e Esaú saiu de meus pensamentos. Enchi-me de alegria ao ver água fluindo outra vez e corri para a margem para sentir aquele perfume delicioso e ouvir aquele ruído peculiar.

Meu pai também parecia reanimado pela visão do rio e pelo trabalho que tinha pela frente. Anunciou que acamparíamos do outro lado naquela noite e reuniu os filhos mais velhos para distribuir as tarefas.

Esse rio era muito menos largo que o grande rio ao norte, porém mais profundo no meio e muito mais rápido. As folhas caídas não serpenteavam correnteza abaixo mas desciam apressadas como se perseguissem uma presa ligeira. Tínhamos de atravessar logo porque o sol já começara sua descida.

Inna e Zilpah derramaram uma oferenda ao deus do rio quando os primeiros animais foram conduzidos para dentro da água e guiados através dela. Os animais menores tiveram de ser levados dois a dois seguros pelo pescoço, um homem de cada lado. Os cães trabalharam até a exaustão. Quase perdemos um deles na correnteza, mas José agarrou-o e tornou-se o herói do momento entre seus irmãos.

Todos os homens cansaram-se muito. Até Judá cambaleava com o esforço de guiar animais assustados e ao mesmo tempo enfrentar uma correnteza que quase os arrastava. O rio foi generoso, nenhum dos animais se perdeu. Quando o sol descansava no topo das árvores, só faltavam o boi, os jumentos, as mulheres e as crianças pequenas para atravessar.

Rubem e Judá lutaram com o boi, que berrava aterrorizado, como um animal que vai ser abatido. Levaram um tempo enorme para arrastar o bicho para o outro lado, e a essa altura já escurecia. Minha mãe e eu fomos as últimas a passar, eu dessa vez de mãos dadas com ela para que o rio não me roubasse. Quando chegamos à outra margem, estava escuro e só meu pai ficara para trás.

Jacó chamou por cima da água:

— Rubem!

E meu irmão respondeu:

— Estou aqui.

— Cuide dos animais — determinou meu pai. — Não é preciso armar a tenda. A noite está bem quente. Vou atravessar assim que clarear. Fiquem prontos para partir.

Minha mãe não ficou satisfeita com o plano de Jacó e disse a Rubem para chamar nosso pai de novo, oferecendo-se para atravessar o rio e passar a noite com ele. Jacó não consentiu.

— Diga à sua mãe para pôr seus medos de lado. Não sou criança nem um velho decrépito. Vou dormir sozinho ao ar livre como fiz em minha juventude quando viajei para o norte. Preparem-se para sair de manhã — replicou Jacó, e mais não disse.

Ainda era lua nova, portanto a noite estava escura. A água teria suavizado o ar se não fosse pelo cheiro de almíscar do pelo molhado dos animais. As ovelhas baliam durante o sono, estranhando estarem molhadas na friagem da noite. Tentei ficar acordada para escutar a música farfalhante da água, mas dessa vez a correnteza mergulhou-me em sono profundo. Todos dormiram pesadamente. Se meu pai gritou chamando, ninguém ouviu.

⁂

Rubem postou-se na margem do rio com Lia antes do nascer do sol para receber Jacó, mas meu pai não apareceu. O canto dos pássaros saudando a manhã já silenciara, o sol começara a secar o orvalho e ainda não havia sinal dele. A um gesto de Lia, Rubem, Simão e Judá mergulharam na água para ir à procura do pai. Encontraram-no surrado e despido em uma clareira no mato, onde os arbustos e o capim haviam sido pisoteados e quebrados em um largo círculo em volta dele. Rubem correu de volta à margem e gritou pedindo um manto para cobrir nosso pai. Depois, carregou-o através do rio.

O alvoroço transformou-se em silêncio quando Jacó foi trazido, sem sentidos, nos braços do filho, a perna esquerda pendurada formando um ângulo anormal, como se não estivesse mais presa ao corpo. Inna foi correndo na frente e mandou que armassem a tenda de Jacó. Bilah acendeu o fogo. Os homens permaneciam ali em volta de mãos abanando. Rubem não sabia como responder às perguntas, de modo que ficaram todos calados.

Inna saiu da tenda e disse:

— Febre.

Raquel foi depressa buscar seu estojo de ervas. Inna fez sinal para que Rubem entrasse com ela na tenda e, instantes depois, ouvimos um urro animalesco: ele pusera a perna de nosso pai de volta no lugar. Os gemidos que se seguiram foram ainda piores.

Despercebida e desnecessária, sentei-me do lado de fora da tenda, observando a expressão resoluta de Inna e as faces coradas de Raquel, que entravam e saíam. Vi os lábios de minha mãe comprimirem-se em um traço fino quando curvava a cabeça para ouvir as informações delas. Escutei através das paredes da tenda meu pai gritar diante de um demônio azul do rio e convocar um exército de anjos para lutar contra um inimigo poderoso que saíra das águas. Zilpah murmurava fórmulas mágicas para Gula. Inna cantava para deuses antigos cujo nome eu jamais ouvira: Nintinuga, Ninisina, Baba.

Ouvi meu pai chorar e implorar piedade a seu irmão. Ouvi Jacó, o pai de onze filhos, chamar por sua mãe, "Ema, Ema", como uma criança perdida. Ouvi Inna acalmá-lo e fazê-lo beber alguma coisa, como se fosse uma criancinha.

Naquele dia interminável, ninguém comeu nem trabalhou. À noite, adormeci em meu posto junto à tenda, meus sonhos guiados pelos gritos de meu pai e pelos murmúrios de minha mãe.

Ao amanhecer, acordei sobressaltada: tudo estava quieto demais. Levantei apavorada, certa de que meu pai morrera. Agora, com certeza, seríamos capturados por Esaú e transformados em escravos. Porém, quando comecei a chorar, Bilah apareceu e abraçou-me.

— Não, pequenina — disse, afagando meu cabelo desgrenhado. — Ele está bem. Recuperou a consciência e está dormindo calmamente. Suas mães também estão dormindo, estão muito cansadas de tanto tratarem dele.

Ao entardecer do segundo dia depois de sua penosa experiência, meu pai já se sentia bastante bem para sentar-se à porta de sua tenda e fazer a refeição da noite. A perna ainda doía e ele mal conseguia andar, mas o olhar estava claro e as mãos firmes. Dormi sem medo outra vez.

Permanecemos por dois meses à margem do rio Jabok para que Jacó se recuperasse. As tendas das mulheres foram erguidas, as dos servos também. Os dias retomaram uma rotina ordeira, com os homens cuidando do rebanho e as mulheres cozinhando. Construímos um forno com barro tirado do rio, e era bom ter pão fresco outra vez, em vez do alimento ressecado que tínhamos comido na estrada e que sempre tinha gosto de poeira. Nos primeiros dias da doença de Jacó, duas ovelhas foram abatidas para fazer caldos fortificantes com os ossos, de modo que tivemos carne durante algum tempo. O raro petisco fez a ocasião parecer uma festa.

No entanto, à medida que meu pai foi recuperando a saúde, seus temores voltaram ainda mais intensos do que antes e mudaram sua maneira de ser. Não falava de outra coisa a não ser da vingança de seu irmão. Encarava o ataque sofrido e sua luta com o exército de anjos como presságios da batalha que estava por vir. Começou a manifestar desconfiança diante de qualquer tentativa de acalmá-lo e afastou de perto dele o doce Rubem. Passou a preferir a companhia de Levi, que deixava Jacó enumerar incessantemente suas preocupações e sacudia a cabeça com ar sombrio ao ouvir as dramáticas previsões de nosso pai.

Entre elas, minhas mães analisavam o significado do último sonho de Jacó, tão poderoso que atravessara as fronteiras entre os dois mundos. Discutiam as preocupações e os planos de Jacó. Deveria atacar primeiro? Teria sido um engano enviar um mensageiro para Esaú? Não teria sido mais prudente apelar para seu pai, Isaac, pedindo ajuda? Quem sabe as mulheres devessem mandar um mensageiro a Rebeca, pois não era ela também sua tia, além de sogra? Todavia, nunca se referiam à mudança no comportamento do marido. O homem seguro de si tornara-se hesitante e cauteloso. O pai afetuoso tornara-se exigente e até frio. Talvez considerassem tudo isso sintomas da doença ou talvez simplesmente não enxergassem o que eu via.

Passei a odiar qualquer menção ao nome de Esaú, embora o medo que sentia, com o passar do tempo, se convertesse em tédio, em aborrecimento. Minhas mães nem ao menos notaram quando deixei de ir às suas tendas. Estavam envolvidas demais com a história de meu pai e as especulações sobre o que viria em seguida, e além disso eu quase não tinha o que fazer. Toda a nossa lã havia sido fiada e os teares não seriam montados, e assim minhas mãos ficavam muito tempo desocupadas. Ninguém me pedia para buscar água ou trazer lã, não havia horta para limpar. Era o final de minha infância e eu estava mais livre do que jamais estivera ou estaria outra vez.

José e eu começamos a explorar o rio. Percorríamos suas margens e observávamos os minúsculos peixes que fervilhavam em seus redemoinhos. Caçávamos sapos, que eram de um verde vivo, completamente diferentes dos que conhecíamos. Eu colhia ervas silvestres e folhas comestíveis. José preparava armadilhas para capturar gafanhotos que seriam depois preparados e mergulhados no mel. Molhávamos os pés na água fria e ligeira, jogávamos água um no outro até ficarmos pingando. Secávamos ao sol e nossas roupas cheiravam como a brisa e a água do Jabok.

Um dia, seguimos rio acima e descobrimos uma ponte natural acima do rio: um caminho de pedras achatadas que tornava muito fácil a travessia. Sem ninguém por perto que nos proibisse, atravessamos para o lado oposto e logo percebemos que tínhamos descoberto o próprio lugar onde nosso pai fora atacado. Reconhecemos a clareira descrita por ele: o círculo de dezoito árvores, o capim amassado e os arbustos quebrados e caídos. Encontramos um trecho queimado no chão onde tinha havido uma grande fogueira.

O cabelo de minha nuca arrepiou-se, José segurou minha mão na sua, que estava úmida de pavor. Olhamos para cima e nada ouvimos, nem canto de pássaros nem folhas sussurrando ao vento. O solo queimado não exalava cheiro algum e até a luz do sol parecia apagada à nossa volta. O ar parecia tão morto quanto Ruti deitada no *wadi*.

Eu queria ir embora, mas não conseguia me mexer. José contou-me mais tarde que também teve vontade de sair correndo, mas seus pés estavam presos à terra. Levantamos os olhos para o céu para ver se os temíveis anjos de nosso pai voltariam. O céu continuou vazio. Ficamos parados como duas pedras, esperando que algo acontecesse.

Um estrondo vindo do círculo de árvores reboou como um trovão. Nós gritamos, ou tentamos gritar, mas nenhum som saiu de nossas bocas abertas quando um javali negro veio correndo da floresta. Veio direto para nós através da clareira. Gritamos outra vez nosso grito silencioso. Também não se ouvia qualquer barulho vindo dos cascos do animal, que vinha em nossa direção com a rapidez de uma gazela. Achei que fôssemos morrer, meus olhos se encheram de pena por nossas mães, ouvi Lia chorando atrás de mim.

Quando me virei para encontrá-la, ela não estava lá. Porém o feitiço estava quebrado. Meus pés estavam livres, corri de volta para o rio, puxando José com uma força maior que a minha de fato. Talvez houvesse anjos do meu lado também, pensei, ao chegar ao caminho de pedras e tentar seguir por ele. José escorregou na primeira pedra e cortou o pé. Dessa vez, o gemido de dor ecoou longe. O som de seu grito interrompeu a corrida do animal, que caiu fulminado, como se uma lança o atingisse.

José recuperou o equilíbrio e foi cambaleando até a outra margem, de onde estendi as mãos para ele, e nos abraçamos, trêmulos, em meio aos ruídos da água, ao murmúrio das folhas e ao bater desvairado de nossos corações.

— Que lugar é aquele? — meu irmão perguntou, mas eu só sacudi a cabeça.

Olhamos para trás, para o javali, para a clareira e o círculo de árvores, mas a fera havia desaparecido e a cena agora parecia comum, até bonita: uma ave passou voando e chilreando pelo horizonte, as árvores balançavam ao vento. Estremeci. José apertou minha mão. Sem dizer palavra, juramos segredo sobre aquele dia.

Mas meu irmão nunca mais foi o mesmo. Daquela noite em diante, começou a sonhar com a mesma força dos sonhos de nosso pai. A princípio, contava somente para mim seus encontros fantásticos com anjos e demônios, estrelas dançantes e animais falantes. Logo, porém, seus sonhos tornaram-se grandes demais para meus ouvidos apenas.

4

José e eu voltamos para o acampamento temendo que nos interrogassem sobre nossa ausência e não conseguíssemos esconder o que acontecera do olhar penetrante de nossas mães. Mas ninguém nos viu chegar. Todas as atenções estavam voltadas para aquele estranho diante de Jacó. O homem falava com o sotaque do sul, suprimindo alguns sons, e as primeiras palavras que escutei foram "meu pai". Esgueirei-me para ver o rosto do mensageiro e deparei-me com alguém que só podia ser um parente.

Tratava-se de Elifaz, o filho mais velho de Esaú e meu primo, que se parecia tanto com Judá que tapei a boca com as mãos para não dizer isso em voz alta. Era tão vermelho e bonito quanto Judá, apesar de mais alto — alto como Rubem, na verdade. Falava fazendo os mesmos gestos de Rubem, a cabeça inclinada para o lado, o braço esquerdo envolvendo a cintura, abrindo e fechando a mão direita, e trazia as notícias que por tanto tempo havíamos temido receber.

— Meu pai chegará antes do entardecer — disse Elifaz. —'Virá com meus irmãos, servos e escravos, quarenta pessoas no total, incluindo as mulheres. Minha mãe está entre elas — acrescentou, com um aceno de cabeça para minhas mães, que não puderam deixar de sorrir com a cortesia dele.

Enquanto Elifaz falava, o rosto de meu pai era uma máscara, imóvel, impassível. Em seu íntimo, porém, ele devia estar vociferando e chorando. Caíam por terra seus cuidadosos planos de dividir nosso grupo para que Esaú não nos destruísse em um único ataque. Inúteis todas aquelas noites gastas em orientação para meus irmãos sobre que animais seriam apresentados como oferendas de paz e quais seriam escondidos para não caírem nas garras de Esaú. Minhas mães nem haviam começado a selecionar e preparar o que meu pai queria oferecer a seu irmão mais velho na esperança de aplacar sua ira terrível.

Agora meu pai se sentia encurralado e amaldiçoava a si mesmo por ter permitido que os anjos e demônios ocupassem seus pensamentos por tanto tempo, o que o distraíra de suas intenções, pois nossas tendas estavam em posição indefensável, com o rio atrás de nós impedindo a fuga.

Jacó nada deixou transparecer diante de seu sobrinho, todavia. Cumprimentou Elifaz com igual gentileza e agradeceu-lhe por trazer a mensagem. Levou-o para sua tenda, convidou-o a descansar e mandou trazer comida e bebida. Lia foi preparar a refeição. Raquel serviu-lhe cerveja de cevada, mas as mulheres deliberadamente não se apressaram para que Jacó tivesse tempo de pensar no que fazer.

Enquanto Elifaz repousava, Jacó foi procurar minha mãe e disse-lhe que fizesse as mulheres vestirem suas melhores roupas e que preparassem as oferendas. Fez Rubem reunir os irmãos, também em seus melhores trajes, e recomendou-lhes que pusessem na cintura adagas escondidas para que Esaú não pudesse massacrá-los sem sofrer ele também algum dano. Tudo isso foi realizado velozmente, de modo que estávamos todos preparados e prontos para partir quando Elifaz terminou a refeição.

— Não é necessário, tio — disse Elifaz. — Meu pai virá ao seu encontro. Por que não recebê-lo aqui confortavelmente?

Mas Jacó negou-se.

— Devo receber meu irmão de uma forma digna de um homem da sua posição. Vamos até ele dar-lhe as boas-vindas.

Deixando apenas os dois servos e suas mulheres no acampamento, Jacó conduziu-nos. Elifaz caminhava a seu lado seguido pelos animais que seriam oferecidos: doze cabras robustas e dezoito ovelhas saudáveis, guiadas por meus irmãos.

Vi Lia olhar por cima do ombro e a tristeza e o medo cruzarem seu rosto como nuvens na frente do sol. Ela, porém, rapidamente afastou o pesar e recobrou a compostura, assumindo uma expressão de absoluta serenidade.

Andamos durante pouco tempo, nossas túnicas compridas nem chegaram a ficar empoeiradas, até nosso pai parar e apoiar seu cajado no chão. Esaú estava do lado oposto de um vale de inclinação suave. Jacó saiu caminhando sozinho para saudar seu irmão e Esaú fez o mesmo, o séquito formado pelos filhos crescidos de cada um seguindo-os de perto. Da encosta da colina, vi aterrorizada os dois homens encontrarem-se cara a cara. No instante seguinte, meu pai estava estirado aos pés do irmão. Por um momento angustiante pensei que ele tivesse sido atingido por alguma flecha ou lança oculta. Mas ele se pôs de joelhos e curvou-se até o chão, prostrando-se na poeira, sete vezes seguidas. Era o cumprimento de um escravo para um senhor. Minha mãe virou o rosto, envergonhada.

Aparentemente, meu tio também ficou constrangido com a exibição do irmão, pois inclinou-se e pegou Jacó pelo braço, sacudindo a cabeça de um lado para outro. Eu estava distante demais para escutar o que diziam, mas vimos os dois homens falando um com o outro, primeiro agachados no chão, depois de pé.

Então, aconteceu o impensável. Esaú envolveu meu pai com os braços. Meus irmãos puseram imediatamente a mão nas adagas escondidas na cintura. Esaú, entretanto, adiantara-se não para agredir meu pai, mas para beijá-lo. Apertou-o contra o peito em um demorado abraço e, quando finalmente os dois se separaram, Esaú empurrou Jacó pelo ombro, um gesto típico de brincadeira de meninos. Depois, correu os dedos pelo cabelo de nosso pai e, com isso, os dois homens riram a mesma risada calorosa que provava que tinham compartilhado o ventre da mãe, apesar de um ser moreno e o outro claro, um esguio e o outro robusto.

Meu pai disse alguma coisa para o irmão e, mais uma vez, Esaú abraçou-o. Dessa vez, porém, quando se afastaram, não houve risos. Rubem disse mais tarde que o rosto de ambos estava molhado de lágrimas quando se viraram para andar em nossa direção, cada um com o braço em torno do ombro do outro.

Eu estava perplexa. Esaú, o de rosto rubro, o vingador sedento de sangue, chorando nos braços de meu pai? Como esse homem poderia ser o monstro que perturbara meus sonhos e calara as canções nos lábios de meus irmãos?

Minhas mães entreolhavam-se, incrédulas, mas Inna ria em silêncio, sacudindo os ombros.

— Seu pai foi um grande tolo — disse ela semanas depois em Sucoth, quando recontávamos a história daquele dia. — Temer uma doçura daquelas, com cara de criança recém-nascida? Fazer todos terem pesadelos por causa de um cordeirinho daqueles?

Meu pai conduziu Esaú até onde estávamos e ofereceu presentes a seu irmão. Nosso tio recusou-os três vezes, como deveria ser, e depois os aceitou polidamente, elogiando cada um nos termos mais lisonjeiros. A cerimônia dos presentes levou um tempo enorme, e tudo o que eu queria era ver melhor os primos que estavam atrás de Esaú, principalmente as mulheres, que usavam colares e dezenas de pulseiras nos braços e tornozelos.

Depois de ter aceito os animais, a lã, a comida e o segundo melhor cão pastor de Jacó, Esaú voltou-se para o irmão e perguntou, com uma voz que soava igual à de meu pai:

— Quem são esses belos moços?

E Jacó apresentou seus filhos, que se curvaram profundamente diante do tio, como haviam sido instruídos a fazer.

— Este é Rubem, meu primogênito, filho de Lia, que está ali. — E minha mãe inclinou bem a cabeça, não tanto para mostrar respeito, segundo penso, mas para evitar que Esaú reparasse em seus olhos diferentes antes de saber quantos filhos ela tivera. — E aqui estão outros filhos de Lia: Simão e Levi. Este é Judá — disse meu pai, batendo no ombro de seu quarto filho. — Como pode ver, sua imagem nunca me saiu da cabeça. — Judá e Esaú riram um para o outro com o mesmo sorriso. — Zebulun também é filho de Lia, e aqui estão seus gêmeos, Naftali e Issacar.

Esaú curvou a cabeça para minha mãe e disse:

— Lia é mãe de miríades.

E ela corou de orgulho.

Em seguida, meu pai apresentou José.

— Este é o mais novo, o único filho de minha Raquel — disse ele, alardeando seu afeto por minha tia. Esaú inclinou a cabeça, olhou para o filho favorito e para a inalterada beleza de Raquel. Ela devolveu o olhar, ainda atordoada pelos acontecimentos do dia.

Em seguida, Jacó pronunciou o nome de Dan.

— Este é o filho de Bilah, criada de Raquel. E aqui estão Gad e Asher, meus filhos com Zilpah, criada de Lia.

Era a primeira vez que eu ouvia as distinções entre meus irmãos, e também entre minhas tias, serem feitas em público, ou de modo tão claro. Vi os filhos das esposas menos importantes, que o mundo chamava de "criadas", baixarem a cabeça ao ser apresentados.

Mas Esaú sabia o que é estar em segundo lugar e aproximou-se deles exatamente como fizera com meus outros irmãos, cumprimentando-os com um aperto de mão. Os filhos de Bilah e Zilpah empertigaram-se outra vez, e senti orgulho por ter um tio assim.

Agora era a vez de meu pai perguntar sobre os filhos de Esaú, que citou cada um com muito orgulho:

— Você já conheceu Elifaz, meu primogênito com Adath, que está ali adiante — disse ele, apontando para uma mulher pequena e roliça que usava um adereço de cabeça feito de discos de cobre martelado. — E aqui está Reuel — disse Esaú, abraçando um rapaz magro e moreno, de barba cerrada. — Ele é filho de Basemath. — E, com um aceno de cabeça, indicou uma mulher de rosto meigo que trazia um bebê apoiado no quadril. — Meus filhos pequenos são Jeush, Jalam e Korah. Estão aqui com Basemath, mas são filhos de Oholibama, minha esposa mais moça. Ela morreu de parto na última primavera.

Houve muitos pescoços estendidos para lá e para cá enquanto as apresentações eram feitas, mas logo foi possível olhar cada um mais de perto quando todos fizeram juntos o breve trajeto de volta ao acampamento de Jacó na beira do rio. Meus irmãos mais velhos observavam seus primos adultos mas não diziam nada. As mulheres aproximaram-se e começaram o lento processo de conhecimento mútuo. Encontramos as filhas de Esaú entre elas, inclusive as duas mais novas de Adath, que tivera muitas filhas, algumas das quais já eram adultas e mães também, porém Libbe e Amat ainda estavam com ela. Não eram muito mais velhas que eu, mas não me deram importância porque eu ainda usava um vestido de criança e elas já eram moças.

Basemath era uma espécie de madrasta de todos os filhos de Oholibama, em especial da pequenina Iti, que custara a vida a Oholibama. Basemath perdera tantos bebês, meninos e meninas, que perdera a conta. Tinha apenas um filho, Reuel, e uma filha viva, Tabea, que era da mesma altura que eu. Tabea e eu acabamos caminhando lado a lado, mas caladas, sem nos atrever a quebrar o silêncio solene que caiu sobre o grupo em marcha.

A tarde já ia avançada quando chegamos às nossas tendas. Um mensageiro havia sido enviado para avisar às servas que começassem a preparar a refeição da noite, e fomos recebidos pelo cheiro de pão assando e carne cozinhando. Ainda assim, havia muito o que fazer para o tipo de banquete que se fazia necessário para celebrar uma ocasião tão memorável quanto a reconciliação dos filhos de Isaac.

As mulheres puseram mãos à obra e disseram a Tabea que me ajudasse a colher cebolas selvagens na beira do rio. Assentimos com um gesto de cabeça como duas filhas obedientes, mas, assim que demos as costas aos mais velhos, quase ri alto. Meu desejo se realizara. Estávamos sozinhas.

Tabea e eu seguimos com grande determinação para o canteiro de cebolas que eu despojara todo no dia de nossa chegada ao Jabok, mas encontramos uma boa quantidade de novos brotos, suficiente para encher a cesta que ela trazia. Decidimos, entretanto, que nossas mães não precisavam saber quão depressa tínhamos terminado nossa tarefa e tiramos proveito de nossa liberdade enfiando os pés na água e tagarelando uma com a outra, deixando fluir todas aquelas histórias que formam a memória da infância.

Enquanto eu admirava as pulseiras em seu braço, ela me contava a história da vida de sua mãe. Como Esaú ficara encantado pela jovem e linda Basemath ao vê-la no mercado perto de Mamre, onde nossa avó Rebeca morava. Como preço da noiva, ele oferecera ao pai de Basemath, além da quantidade habitual de ovelhas e cabras, nada menos do que quarenta pulseiras de cobre, "para que seus pulsos e tornozelos anunciassem sua beleza", disse ele. Esaú amava Basemath, mas sofria nas mãos da primeira mulher, Adath, que era ciumenta. Nem mesmo os filhos natimortos de Basemath haviam abrandado o coração de Adath. Quando perguntei como podiam celebrar a lua nova juntas com tanto rancor em casa, Tabea disse que as mulheres da família não acompanhavam juntas a morte e o renascimento da lua.

— É uma das coisas que a Avó detesta nas filhas de Esaú — comentou Tabea.

— Você conhece minha avó? — perguntei. — Conhece Rebeca?

— Conheço — respondeu minha prima. — Já a encontrei duas vezes nas colheitas da cevada. A Avó sorri para mim, mas não fala com minha mãe nem com Adath, e também não dava atenção a Oholibama quando ela era viva. A Avó diz coisas horríveis sobre minha mãe, e isso não está certo.

Minha prima franziu a testa e seus olhos encheram-se de lágrimas.

— Mas gosto muito da tenda da Avó. É tão bonito lá dentro! E, apesar de ela ser a mulher mais velha que já vi, continua muito bela.

Tabea riu e continuou:

— A Avó me diz que sou parecida com ela, embora seja evidente que me pareço em tudo com minha mãe.

Tabea parecia de fato uma cópia de Basemath, com seu nariz afilado, o cabelo escuro e brilhante e os pulsos e tornozelos delicados. Entretanto, quando encontrei Rebeca, lembrei das palavras de minha prima e entendi o que a Avó queria dizer. Tabea tinha os olhos iguais aos da Avó, negros e diretos como duas flechas, enquanto os de Basemath eram castanhos e estavam sempre baixos.

Contei a Tabea sobre a tenda vermelha e como minhas mães celebravam a lua nova com bolos, canções e histórias, deixando os rancores de fora durante o período de escuridão. E como eu, a única filha, havia sido autorizada a entrar mesmo sendo criança, mesmo sendo contra os costumes para quem já tinha sido desmamada e ainda não era mulher. Com isso, nós duas olhamos para nossos peitos e esticamos as túnicas sobre eles para comparar o que se passava com nosso corpo. Embora nenhuma das duas estivesse pronta para amamentar, tudo indicava que seria eu quem amadureceria primeiro. Tabea suspirou, eu dei de ombros e então rimos até nossos olhos se encherem de lágrimas, o que nos fez rir mais e rolar pelo chão às gargalhadas.

Retomamos o fôlego e começamos a falar sobre nossos irmãos. Tabea disse que não conhecia bem Elifaz, mas que Reuel era bondoso. Dos meninos pequenos, ela detestava Jeush, que puxava seu cabelo o tempo todo e dava-lhe caneladas sempre que o mandavam ajudá-la na horta. Contei a ela como Simão e Levi tinham feito José e meus outros irmãos deixarem nossas brincadeiras de lado, e que me tratavam como sua criada pessoal, como se minha única obrigação fosse manter cheias suas taças de vinho. Cheguei a confessar que eu cuspia no vinho deles sempre que tinha oportunidade. Falei da gentileza de Rubem, da beleza de Judá e contei que José e eu tínhamos sido amamentados juntos.

Fiquei chocada ao ouvir Tabea dizer que não queria ter filhos.

— Cansei de ver minha mãe acalentando bebês mortos — explicou ela. — E ouvi Oholibama gritar durante três dias seguidos antes de dar a vida por Iti. Não estou disposta a sofrer dessa maneira.

Tabea não queria saber de casamento, preferia servir em Mamre e mudar seu nome para Débora. Ou então entoar cânticos no altar de um grande templo, como o que havia em Shechem.

— Lá, posso me tornar uma das mulheres religiosas que tecem para os deuses e sempre usam túnicas limpas. E vou dormir sozinha, a não ser que resolva escolher um consorte na festa da cevada.

Eu não compreendia os desejos dela. Na realidade, nem compreendia inteiramente suas palavras, pois nada sabia a respeito de templos nem das mulheres que serviam neles. Quanto a mim, disse a Tabea que esperava ter dez crianças bem fortes como as que minha mãe tivera, embora eu quisesse no mínimo cinco filhas. Era a primeira vez que dizia essas coisas em voz alta, e provavelmente a primeira vez que pensava nelas. Mas falei com toda a sinceridade.

— Você não tem medo do parto? — perguntou minha prima. — Nem da dor? E se a criança morrer?

Sacudi a cabeça.

— Parteiras não têm medo da vida — respondi, percebendo que passara a me considerar aprendiz de Raquel e neta de Inna.

Tabea e eu ficamos pensativas olhando para a água, a conversa foi morrendo. Refletíamos sobre as diferenças entre nós e pensávamos se nossas esperanças seriam realizadas, se algum dia saberíamos o que acontecera com a outra depois que nossos pais se despedissem. Meus pensamentos iam e vinham, como a lançadeira de um grande tear, de modo que, quando afinal ouvi a voz de minha mãe chamar meu nome, percebi que havia um tom zangado nela. Tínhamos demorado demais. Tabea e eu seguimos depressa, de mãos dadas, de volta para as fogueiras onde as mulheres estavam cozinhando.

Minha prima e eu fizemos o possível para ficar juntas depois disso, observando nossas mães rodearem-se mutuamente com mal disfarçada curiosidade. Elas analisavam as roupas e receitas umas das outras, umas pedindo educadamente às outras que repetissem o seu nome, só mais uma vez, por favor, para aprenderem a pronúncia certa. Vi minha mãe levantar as sobrancelhas ao ver como as mulheres cananeias usavam o sal, e reparei que Adath se retesou toda quando Bilah acrescentou um punhado de cebolas frescas ao seu ensopado de carne-seca de cabra. Entretanto, todos os julgamentos eram encobertos por sorrisos formais em meio ao corre-corre da preparação da comida.

Enquanto as mulheres aprontavam a refeição, Esaú e Jacó desapareceram dentro da tenda de meu pai. Os filhos de Esaú armaram suas tendas para a noite e depois se reuniram perto da entrada da tenda de Jacó, onde meus irmãos também estavam. Rubem e Elifaz trocaram gracejos sobre os rebanhos de seus pais, sutilmente comparando a quantidade e a vitalidade de ambos, cada um avaliando o trabalho do outro quanto ao pastoreio e a habilidade para lidar com os cães. Elifaz surpreendeu-se ao saber que nem Rubem nem qualquer dos seus irmãos se casara ainda ou tivera filhos, mas esse não era um assunto que Rubem discutiria com o filho de Esaú. Havia longas pausas na conversa entre os primos, que chutavam a terra e abriam e fechavam as mãos, entediados.

Finalmente, a tenda se abriu e meu pai e Esaú saíram, esfregando os olhos na claridade ainda intensa do dia, pedindo que lhes trouxessem vinho e que a refeição começasse. Os dois irmãos sentaram-se em um cobertor que Jacó estendeu no chão. Os filhos acomodaram-se de acordo com uma constrangida hierarquia, Elifaz e Rubem de pé atrás de seus respectivos pais, José e Korah sentados ao lado deles. Enquanto eu ia e voltava mantendo cheios os copos de vinho, notei como meus irmãos eram mais numerosos que os de Tabea e achei que eram mais bonitos que os filhos de Esaú. Tabea serviu o pão e nossas mães e suas criadas encheram os pratos dos homens até eles não aguentarem comer mais nada.

Cada uma das mulheres reparou em quem comeu mais do seu ensopado, do seu pão, quem tomou mais sua cerveja, e cada um dos homens teve o cuidado de elogiar a comida servida pela esposa de seu irmão. Esaú bebeu copiosamente a cerveja de minha mãe e apreciou muito a carne de cabra acebolada de Bilah. Jacó comeu pouco, mas fez o melhor que pôde para prestar homenagem à comida que lhe foi oferecida por Basemath e Adath.

Quando os homens terminaram, as mulheres e meninas sentaram-se para comer. Porém, como costuma acontecer nas grandes festas, o apetite era pouco depois de todas aquelas horas mexendo e provando os pratos. As mães foram servidas pelas escravas de Esaú, duas moças viçosas que usavam pequenos anéis de prata em furos na parte superior da orelha. Uma delas estava grávida. Tabea segredou-me que era da semente de Esaú, e que, se ela tivesse um filho homem, retiraria o brinco da orelha e se tornaria uma esposa menor. Olhei para a escrava robusta, de tornozelos tão grossos quanto os de Judá, em seguida relanceei o olhar para a esguia Basemath e disse a Tabea que o gosto de Esaú para esposas era tão generoso quanto seus outros apetites. Ela começou a rir, mas um olhar penetrante de Adath fez a graça acabar no mesmo instante.

A luz do dia estava diminuindo pouco a pouco quando Esaú e Jacó começaram a contar histórias. Nossas servas trouxeram lamparinas e as escravas de Esaú mantiveram-nas cheias de óleo. A luz das chamas dançava no rosto das pessoas de minha família, que de repente ficara tão numerosa. Tabea e eu, sentadas com os joelhos encostados, ouvíamos a história de nosso bisavô Abraão, que deixara sua antiga terra de Ur, onde a lua era venerada em nome de Nanna e Ningal, e seguira para Haram, onde ouvira a voz de El ordenando-lhe que fosse para Canaã. No sul, Abraão realizara grandes proezas, como matar mil homens de um só golpe, porque El-Abraão dera-lhe o poder de dez mil homens.

Jacó falou da beleza de Sara, mulher de Abraão e serva de Innana, a deusa que era filha de Nanna e Ningal. Innana amava Sara de tal maneira que a deusa veio a ela no bosque de terebintos em Mamre e, no final de sua vida, deu-lhe um filho saudável. Esse filho era nosso avô Isaac, o marido de Rebeca, que era sobrinha de Sara, a sacerdotisa. Agora era Rebeca, minha avó, quem fazia profecias para o povo no bosque sagrado de Sara em Mamre.

Tendo recordado a história da família da maneira apropriada, meu tio e meu pai passaram às histórias da infância, um batendo nas costas do outro ao lembrar as vezes que haviam fugido da horta da mãe para brincar com os cordeirinhos, um ajudando o outro a lembrar o nome de seus cães favoritos: o Negro, o Malhado e, em especial, a Maravilha-de-Três-Pernas, uma cadela espantosa que sobrevivera ao ataque de um chacal e ainda assim pastoreava tão bem quanto os melhores cães.

Era delicioso olhar para o rosto de meu pai à medida que essas histórias se iam desenrolando. Via-o como menino outra vez, despreocupado, forte, determinado. Sua atitude reservada desfez-se afinal por completo quando Esaú rememorou o dia em que caíram em um lodaçal e entraram na tenda da mãe cobertos de grossa lama cinzenta. Deu muitas risadas com o relato da vez em que os irmãos roubaram o pão de um dia inteiro, comeram até enjoar e levaram uma boa sova por conta da travessura.

Depois de muitas histórias, um silêncio jubiloso espalhou-se pelo grupo. Ouvíamos ao fundo os ruídos dos animais e o rumorejar do Jabok. E então Esaú começou a cantar. Meu pai abriu um largo sorriso e acompanhou-o, com voz alta e forte, repetindo as palavras de uma canção de pastores que eu nunca ouvira e que tratava apenas do vigor de um certo carneiro. As mulheres apertavam os lábios à medida que a canção prosseguia, cada verso mais libidinoso e atrevido que o anterior. Para minha surpresa, meus irmãos e nossos primos sabiam toda a letra e fizeram coro, as vozes em grande algazarra, terminando com um brado e muitas gargalhadas.

Quando os homens acabaram, Esaú fez um gesto de cabeça para a primeira esposa e esta deu um sinal que abriu as bocas das esposas e filhas, servas e escravas. Era um hino dedicado a Anat, o nome que as mulheres cananeias usavam para designar Innana, e louvava as façanhas da deusa na guerra e seus poderes no amor.

Aquele canto era diferente de tudo o que eu já ouvira, e senti o cabelo eriçar-se em minha nuca, como se José me fizesse cócegas com um talo de capim. Ao virar-me para repreendê-lo, no entanto, vi que ele estava longe, sentado ao lado de nosso pai, os olhos brilhantes, fixos nas cantoras. Elas cantavam as palavras em uníssono, mas, de alguma forma, criavam uma teia de sons com suas vozes. Era como ouvir um pedaço de tecido tramado com todas as cores do arco-íris. Eu não imaginava que a voz humana fosse capaz de produzir tanta beleza. Nunca ouvira harmonia antes.

Ao terminarem, descobri lágrimas em meus olhos e notei que as faces de Zilpah também estavam úmidas. Os lábios de Bilah estavam entreabertos de admiração e Raquel fechara os olhos para escutar com atenção absoluta.

Os homens aplaudiram e pediram mais, de modo que Basemath recomeçou com uma canção sobre a colheita e a plenitude da terra. Tabea cantava com elas, e deslumbrava-me saber que minha amiga podia realizar aquele milagre com suas mães. Fechei os olhos. As mulheres cantavam como pássaros, só que com mais suavidade. Suas vozes soavam como o vento nas árvores, só que mais alto. Ou como o murmúrio das águas do rio, só que com significado. Então, cessaram as palavras e elas começaram a cantar emitindo sons que não faziam sentido algum mas ainda assim expressavam alegria, prazer, saudade, paz. "Lu, lu, lu", cantavam elas.

No final, Rubem levantou-se para aplaudir a música de nossas primas e curvou-se profundamente para elas. José, Judá e Dan também se levantaram e se curvaram, agradecendo. Pensei: *Esses quatro são meus favoritos e os melhores de todos os meus irmãos.*

Seguiram-se mais canções e algumas outras histórias, todos nós sentados à luz das lamparinas. Só quando a lua começou a declinar é que as mulheres recolheram os últimos copos. Com crianças adormecidas nos braços, as jovens mães foram para suas camas e os homens também se despediram. Só restaram Esaú e Jacó, contemplando calados a luz bruxuleante da última lamparina.

Tabea e eu escapulimos e andamos até a beira do rio, os braços de uma enlaçando a cintura da outra. Eu me sentia perfeitamente feliz, poderia ter ficado lá até o amanhecer, mas minha mãe veio à minha procura e, apesar de ter sorrido para Tabea, puxou-me pela mão para longe de minha amiga.

Acordei na manhã seguinte ouvindo a tribo de Esaú preparar-se para ir embora. Em sua conversa do fim da noite, meu pai disse ao irmão que não voltaria com ele para Seir. Por mais afetuoso que tivesse sido o reencontro deles, era impossível unir seus destinos. As terras de meu tio eram vastas e ele desfrutava de uma posição estável. Caso se juntasse a ele, Jacó seria considerado inferior em comparação. Meus irmãos também ficariam em desvantagem, pois os filhos de Esaú já possuíam rebanhos e terras próprias. Apesar de todo o companheirismo da noite anterior, os filhos de Isaac não estavam inteiramente reconciliados, nem jamais estariam. As cicatrizes que tinham carregado por vinte anos não se apagariam com um mero encontro, e os hábitos adquiridos naqueles anos vividos em mundos tão diferentes forçosamente os separariam.

Mesmo assim, os irmãos abraçaram-se com declarações de amor fraternal e promessas de visita. Rubem e Elifaz cingiram o ombro um do outro, as mulheres despediram-se com gestos de cabeça. Tabea demonstrou sua audácia afastando-se correndo da mãe para abraçar-me, e provamos as lágrimas uma da outra. Junto ao meu ouvido, ela cochichou:

— Não fique triste. Logo estaremos juntas outra vez na tenda da Avó. Ouvi minha mãe dizer que certamente vamos encontrar vocês de novo na festa da cevada. Não se esqueça de nada que acontecer de agora em diante para poder me contar tudo depois.

Dizendo isso, beijou-me e correu de volta para perto da mãe. Acenou com a mão até nos perdermos de vista. Assim que se foram, meu pai deu instruções a Rubem e à minha mãe para que iniciassem os preparativos para a nossa própria partida.

Fiz o que me cabia com o coração leve, contente por continuar nossa viagem livre do medo de Esaú, ansiosa para ver minha amiga novamente e encontrar a Avó, que já começara a viver em minha imaginação. Estava certa de que Rebeca apreciaria muito minhas mães; afinal de contas, eram também suas sobrinhas, além de noras. E imaginava-me como sua querida, sua favorita. Por que não seria, pensava eu, já que era a única filha de seu filho preferido?

Partimos na manhã seguinte, mas não chegamos muito longe. No segundo dia, meu pai fincou seu cajado na terra sob um jovem carvalho, perto de um pequeno riacho, e anunciou sua intenção de ficar ali. Estávamos próximos de um povoado chamado Sucoth, explicou ele, um lugar que lhe fora favorável em sua ida para o norte. Meus irmãos já haviam explorado a terra antecipadamente e reservado um local para nós. Alguns dias depois, já havia cercados e baias para os animais e um excelente forno de barro, grande o bastante para assar não só pães como também bolos. Moramos naquele lugar por dois anos.

❧❦❧

Aquela viagem ensinara-me o gosto pelas mudanças e, de início, a rotina diária da vida em Sucoth entediou-me. Entretanto, meus dias eram cheios do nascer ao pôr do sol, e logo aprendi a gostar da alquimia que transformava a farinha em pão, a carne em ensopado, a água em cerveja. Passei também do fiar para o tecer, que era bem mais difícil do que eu jamais pensara e que foi uma habilidade que eu nunca dominei da mesma forma que Zilpah e Bilah, cuja urdidura nunca falhava.

Como filha mais velha, eu era muitas vezes incumbida de tomar conta dos filhos das servas, e também aprendi a amar e detestar ao mesmo tempo as pequeninas feras de nariz sujo. Era tão necessária dentro do mundo das mulheres que mal percebia como tinha pouco contato com meus irmãos e como as coisas mudavam para eles. Pois foi naquela época que Levi e Simão substituíram Rubem como braços direitos de meu pai e tornaram-se seus conselheiros mais próximos.

Sucoth foi um lugar fértil para minha família. Zibatu teve outro bebê, assim como Uzna — dois meninos que meu pai levou para seu altar sob o carvalho. Lá, circuncidou ambos e declarou-os livres do contrato de seus pais, membros efetivos da tribo de El-Abraão. E a tribo de Jacó cresceu.

Bilah concebeu em Sucoth, mas abortou antes que a criança se mexesse em seu ventre. Raquel sofreu uma perda semelhante e, durante quase um mês, não permitiu que José saísse de perto dela. Minha mãe também perdeu uma criança, que nasceu meses antes do prazo devido. As mulheres desviavam o olhar da minúscula menina morta, mas eu só via sua beleza perfeita. O desenho das veias em suas pálpebras parecia-se com o de uma asa de borboleta, os dedos de seus pés curvavam-se como pétalas de flor.

Segurei minha irmã, que nunca recebeu um nome, que nunca abriu os olhos, que morreu em meus braços.

Não tive medo de carregar aquela pequena morte. Seu rosto estava sereno, as mãos inteiramente limpas. Parecia que iria acordar a qualquer momento. As lágrimas dos meus olhos caíram sobre sua face de alabastro e era como se ela chorasse o fim de sua própria vida. Minha mãe veio pegar minha irmã em meu colo. Ao ver minha tristeza, porém, permitiu que eu a levasse para seu enterro. Envolveram-na em um pedaço de belo tecido e enterraram-na sob a árvore mais sólida e antiga que se via da tenda de minha mãe. Nenhuma oferenda foi feita, mas, quando o pequeno fardo foi coberto de terra, os suspiros que escaparam do peito de minhas mães eram tão eloquentes quanto qualquer salmo.

Ao voltarmos, Zilpah resmungou que os deuses do lugar estavam contrários à vida. Como de costume, minha tia interpretara mal os sinais, pois as servas engravidaram logo depois de seus filhos serem desmamados. Todas as ovelhas e cabras tiveram gêmeos e todos sobreviveram. O rebanho cresceu depressa e meu pai tornou-se um homem próspero, o que significava que meus irmãos podiam casar.

Três deles casaram-se em Sucoth. Judá casou-se com Shua, a filha de um comerciante. Ela concebeu na semana nupcial e teve Er, seu primogênito e o primeiro dos netos de meu pai. Eu gostava de Shua, que era gorducha e bem-humorada. Ela trouxe para as nossas tendas o talento musical dos cananeus e ensinou-nos harmonias. Simão e Levi tomaram duas irmãs como esposas, Ialutu e Inbu, filhas de um oleiro.

Fui encarregada de tomar conta dos bebês e manter o fogo aceso enquanto as mulheres de Jacó participavam das festividades. Fiquei furiosa por ser deixada para trás, mas, nas semanas que se seguiram às núpcias, ouvi minhas mães repetirem tanto todos os detalhes das cerimônias que foi o mesmo que estar presente.

— Não se pode negar que os cantos foram maravilhosos — comentava Zilpah, que voltou de todos os casamentos cantarolando uma nova melodia, batendo o ritmo com a mão na coxa ossuda.

— Ora, é claro — replicava minha mãe, com um jeito displicente. — Elas aprendem a cantar com as mães e com as avós.

Raquel dava uma risada e, inclinando-se para Lia:

— Pena as avós delas não saberem cozinhar, não é?

Lia concordava com um sorriso pretensioso:

— Quando chegar a vez de Dinah entrar na tenda nupcial, vou mostrar a elas como se faz um jantar de casamento — dizia, passando a mão nos meus cabelos.

Só Bilah pareceu apreciar os casamentos de seus sobrinhos:

— Ah, irmã — dizia para Lia —, mas você não achou bonito o véu entremeado de fios dourados e com as moedas do dote penduradas? Para mim, ela estava linda como uma deusa.

Lia não se deixava convencer.

— E isso quer dizer que a sua barriga ficou cheia depois da festa?

Contudo, Lia estava satisfeita com as noivas de seus filhos. Eram todas saudáveis e respeitáveis, embora Shua rapidamente tenha se tornado a favorita. As duas irmãs nunca realmente fizeram parte do círculo de minha mãe. Viviam com seus maridos um pouco afastadas de nós, segundo meus irmãos, "para ficar mais perto dos rebanhos". Acredito que Simão e Levi tenham se mudado porque Ialutu e Inbu queriam se manter distantes. Eu não sentia falta delas. Tratavam-me com o mesmo desdém de seus maridos e, além disso, minha mãe tinha razão: nenhuma das duas sabia cozinhar.

Dos filhos mais velhos de Jacó, só Rubem não se casou. Meu irmão aparentemente se contentava em prestar serviços à sua mãe e fazer gentilezas a Bilah, cujo único filho era ainda jovem demais para caçar.

⚘

Em uma manhã bem cedo, quando todos ainda dormiam, uma voz de mulher chamou:

— Onde estão as filhas de Sara? Onde estão as mulheres de Jacó?

Era uma voz muito suave, mas acordou-me do profundo sono em que estava mergulhada, deitada aos pés de minha mãe. Como eu, Lia também se sentou ao ouvir aquela voz e correu para fora, chegando ao mesmo tempo que Raquel. Num piscar de olhos, Bilah e Zilpah surgiram também, nós cinco olhando para a mensageira de Mamre, cuja roupa cintilava com um brilho prateado na luminosidade azulada que prenuncia a aurora.

Sua maneira de falar era formal, no estilo de todos os mensageiros.

— Rebeca, o oráculo de Mamre, mãe de Jacó e Esaú, avó de centenas de miríades, convoca-as ao bosque de terebintos para a festa da cevada. Que Jacó seja informado e tome conhecimento disso.

Fez-se silêncio depois da declaração daquela visitante, que falava com um estranho sotaque, dividindo cada palavra em três partes. Era como se todas estivéssemos sonhando um mesmo sonho, porque nenhuma de nós jamais vira uma pessoa de cabelos vermelhos, nem uma mulher carregando a bolsa listrada característica dos mensageiros. E, no entanto, não era sonho, como bem provava a friagem da manhã que nos fazia estremecer em arrepios.

Por fim, Lia respirou fundo e deu as boas-vindas, oferecendo à forasteira um lugar para sentar e pão para comer. Porém, assim que nos acomodamos em volta de nossa hóspede, minhas tias e eu ficamos outra vez quietas olhando para ela, imersas em puro assombro. A mensageira relanceou um olhar em torno de si e abriu um sorriso que revelou uma fileira de dentes pequenos e amarelados entre os lábios singularmente manchados de sardas. Falando dessa vez com uma voz comum e uma naturalidade que deixou todas à vontade, ela disse:

— Vejo que vocês não têm muitas pessoas de cabelos vermelhos por aqui. No lugar de onde venho, dizem que as mulheres de cabelos vermelhos são concebidas durante o período menstrual de suas mães. Tamanha é a ignorância da gente das terras do norte.

Bilah riu alto ao escutar uma estranha dizer algo tão audacioso. Isso pareceu agradar à nossa convidada, que se voltou para minha tia e se apresentou:

— Meu nome é Werenro e sirvo à Avó. — Dizendo isso, puxou o cabelo para trás e mostrou a orelha, furada na parte de cima e ostentando o pino de bronze liso, e em seguida acrescentou: — Sou a escrava mais feliz do mundo.

O que fez Bilah rir novamente daquela maneira franca de falar. Eu ri também.

Assim que os homens acabaram de comer, Lia mandou chamar Jacó e apresentou-lhe a mensageira, que a essa altura cobrira o fogo de seus cabelos e baixara os olhos.

— Ela vem da parte de sua mãe — explicou Lia. — Rebeca pede-nos para comparecer à sua festa da cevada. A mensageira aguarda sua resposta.

Jacó sobressaltou-se com a presença da recém-chegada, mas recompôs-se rapidamente e disse a Lia que obedeceriam a Rebeca em tudo, e que ele iria ao encontro dela na ocasião da colheita, com suas esposas, seus filhos e filhas.

Werenro então se retirou para a tenda de minha mãe e dormiu. Trabalhei ali por perto o dia todo, na esperança de vê-la. Tentei achar um pretexto para entrar na tenda. Queria ver aquele cabelo outra vez, e meus dedos ansiavam por tocar aquele manto que se movia como plantas aquáticas dentro da água do rio. Inna explicou-me que a roupa de Werenro era feita de seda, uma espécie de pano que era tecido por lagartas em seus próprios teares minúsculos. Ergui as sobrancelhas — esforçando-me ao máximo para imitar o gesto mais desdenhoso de minha mãe — para mostrar que eu já era crescida demais para acreditar em tamanha bobagem. Inna riu de mim e não se deu o trabalho de contestar a minha descrença.

Werenro repousou sem ser incomodada até bem tarde, até os homens acabarem de comer e as tigelas das mulheres para a refeição da noite serem limpas. Minhas mães haviam-se reunido junto a seu fogo, esperando que a estranha aparecesse a tempo de contar-nos uma história.

A mensageira saiu da tenda e, vendo-nos instaladas à sua volta, curvou-se profundamente com os dedos das mãos estendidos e abertos, em um inusitado gesto de deferência. Então, endireitou o corpo, olhou para todas nós, uma por uma, e deu um sorriso igual ao de uma criança pequena que tivesse roubado um figo. Werenro era completamente diferente de tudo e de todos neste mundo. Eu estava encantada.

Inclinou a cabeça para minhas mães em agradecimento pela tigela de azeitonas, queijo e pão fresco que fora deixada para ela. Antes de comer, fez uma breve oração em uma língua que se parecia com o chamado de um gavião. Ri ao ouvir aquele som, pensando que fosse outra brincadeira, mas a estrangeira de cabelos vermelhos lançou-me um olhar fulminante de raiva. Foi como se eu recebesse uma bofetada, e meu rosto ficou quente e rubro como o cabelo dela, que estava outra vez à vista e era tão improvavelmente vermelho quanto eu me lembrava. Porém, no momento seguinte, ela me dirigiu um sorriso de perdão e, batendo no chão a seu lado, convidou-me para o lugar de honra.

Pôs de lado os restos da refeição, com elogios para o pão e cumprimentos exagerados para a cerveja, e iniciou uma cantilena. Havia muitos nomes esquisitos em sua história, e a melodia era a mais triste que eu já ouvira em minha vida. Ela nos manteve todas enlevadas, como um bebê sendo embalado no colo.

Era uma história sobre o começo do mundo, sobre Árvore e Falcão, que geraram o Lobo Vermelho, que povoou o mundo, fazendo nascer de seu ventre todas as formas de vida com sangue vermelho, exceto o homem e a mulher. Era uma história muito comprida, misteriosa, cheia de nomes de árvores e animais desconhecidos. Passava-se em um lugar onde fazia um frio terrível, onde o vento uivava de dor. Era um relato assustador e emocionante, também impregnado de muita solidão.

Quando Werenro se calou, o fogo já se extinguira e apenas uma lamparina produzia uma luz fraca. Os pequenos dormiam no colo de suas mães e algumas mulheres estavam até cochilando, a cabeça caída no peito.

Olhei para o rosto da mensageira, mas ela não me via. Seus olhos estavam fechados, os lábios sorriam levemente. Estava distante, na terra de sua história, uma terra fria de mitos bizarros, onde sua própria mãe estava enterrada. Senti a solidão da mensageira, tão longe de casa. Compreendi o coração de Werenro do mesmo jeito que compreendia quando o sol aquecia meu rosto. Estendi a mão e toquei o braço dela, e Werenro virou-se para mim, abriu os olhos marejados de lágrimas, pousou um beijo em meus lábios.

— Obrigada — disse e levantou-se.

Entrou na tenda de minha mãe e partiu antes do alvorecer sem me contar como o Lobo Vermelho de sua história fizera surgir o homem e a mulher. Todavia, isso não me preocupou, pois eu sabia que ouviria o resto da lenda em Mamre, quando afinal fôssemos ver a Avó.

5

Os preparativos para a viagem começaram um mês antes da festa da cevada. Meu pai decidiu levar todas as suas esposas para Mamre e quase todos os seus filhos. Determinou que Simão e Levi ficariam cuidando dos rebanhos e, como as esposas de ambos estavam grávidas pela primeira vez, eles não objetaram. Apesar de Shua não estar esperando criança, Judá pediu para ficar também, e todas as mulheres sabiam por quê: seus ruidosos prazeres noturnos eram motivo de constantes pilhérias e risadas.

Meus irmãos e eu fomos convocados à presença de nossas mães, que examinaram nossas melhores roupas e não as consideraram satisfatórias. Seguiu-se uma atividade intensa de lavagem, conserto e costura de roupas. Raquel resolveu fazer uma túnica nova para seu único filho. O manto de José, enfeitado com tiras amarelas e vermelhas, rendeu-lhe terríveis caçoadas dos irmãos. Ele não fez caso das provocações dos outros e jurava que preferia o traje feito pela mãe à roupa sem graça que davam aos homens para usar. Eu não sabia bem se ele estava tentando enfrentar a situação com bravura ou se realmente a roupa vistosa lhe agradava.

Deram-me pulseiras para pôr nos braços — minhas primeiras joias. Eram apenas de cobre, mas gostei demais delas, principalmente do ruído feminino que faziam. Na verdade, passei tanto tempo admirando a maneira como as três pulseiras se movimentavam em meu pulso que não dei atenção a meus pés e, no primeiro dia em que as usei, tropecei, caí e arranhei o queixo todo. Fiquei horrorizada com a ideia de que eu pareceria uma menina sarnenta ao encontrar a Avó pela primeira vez. Todos os dias examinava meu rosto no espelho de Raquel, aborrecia Inna pedindo-lhe sálvia para fazer curativo e escarafunchava a enorme casca da ferida.

No dia em que fomos para Mamre, eu estava tonta de excitação e não atendia a nenhum dos pedidos que me faziam. Minha mãe, que estava em todos os lugares ao mesmo tempo, verificando se os jarros de azeite e de vinho estavam bem lacrados, se os irmãos tinham penteado as barbas, se tudo estava pronto, acabou perdendo a paciência comigo. Foi uma das poucas vezes que levantou a voz para mim.

— Ou você me ajuda, ou vou deixá-la aqui servindo as mulheres de seus irmãos — disse ela. Não precisou falar duas vezes.

A viagem levou poucos dias e foi muito alegre. Cantávamos enquanto caminhávamos, vaidosos por estarmos bem-vestidos e orgulhosos de nosso lindo rebanho, pois só os melhores animais haviam sido apartados para levarmos de presente para a Avó.

De manhã cedo, Jacó andou ao lado de Raquel, inalando o perfume dela, sorrindo, falando pouco. Em seguida, tomou seu lugar ao lado de Lia para conversar sobre os animais, as colheitas e quais seriam as normas de etiqueta apropriadas para saudar seus pais. No fim da tarde, Jacó foi até Bilah, deslocando Rubem, a sombra dela. Meu pai caminhava com a mão pousada no pequeno ombro da esposa mais moça, como se precisasse de seu apoio.

Eu estava no auge da felicidade. José seguiu ao meu lado e, de vez em quando, distraía-se e andava de mão dada comigo. À noite, instalei-me ao lado de Zilpah, que alimentou minha admiração pela Avó com histórias sobre a fama de Rebeca como adivinha, curandeira e profetisa, a tal ponto que quase não consegui pegar no sono. Mal podia me conter para não sair correndo, pois iria ver Tabea outra vez. Werenro sorriria para mim e contaria o resto de sua história. E eu encontraria a Avó, que eu imaginava que me compreenderia no mesmo instante e me adoraria mais do que qualquer um dos meus irmãos.

No meio da manhã do terceiro dia avistamos a tenda de Rebeca. Mesmo a distância, parecia uma maravilha, apesar de, a princípio, eu não entender muito bem o que era aquilo cintilando no ponto mais distante do vale à nossa frente. Era imensa, muito maior que todas as tendas que eu já vira, e completamente diferente das nossas, feitas de pelo de cabra e de cor monótona. Parecia um arco-íris terrestre, vermelha, amarela e azul, ondulando sobre uma elevação junto a grandes árvores antigas cujos galhos voltavam-se para o céu sem nuvens como mãos em súplica.

Ao chegarmos mais perto, ficou claro que não se tratava de um lugar para morar, mas de um dossel, aberto de todos os lados para acolher viajantes vindos de todas as direções. Dentro, vislumbramos painéis de tapeçaria de cores vivas com motivos ao mesmo tempo delicados e de contornos nítidos, que reproduziam cenas de mulheres dançando, peixes-voadores, estrelas, crescentes, sóis, pássaros. Tudo era muito mais bonito do que qualquer trabalho feito à mão que eu já vira.

Quando já podíamos quase sentir a sombra do bosque sagrado, surgiu a Avó. Não veio ao nosso encontro nem mandou em seu lugar nenhuma das mulheres que a serviam. De braços cruzados, sob a fantástica tenda, ela esperou, observando-nos. Eu não conseguia tirar os olhos dela.

Não me lembro da saudação formal de meu pai nem da cerimônia de apresentação de meus irmãos, um por um, seguida da oferta dos presentes e, finalmente, da apresentação de minhas mães e de mim. Eu só via Rebeca. A Avó — minha avó. Era a pessoa mais velha que eu jamais encontrara. Os anos que vivera evidenciavam-se nos sulcos profundos em sua testa e em volta da boca, mas a beleza da juventude ainda persistia nela. Erguia-se tão ereta quanto Rubem e quase tão alta quanto ele. Seus olhos negros eram límpidos e penetrantes, pintados à moda egípcia, contornados por um traço espesso de *khol* negro que lhe dava a aparência de alguém capaz de tudo ver. Sua túnica era de cor púrpura, a cor da realeza, da santidade e da opulência. Usava um toucado longo e negro entremeado de contas de ouro, o que criava a ilusão de uma farta cabeleira, quando na realidade lhe restavam apenas algumas mechas grisalhas.

Rebeca não percebeu que eu a examinava com tanta atenção. Os olhos da Avó estavam fixos no filho que ela não via desde o tempo em que ele era um menino de faces lisas, agora um homem com filhos crescidos e netos. Não deixou transparecer nenhuma emoção enquanto Jacó apresentava seus filhos, suas esposas e os presentes que trouxera. Balançava a cabeça aceitando tudo mas sem dizer nada.

Eu a achava magnífica, distante como uma rainha. Entretanto, vi a boca de minha mãe contrair-se, revelando seu desagrado. Ela havia esperado uma demonstração de amor maternal pelo filho favorito. Não pude ver o rosto de meu pai para avaliar sua reação.

Depois das boas-vindas oficiais, a Avó nos deu as costas e saiu. Fomos então levados para o lado oeste da colina, onde armaríamos nossas tendas e nos preparariámos para a refeição da noite. Foi quando eu soube que Tabea ainda não havia chegado e Werenro viajara para a cidade de Tiro, incumbida de trazer o corante púrpura para tecidos de que a Avó gostava.

Não havia homens morando naquele bosque. Rebeca era servida por dez mulheres, também encarregadas de atender os peregrinos que vinham em busca de conselhos e profecias daquela a quem chamavam "Oráculo". Quando perguntei sobre o pai de meu pai, uma das assistentes da Avó respondeu-me que ele morava perto dali, no povoado de Arba, em uma cabana aconchegante mais apropriada que uma tenda aberta para a saúde de uma pessoa idosa como ele.

— Ele virá para a refeição da noite de hoje — disse a mulher, cujo único nome era Débora. A Avó chamava todas as suas acólitas de Débora, em homenagem à mulher que fora sua ama na infância e a servira a vida inteira, cujos ossos estavam enterrados sob as árvores de Mamre.

As assistentes da Avó falavam sempre em voz muito baixa e discreta e usavam túnicas brancas simples, idênticas. Eram todas igualmente amáveis mas distantes, e logo deixei de querer vê-las como indivíduos, pensando nelas sempre como "as Déboras".

A tarde passou depressa com o trabalho de preparar a refeição da noite. No exato momento em que a primeira fornada de pão estava saindo, correu o rumor de que Isaac vinha chegando. Saí em disparada para ver meu avô aproximar-se do bosque. Rebeca também apareceu e levantou a mão em uma breve saudação. Meu pai saiu para cumprimentá-lo, as passadas cada vez mais rápidas até começar a correr na direção de seu pai.

Isaac não esboçou nenhuma reação ao aceno de sua mulher ou à agitação de seu filho. Continuou, o semblante sereno, no assento acolchoado em cima de um jumento puxado por uma mulher vestida com a túnica branca das acompanhantes de minha avó, com a diferença de que essa usava um véu que a cobria inteira, à exceção dos olhos. Só quando ele chegou mais perto é que descobri que meu avô era cego, tendo os olhos fechados com as pálpebras bem apertadas, o que dava a todo o seu rosto uma expressão de mau humor permanente. Era miúdo e magro e pareceria frágil se não fosse o cabelo, espesso e escuro como o de um homem mais jovem.

A Avó acompanhou com os olhos a mulher que ajudou Isaac a desmontar e o conduziu até o cobertor dele, estendido no lado leste de Mamre. Porém, antes que a criada soltasse seu cotovelo, Isaac segurou-lhe a mão e levou-a aos lábios. Beijou sua palma e pousou-a na própria face. O rosto de Isaac descontraiu-se em um sorriso, de modo que qualquer um saberia que a mulher do véu era a companheira de seu coração.

Meu pai postou-se diante de Isaac e disse "Pai?" com uma voz transbordante de lágrimas. Isaac virou o rosto para Jacó e abriu os braços. Meu pai abraçou o ancião e os dois choraram. Falavam em sussurros enquanto meus irmãos esperavam para ser apresentados. Minhas mães mal se continham, trocando olhares de preocupação por causa da comida, que ficaria ressecada e sem gosto se não fosse servida logo.

Mas os homens não se apressavam. Isaac puxou o filho para sentar-se a seu lado e Jacó apresentou cada um de seus filhos. Isaac passou as mãos no rosto de meus irmãos Rubem e Zebulun, Dan, Gad e Asher, Naftali e Issacar. Quando José, o filho mais novo, foi finalmente mencionado, o Avô fez com que se sentasse em seu colo, como se fosse um bebê e não um menino próximo da adolescência. Isaac correu os dedos carinhosamente pelos contornos do rosto de José e ao longo de seus braços. Uma brisa veio e levantou a tenda de seda acima dos dois, coroando o Avô e o neto com seu maravilhoso arco-íris. Foi uma cena deslumbrante que me tirou o fôlego. E foi precisamente quando Rebeca, que se mantivera distante até então, afinal quebrou seu silêncio majestoso.

— Você deve estar com fome e sede, Isaac — disse, oferecendo hospitalidade em um tom de voz desagradável. — Seus filhos estão sedentos por causa da viagem. Deixe sua Débora trazê-lo para dentro. Quero ver se suas noras sabem cozinhar.

Em um alvoroço de roupas brancas, a comida foi servida e o jantar começou. Meu avô comia bem, engolindo punhados de comida que a mulher velada colocava em sua boca. Ele perguntava se seus netos tinham comido direito e, de vez em quando, estendia a mão para encontrar e tocar em seu filho. Pousava a mão carinhosa no ombro ou na face de Jacó, deixando nódoas de azeite em meu pai, que ele não limpava. Observei tudo isso por detrás de uma árvore, pois, com todas aquelas criadas, não precisavam de mim para levar e trazer comida e bebida.

Meus irmãos estavam famintos e terminaram depressa, e logo Zilpah veio buscar-me de volta para o nosso lado da grande tenda onde as mulheres estavam reunidas. A Avó sentou-se e assistimos enquanto ela provava um bocado de cada prato à sua frente. Não disse nada sobre os ensopados, o pão ou os doces. Não elogiou o queijo nem as azeitonas gigantescas que minhas mães haviam colhido. Não deu importância à cerveja de minha mãe.

Contudo, o silêncio de Rebeca já não me surpreendia mais. Eu havia parado de pensar nela como uma mulher igual às minhas mães ou a qualquer outra mulher. No espaço de tempo de uma tarde, ela se tornara uma força dos deuses, como uma tempestade ou um incêndio na floresta.

Como a Avó comia pouco e não falava, nossa refeição foi mais soturna que festiva. Não se passaram tigelas de mão em mão para uma segunda prova, não houve cumprimentos nem perguntas, nem conversa de espécie alguma. O grande banquete terminou em poucos minutos e as Déboras retiraram os últimos copos antes que houvesse tempo de enchê-los outra vez.

A Avó pôs-se de pé e dirigiu-se à extremidade oeste de sua tenda, onde o sol desaparecia em meio a um esplendor de alaranjados e dourados. Suas assistentes seguiram-na. Rebeca estendeu as mãos para o sol como se quisesse tocar seus últimos raios.

Ela deixou cair as mãos e as mulheres de branco começaram uma cantiga convocando a lua da colheita da cevada. Os versos repetiam uma antiga profecia. Quando todos os talos de todos os campos de cevada tivessem vinte e sete grãos, chegaria o fim dos tempos, e haveria repouso para os extenuados, e o mal desapareceria da terra como o brilho das estrelas ao nascer do sol. O último estribilho se extinguiu no exato momento em que a escuridão envolveu o acampamento.

Acenderam-se lamparinas no lado dos homens e acenderam-se lamparinas no lado das mulheres. A Avó veio conosco e temi que fôssemos passar a noite inteira em vigília silenciosa, mas meu temor era infundado, porque, assim que as luzes foram acesas, ela começou a falar.

— Esta é a história do dia em que vim para a tenda de Mamre, para o bosque das árvores sagradas, para o umbigo do mundo — disse a Avó, Rebeca, em um tom de voz que poderia ser também ouvido pelos homens se eles estivessem escutando. — Aconteceu semanas depois da morte de Sara, a Profetisa, amada de Abraão, mãe de Isaac. Aquela que deu à luz quando já era velha demais até para carregar água, que dirá para carregar em si um filho. Sara, mãe querida. Na manhã em que entrei neste bosque, uma nuvem desceu sobre a tenda de Sara. Uma nuvem dourada que não continha chuva e que não cobriu o sol. Era uma nuvem que é vista apenas sobre grandes rios ou sobre o mar, mas nunca antes fora vista em um lugar tão alto como este. E, no entanto, a nuvem pairou acima da tenda de Sara enquanto Isaac me conhecia e eu me tornava sua esposa. Passamos nossos primeiros sete dias sob aquela nuvem, na qual os deuses certamente estavam presentes. E nunca houve uma colheita mais rica para o vinho, os cereais e o azeite do que a daquela primavera, minhas filhas — disse ela, em um murmúrio que deixava transparecer ao mesmo tempo orgulho e derrota. — Ah, mas para mim, tantas filhas nascidas mortas. Tantos filhos mortos no ventre. Só dois sobreviveram. Quem pode explicar esse mistério?

A Avó calou-se, sua melancolia envolveu todas as que a ouviam e nossos ombros se curvaram. Até eu, que não perdera filho nenhum, soube o que era a consternação da mãe que passa por isso. Depois de alguns instantes, minha avó se levantou e fez um sinal para Lia, indicando que deveria segui-la até uma câmara interna da grande tenda, onde as lamparinas eram acesas com óleo perfumado e havia tapeçarias de cores vivas. Ficamos todas as outras sentadas por algum tempo antes de perceber que tínhamos sido dispensadas.

✦

A entrevista de minha mãe com a Avó foi até tarde da noite. Primeiro, Rebeca examinou longamente a nora, denunciando sua vista fraca ao chegar bem perto para perscrutar o rosto da outra. Em seguida, iniciou um interrogatório cerrado sobre todos os detalhes da vida de Lia.

— Por que não a abandonaram ao relento para morrer quando você nasceu com olhos como esses? Onde é que sua mãe está enterrada? Como é que você prepara a lã para o tingimento? Onde aprendeu a fazer aquela cerveja? Que tipo de pai é Jacó, meu filho? Qual dos seus filhos é o favorito? De qual dos seus filhos você tem medo? Quantos cordeiros meu filho sacrifica a El na festa da primavera? Qual é o seu costume durante o período da lua cheia? Quantas crianças você perdeu durante a gravidez ou no parto? Quais são os seus planos para a ocasião em que sua filha se tornar mulher? Quantos *epahs* de cevada você cultiva em Sucoth, e quantos de trigo?

Minha mãe era incapaz de se lembrar mais tarde de todas as perguntas que lhe foram feitas naquela noite, mas respondeu-as todas, e sem tirar os olhos do rosto da Avó. Aquilo surpreendeu a anciã, que estava acostumada a deixar as pessoas nervosas, mas Lia não se intimidou. As duas se encararam o tempo todo.

Finalmente, quando a Avó não conseguiu inventar mais nada para perguntar, sacudiu a cabeça e emitiu um som qualquer, um grunhido de aprovação a contragosto.

— Muito bem, Lia, mãe de muitos filhos. Muito bem. — E, com um gesto, mandou minha mãe embora. Lia foi direto para seu cobertor e adormeceu, exausta.

Nos dois dias seguintes, minhas tias foram chamadas, uma por uma, à câmara interna da Avó.

Raquel foi recebida com beijos e carícias. Ouviram-se as duas dando risadas de meninas na tarde que passaram juntas. A Avó deu tapinhas afetuosos nas faces de minha linda tia e beliscou carinhosamente seus braços. Rebeca, que havia sido a beleza de sua geração, abriu sua caixa de cosméticos, que era grande, negra, laqueada, com muitos compartimentos, cada um cheio de uma poção ou unguento, perfume ou pintura diferente. Raquel saiu sorrindo e cheirando a óleo de lótus, as pálpebras pintadas de verde e os olhos delineados com um *khol* negro e lustroso que lhe dava uma aparência impressionante, e não apenas bonita.

Quando Zilpah foi chamada, prostrou-se diante da Avó e foi recompensada com um poema curto sobre a grande Asherah, consorte de El e deusa do mar. A Avó lançou um breve olhar para o rosto de Zilpah, fechou os olhos negros e previu a hora e o lugar da morte de minha tia. Essa informação, que ela jamais revelou para quem quer que fosse, não perturbou Zilpah. Pelo contrário, deu-lhe uma espécie de paz que perdurou pelo resto de sua vida. Daquele dia em diante, Zilpah passou a sorrir enquanto trabalhava no tear, não um pequeno sorriso pensativo ou melancólico, mas um riso largo, de dentes à mostra, como se estivesse se lembrando de alguma boa anedota.

Bilah receava muito sua entrevista com a Avó e tropeçou quando se aproximou dela. Rebeca franziu o cenho e suspirou, enquanto Bilah mantinha os olhos fixos nas próprias mãos. O silêncio foi se tornando pesado e, depois de algum tempo, Rebeca virou-se e saiu, deixando Bilah sozinha com as belas tapeçarias que pareciam zombar dela.

Esses encontros não me interessavam nem um pouco. Durante três dias, meus olhos não se desviaram do horizonte, esperando por Tabea. Ela afinal chegou no dia da própria festa, com Esaú e sua primeira mulher, Adath. Ver diante de mim a minha melhor amiga era mais do que eu podia aguentar, e corri para ela. Ela me abraçou.

Ao nos afastarmos uma da outra, notei quanto ela havia mudado nos poucos meses que havíamos passado separadas. Estava quase um palmo mais alta que eu e não era mais preciso esticar a roupa de encontro ao peito para distinguir seus seios. No entanto, quando vi o cinto que a proclamava mulher, meu queixo caiu. Tabea havia entrado na tenda vermelha! Deixara de ser criança, agora era mulher. Senti minhas faces se incendiarem de inveja, e as dela ficaram rosadas de orgulho. Eu tinha milhares de perguntas para fazer sobre como havia sido, sobre a sua cerimônia, e se ela achava que o mundo passara a ser um lugar diferente agora que seu lugar nele era diferente.

Mas não tive tempo de perguntar coisa alguma à minha prima. A Avó já reparara no avental de Tabea e aproximara-se da minha tia que usava o toucado de moedas. Instantes depois, ela vociferava contra Adath com uma fúria que eu pensava estar reservada apenas aos deuses que têm raios e trovoadas à sua disposição.

A cólera de Rebeca era terrível.

— Você está querendo dizer que o sangue dela se perdeu? Que você a trancou sozinha, como um animal?

Adath encolheu-se e fez que ia responder, mas a Avó levantou os punhos para ela.

— Não ouse se defender, sua ignorante, sua insignificante — disse ela entre os dentes. — Sua babuína! Eu disse a você o que fazer e você me desobedeceu, agora está tudo acabado. A melhor das filhas dele, a única com algum vestígio de inteligência e sentimento, e você a tratou como uma... como um... — Rebeca cuspiu aos pés da nora. — Nem sei como descrever tamanha abominação.

Sua voz ficou gelada de repente e ela disse em um sopro:

— Chega. Você não é digna de estar em minha tenda. Saia já daqui. Seja amaldiçoada, vá embora deste lugar e que eu nunca mais a veja.

A Avó aprumou-se o mais que pôde e esbofeteou Adath com toda a força. A pobre mulher amontoou-se no chão, choramingando de medo que um feitiço tivesse sido lançado sobre ela. Os homens, que tinham acorrido para saber o motivo da indignação da Avó, retrocederam diante da maldição do Oráculo e foram embora depressa ao verem que se tratava de um assunto de mulheres.

Adath afastou-se rastejante e então foi Tabea quem se atirou aos pés de Rebeca, soluçando.

— Não, não, não! — O rosto de minha prima estava cor de cera, os olhos dilatados de terror. — Apague o meu nome para sempre e me chame de Débora também. Faça de mim a última de suas servas, mas não me expulse, Avó. Por favor, eu lhe imploro, eu lhe suplico.

A Avó, entretanto, nem sequer olhou para a criatura desesperada caída à sua frente. Não viu Tabea enfiar as unhas no rosto até o sangue lhe escorrer pelas faces. Não a viu esfrangalhar sua túnica nem encher a boca de punhados de terra. A Avó virou-se e deixou para trás as esperanças de Tabea nos estertores da morte, enrolando bem o manto em torno do corpo como para se proteger da infelicidade que estava perto dela. Por fim, Tabea foi erguida do chão pelas seguidoras da Avó e carregada de volta para as tendas das mulheres de Esaú.

Eu não entendera direito o que se passara, mas sabia que minha querida amiga tinha sofrido uma injustiça. Meus ouvidos zumbiam e meu coração batia forte. Não conseguia acreditar na crueldade da Avó. Minha prima querida, que gostava mais de Rebeca que de sua própria mãe, havia sido tratada de modo pior do que os leprosos que vinham em busca de curas milagrosas. Eu detestava Rebeca como nunca havia detestado ninguém em toda a minha vida.

Minha mãe pegou-me pela mão, levou-me para sua tenda e deu-me um copo de vinho doce para beber. Afagando meu cabelo, respondeu à minha pergunta antes que eu a formulasse. Disse Lia, minha mãe:

— Essa menina vai sofrer para o resto da vida, e você tem razão de ter pena dela. Mas sua raiva é injusta, filha. Rebeca não teve a intenção de ferir Tabea. Acho até que gostava bastante dela, mas não teve escolha. A Avó estava defendendo a sua própria mãe, ela mesma, eu e suas tias, você e as filhas que você tiver. Estava defendendo os costumes de nossas mães e avós e da grande mãe, que é chamada de muitos nomes diferentes, mas que corre o risco de ser esquecida. Não é fácil de explicar, mas contarei a você. Pelo fato de ser minha única filha e por termos vivido tanto tempo isoladas, você já sabe muito mais do que deveria. Já passou muito tempo conosco na tenda vermelha. Chegou até a assistir a um parto, algo que jamais pode contar à Avó. Sei que não vai revelar o que vou lhe dizer.

Balancei a cabeça concordando e minha mãe deu um suspiro fundo. Baixou o olhar para suas mãos, queimadas de sol, sábias de tanto uso e raramente em repouso como estavam naquele momento. Virou as palmas para cima, pousou-as sobre os joelhos e fechou os olhos. Meio cantando, meio sussurrando, Lia disse:

— A grande mãe a quem chamamos Innana é uma guerreira feroz e dama de honra da Morte. A grande mãe a quem chamamos Innana é o centro do prazer, é quem faz homens e mulheres procurarem-se uns aos outros no meio da noite. A grande mãe a quem chamamos Innana é a rainha do oceano e a padroeira da chuva. Isso é sabido por todos, mulheres e homens. Crianças de colo e avós enfraquecidos.

Nesse ponto, ela parou de falar e abriu um sorriso maroto, de menina travessa.

— Zilpah acharia muita graça se me visse agora recitando lendas — disse ela, olhando direto para mim por um instante, e eu lhe devolvi o sorriso, partilhando a brincadeira. Logo depois, porém, minha mãe reassumiu sua posição formal e continuou: — A grande mãe a quem chamamos Innana concedeu às mulheres uma dádiva que os homens desconhecem, que é o segredo do sangue. O fluxo na escuridão da lua, o sangue benéfico do nascimento da lua, para os homens, é vazamento e incômodo, aborrecimento e dor. Eles acham que sofremos e consideram-se afortunados. Nós os deixamos pensar assim. Na tenda vermelha, sabemos qual é a verdade. Na tenda vermelha, onde os dias passam como as águas de um riacho tranquilo enquanto a dádiva de Innana passa através de nós, limpando o corpo da morte do mês anterior, preparando o corpo para receber a vida do novo mês, na tenda vermelha, as mulheres dão graças: pelo repouso e pela recuperação, por saber que a vida vem de dentro de nós, surge entre as nossas pernas, e que a vida custa sangue.

Então, ela segurou minha mão e falou:

— Digo tudo isso a você antes do tempo certo, filha minha, embora esteja próximo o dia em que você vai entrar na tenda vermelha para comemorar comigo e suas tias. Você se tornará mulher rodeada de mãos amorosas que vão conduzi-la, vão recolher seu primeiro sangue e incumbir-se de fazê-lo voltar para o ventre de Innana, para o pó de que foram feitos o primeiro homem e a primeira mulher. O pó que foi misturado ao sangue da lua que fluiu de Innana. Infelizmente, muitas das filhas dela esqueceram o segredo da dádiva de Innana e deram as costas à tenda vermelha. As esposas de Esaú, as filhas de Edom, que Rebeca despreza, não transmitem ensinamentos nem realizam cerimônias de boas-vindas para suas moças quando elas chegam à maturidade. Tratam-nas como animais, deixando-as fechadas em algum lugar, sozinhas e assustadas, durante os dias escuros da lua nova, sem vinho e sem os conselhos de suas mães. Não comemoram o primeiro sangue daquelas que um dia carregarão a vida dentro de si, muito menos o devolvem à terra. Não praticam mais a Abertura, que é assunto sagrado de mulheres, e permitem que os homens exibam os lençóis manchados com o sangue de suas filhas, quando nem o ídolo mais mesquinho exigiria tamanha degradação como tributo.

Minha mãe viu que eu estava confusa.

— Você ainda não pode compreender tudo isso, Dinah — explicou. — Mas logo poderá, e vou fazer o possível para que comece sua vida de mulher com todas as solenidades e com muito carinho. Não tenha medo.

Já era noite quando minha mãe acabou de pronunciar essas palavras. As canções da festa da cevada chegaram aos nossos ouvidos e minha mãe levantou-se, oferecendo-me sua mão. Saímos para ver as oferendas, queimadas em um altar ao lado da árvore mais alta. A música que estava sendo cantada era maravilhosa, com vozes vindas de muitas partes em perfeita harmonia. As Déboras dançavam em círculo e marcavam o ritmo batendo palmas. Giravam e agachavam-se, saltavam e oscilavam como se fossem uma única pessoa, com uma única mente e um corpo só, e compreendi o desejo de Tabea de dançar com elas.

Adath desapareceu durante a noite, levando com ela minha amiga atada por correias no lombo de um jumento, como uma oferenda que ainda não foi abatida, e um trapo de pano enfiado na boca para abafar seus gritos.

⁂

Nos últimos dias antes de nossa partida, procurei ficar longe da Avó e junto de minhas mães. Só queria sair daquele lugar, mas, quando preparávamos nossa volta para Sucoth, Lia aproximou-se de mim com uma expressão contrariada.

— A Avó disse que você vai ficar aqui em Mamre por três meses — disse. — Rebeca falou com seu pai e tudo foi combinado sem a minha... — ela interrompeu o que ia dizendo quando viu meu rosto angustiado. — Gostaria de poder ficar ou deixar Zilpah com você, mas a Avó não aceita. Quer só você.

Fez uma pausa prolongada e prosseguiu:

— É uma honra. — Segurou meu queixo com as mãos em concha e acrescentou com ternura: — Estaremos juntas outra vez quando o trigo amadurecer.

Não chorei. Estava assustada e zangada mas decidida a não chorar, e, portanto, mantive a boca fechada, respirei somente pelo nariz e fiz força para não piscar. Foi como sobrevivi ao ver o vulto de minha mãe diminuir cada vez mais a distância e depois desaparecer no horizonte. Nunca imaginara antes a solidão de ficar sem ela ou sem minhas tias, ou até mesmo sem um de meus irmãos. Senti-me como um recém-nascido que é abandonado ao relento para morrer, mas ainda assim não chorei. Virei-me para as Déboras, que me observavam ansiosas, mas não chorei.

À noite, porém, sozinha em meu cobertor, voltei o rosto para o chão e chorei até engasgar. Acordava todas as manhãs atordoada e confusa, só depois lembrava que estava solitária na tenda de minha avó.

Minhas lembranças daqueles meses em Mamre são indistintas e esparsas. Quando voltei para minhas mães, elas ficaram decepcionadas por eu não ter o que contar sobre fatos extraordinários que tivesse presenciado ou segredos que tivesse aprendido. Era como se eu houvesse entrado em uma caverna cheia de joias e saísse trazendo na mão apenas um punhado de pedregulhos cinzentos.

Eis o que me lembro de fato.

Lembro que, a cada sete dias, a Avó fazia uma grande exibição junto ao forno de assar pães e bolos. No resto da semana, ela não sujava as mãos com trabalho de mulheres, muito menos preparando massa de pão. No sétimo dia, porém, pegava a farinha, a água e o mel, amassava-os, dava-lhes forma e oferecia em sacrifício uma das pontas de um bolo triangular "para a Rainha do Paraíso", conforme murmurava antes de lançá-la às chamas.

Duvido que a Rainha apreciasse os bocados secos e sem gosto que Rebeca lhe oferecia.

— Estão bons? — perguntava ela quando saíam do forno.

Eu sacudia a cabeça obedientemente, bebendo água para ajudar a descer minha porção, pois água era só o que me davam para beber. Felizmente, as criadas dela eram cozinheiras muito melhores, e seus bolos eram doces e macios o bastante para agradar a qualquer rainha. Entretanto, quando minha avó sussurrava ao fazer sua pequena oferenda doméstica, era o único momento em que eu a via sorrir com os olhos.

Era minha tarefa ir bem cedo ao encontro de Rebeca para ajudá-la em suas abluções matinais, preparando-a para receber os peregrinos que chegavam diariamente ao bosque. Eu pegava sua requintada caixa de cosméticos, que continha perfumes diferentes para a testa, os pulsos, as axilas e os tornozelos, uma poção para a pele do contorno dos olhos e um preparado de odor penetrante para a garganta. Depois dos perfumes e cremes, ela começava a aplicação de cores nos lábios, olhos e faces. Dizia que o tratamento de beleza mais importante de todos era cheirar bem, e seu hálito era sempre perfumado com menta, que ela mastigava desde a manhã até à noite.

A Avó parecia queimar com uma espécie de fogo interior. Comia pouco e raramente se sentava. Fazia pouco caso de qualquer pessoa que necessitasse de descanso. Na realidade, criticava todo mundo, exceto seus filhos, e, embora preferisse Jacó, elogiando sua boa aparência e seus filhos saudáveis, era evidente que dependia de meu tio Esaú para tudo. Os mensageiros iam e vinham de Seir em dias alternados. Esaú era chamado para entregar um *epah* a mais de cevada ou para encontrar carne de boa qualidade para a mesa da Avó. Eu o via pelo menos a cada duas semanas, os braços cheios de presentes.

Meu tio era um homem bom e um ótimo filho. Providenciava para que peregrinos abastados visitassem o bosque e trouxessem ricas oferendas. Foi ele quem encontrou para Isaac a cabana de pedra que permitiu a Rebeca o luxo de viver como uma sacerdotisa, sem a obrigação de servir a homem nenhum. A Avó afagava o rosto de Esaú todas as vezes que ele saía da tenda, e ele se mostrava radiante com isso como se ela o tivesse colocado nas alturas de tantos elogios. O que ela nunca fazia.

Minha avó nunca falava mal de Esaú, mas também não dizia qualquer coisa boa que se referisse a ele. Das esposas dele, porém, ela detestava cada minúcia. Eram mulheres respeitosas que, em ocasiões anteriores, tinham-lhe enviado bons presentes na esperança de merecer sua aprovação, mas ela considerava todas sumariamente umas idiotas, umas desmazeladas. Durante anos, desdenhara-as abertamente, portanto as noras só a visitavam quando Esaú insistia.

Ela não era mais benevolente com minhas mães. Achava que Raquel era preguiçosa. Bonita, mas preguiçosa. Dizia que Bilah era feia e que Zilpah era supersticiosa e sem graça. Admitia com muita má vontade que Lia era trabalhadeira e que fora sem dúvida abençoada por ter dado à luz tantos filhos homens saudáveis. Contudo, nem Lia era boa o bastante para Jacó, que merecia uma companheira perfeita. Não uma giganta com olhos de cores diferentes.

E Rebeca dizia essas coisas na minha presença! Como se eu não fosse filha de minha mãe, como se minhas tias não fossem também minhas outras mães queridas! Entretanto, eu não as defendia. Quando o Oráculo falava, não era permitido contradizê-la. Eu não tinha a audácia de Lia, e minhas lágrimas da noite muitas vezes tinham gosto de vergonha, além de solidão.

Rebeca reservava o pior de sua língua para o próprio marido, porém. A velhice transformara Isaac em um tolo, dizia ela, e além disso ele cheirava mal, algo que ela não conseguia tolerar. Ele esquecera quanto devia a ela, pois não tivera razão em fazê-lo dar sua bênção a Jacó? Referia-se sem cessar à ingratidão de Isaac e aos sofrimentos por que passara nas mãos dele. Entretanto, nunca ficou claro para mim o que meu avô havia feito. Ele sempre me dava a impressão de ser amável e inofensivo quando, nos dias de calor, vinha desfrutar as brisas à sombra dos grandes terebintos. Eu ficava contente por Isaac não precisar dos cuidados de Rebeca. Ele era muito bem tratado por sua Débora velada. Corria o boato de que aquele véu escondia um lábio leporino, embora fosse impensável que alguém assim não tivesse sido morto ao nascer.

Quando Esaú chegava a Mamre, primeiro visitava a mãe e atendia às suas necessidades. Era cortês e até mesmo afetuoso, mas, logo que podia, voltava-se para o Avô e ia com ele para Arba, onde os dois homens saboreavam seu vinho no fim do dia. Ficavam acordados até tarde da noite, rindo e conversando, servidos pela Débora velada.

Quem me contou tudo isso foram as outras que também se vestiam de branco. Tratavam-me com bondade. Acariciavam meu ombro quando traziam meu jantar, penteavam meu cabelo e deixavam-me trabalhar com seus lindos fusos de marfim. Mas não contavam histórias à noite, e eu nunca soube que nome suas mães lhes haviam dado, nem como tinham vindo parar em Mamre, nem se sentiam falta de companhia masculina. Pareciam calmas e satisfeitas, mas tão sem colorido quanto seus trajes. Não invejava a vida delas junto ao Oráculo.

Na lua nova, Rebeca não permitiu que eu entrasse na tenda vermelha com as mulheres que estavam menstruadas; era rigorosa quanto a esse costume. Se ela não entrava, pois passara da idade de procriar, muito menos eu entraria, não tendo ainda atingido a maturidade. Uma das Déboras também ficou de fora conosco. Explicou que suas regras nunca tinham vindo, mas não se queixou da falta de descanso. Ela e eu cozinhamos e servimos as celebrantes, cujas risadas tranquilas deram-me saudade da tenda de minha mãe.

Quando as mulheres saíram da tenda, repousadas e sorridentes, na manhã seguinte ao terceiro dia, fui autorizada a acompanhá-las ao ponto mais alto da colina para assistir ao nascer do sol. A Avó derramou pessoalmente uma libação de vinho enquanto as mulheres entoavam uma canção sem palavras que expressava um júbilo sereno. No silêncio profundo que se seguiu, pareceu-me que a Rainha do Paraíso estava nas árvores acima de nós.

Nunca aprendi a amar minha Avó. Não conseguia esquecer nem perdoar o que fizera a Tabea. Apesar de tudo, houve um dia em que me inspirou grande reverência.

As portas da tenda do Oráculo estavam sempre abertas e, de qualquer direção que viessem, os estranhos eram sempre bem-vindos. Isso havia sido decretado por Sara e Abraão, que, dizia-se, acolhiam igualmente bem príncipes e mendigos. Portanto, todas as manhãs Rebeca recebia peregrinos dentro de sua bela tenda. Atendia a todos os que chegavam, fossem eles pobres desventurados ou ricos resplandecentes, e ela não se apressava com os pobres.

Eu ficava entre suas ajudantes quando ela recepcionava os visitantes. Naquele dia, a primeira foi uma mulher estéril que se aproximou e suplicou por um filho. O Oráculo deu-lhe um cordão vermelho para ser amarrado em torno de uma das árvores de Mamre, murmurou uma bênção no ouvido da mulher e encaminhou-a para a Débora que sabia lidar com ervas medicinais.

O seguinte era um comerciante pedindo um sortilégio para sua caravana.

— A temporada não foi boa para mim — começou ele. — Tornei-me quase um indigente, mas ouvi falar de seus poderes — disse, um traço de ousadia insinuando-se na voz. — Vim verificar por mim mesmo.

A Avó chegou-se para perto dele e encarou-o fixamente até ele desviar o olhar.

— Você precisa devolver o que tomou — disse ela, em um tom que soava como uma advertência.

Os ombros dele se curvaram e a atitude insolente desapareceu.

— Já não tenho os produtos para devolver, Avó — respondeu.

— Não há outra maneira — disse o Oráculo em voz alta e formal. Despachou-o com um gesto da mão e ele recuou com ar submisso até sair, descendo em disparada colina abaixo como se um exército inteiro o perseguisse.

Rebeca viu que eu estava boquiaberta e explicou, encolhendo os ombros:

— Só os ladrões vêm aqui em busca de milagres nos negócios.

O último peregrino daquela manhã era uma mulher trazendo no colo uma criança já em idade de andar, com três ou quatro anos. Quando ela o desembrulhou, porém, compreendemos por que o menino estava sendo carregado. As pernas eram atrofiadas e os pés estavam cobertos de chagas em carne viva de onde escorria uma secreção; dava pena ver. O olhar dele indicava claramente que estava quase morto de tanto sofrimento. A Avó tomou o menino dos braços da mãe. Levou-o para sua almofada, os lábios pousados em sua testa, e sentou-se com ele no colo. Pediu que lhe trouxessem o unguento usado em queimaduras, que proporcionava alívio embora não curasse. E então ela própria, sem vacilar nem recuar, aplicou o remédio nas feridas. Quando terminou, envolveu com suas mãos perfumadas os pequeninos pés doentes e segurou-os como se fossem preciosos, delicados e limpos. A mãe prendeu a respiração, assustada, mas o menino não estava com medo de sua benfeitora. Com o alívio momentâneo da dor, ele descansou a cabeça no peito magro da Avó e adormeceu.

Ninguém se mexeu ou falou. Não sei por quanto tempo permanecemos todos imóveis enquanto ele cochilava, mas minhas costas doíam quando o menino abriu os olhos outra vez. Ele passou os braços em volta do pescoço da Avó e deu-lhe um beijo. Ela retribuiu o abraço e depois o levou de volta para a mãe, que chorou ao ver o sorriso no rosto do menino, e chorou novamente ao ver a tristeza estampada no rosto de Rebeca revelando não haver mais nada que ela pudesse fazer para manter vivo o pequeno.

Eu não podia mais detestar Rebeca depois daquilo. Nunca a vira demonstrar tanto carinho por alguém, mas jamais esqueceria a maneira como tomara a dor daquele menino em suas próprias mãos, dando conforto a ele e paz à sua mãe.

Também nunca falei com minha avó sobre Tabea. Não tinha coragem. Em silêncio, chorei a perda de minha melhor amiga com o mesmo pesar que sentiria ao cobri-la com uma mortalha.

Mas foi Werenro quem tivemos de enterrar.

Eu estava ansiosa para encontrar de novo a mensageira, assim como as outras em Mamre. Ela era muito querida entre as Déboras, que sorriam quando eu perguntava sobre o seu retorno.

— Com certeza, logo vai estar de volta — disse a que gostava de pentear meu cabelo. — E então ouviremos histórias à noite e você não vai mais ficar tão triste.

Mas soubemos por intermédio de um comerciante que viera de Tiro que Werenro, mensageira de Rebeca em Mamre, havia sido assassinada. Seus restos mortais haviam sido encontrados nos limites da cidade, a língua cortada, seu cabelo vermelho espalhado por toda parte. O comerciante, que visitara o santuário anos antes, lembrava-se da mulher de aparência exótica que servia o Oráculo e reconheceu sua bolsa. Juntou o que restara dela e levou seus ossos de volta para a Avó, que não deixou transparecer qualquer emoção ao receber a aterradora notícia.

O saco que ele trazia era miseravelmente pequeno, e nós o enterramos bem fundo dentro de uma urna simples de cerâmica. Ouvi as Déboras chorarem naquela noite, e eu mesma acrescentei mais uma camada de sal ao meu cobertor. Porém sonhei com Werenro, e ela sorria seu sorriso sardento instalada em uma árvore enorme, tendo um grande pássaro empoleirado em seu ombro.

No dia seguinte ao enterro de Werenro, fui ao encontro de Rebeca como fazia todas as manhãs, mas ela já estava vestida, perfumada e pintada. Dei com ela sentada em suas almofadas, silenciosa e absorta. Não tive certeza se percebera que eu havia entrado. Tossi. Ela não levantou os olhos para mim, mas, depois de um intervalo, falou comigo, e entendi por que os peregrinos vinham a Mamre.

— Eu sei que você está aí, Dinah — disse. — Sei que me detesta por causa da filha de Esaú. Foi uma pena. Era a melhor de todas elas, e é claro que não teve culpa de nada. A culpa foi da idiota da mãe, que não fez o que eu mandei, e sim o que, por sua vez, a idiota da mãe dela lhe ensinara. Eu devia ter tomado conta da menina desde que nasceu. Ela não teve chance.

Minha avó falou tudo isso sem olhar para mim, como se estivesse pensando em voz alta. Nesse ponto, entretanto, voltou a cabeça em minha direção e fixou os olhos em mim.

— Você está a salvo disso. Sua mãe não deixará que transformem sua virgindade em um prêmio. Não permitirá que seu sangue seja outra coisa além de uma oferenda no ventre da grande mãe. Quanto a isso, você está a salvo. Alguma outra infelicidade aguarda você, todavia — disse ela, examinando-me atentamente, tentando distinguir meu futuro. — Algo que não consigo discernir. Da mesma forma como não fui capaz de prever o fim de Werenro. Talvez a sua dor não seja tão grave, quem sabe a perda de um ou dois bebês, ou talvez se trate de uma viuvez precoce, pois sua vida será muito longa. Mas não há necessidade de assustar uma criança com o preço da vida.

Fez-se silêncio por algum tempo. Quando Rebeca falou outra vez, apesar de suas palavras serem a meu respeito, era como se eu não estivesse mais ali.

— Dinah também não é a herdeira. Vejo agora que não haverá nenhuma. Mamre será esquecida. A tenda não se manterá depois de mim. — Ela deu de ombros, como se não fizesse grande caso do assunto. — Os grandes não precisam na verdade de nada que venha de nós. Nossas libações e preces são tão importantes para eles quanto as canções dos pássaros e o zumbido das abelhas. Pelo menos, os louvores desses pequenos seres são garantidos.

Levantou-se e veio em minha direção, até nosso nariz quase se tocar.

— Perdoo você por me detestar — disse e fez um gesto para que eu saísse da tenda.

Rubem chegou alguns dias depois, e eu deixei Mamre sem ao menos um cumprimento de cabeça da Avó. Por mais que estivesse contente em voltar para a tenda de minha mãe, meus olhos ardiam de vontade de chorar enquanto nos afastávamos. Estava voltando de mãos vazias. Merecera pouca atenção de Rebeca. Deixara de agradar a ela.

6

Senti saudade de casa em todos os momentos em que estive ausente, mas fiquei estarrecida quando cheguei. Nada era como me lembrava. Meus irmãos, meu pai e todos os outros homens tinham ficado inacreditavelmente grosseiros e animalescos. Grunhiam em vez de falar, coçavam-se, limpavam o nariz com o dedo, até se aliviavam na presença das mulheres. E como cheiravam mal!

O barulho no acampamento também era atordoante. Cachorros latindo, carneiros balindo, bebês chorando e mulheres aos gritos. Como era possível que eu nunca tivesse notado como todas elas se esganiçavam ao falarem umas com as outras e com as crianças? Até minha mãe estava mudada. Cada palavra que saía de sua boca era uma crítica, uma exigência, uma ordem. Tudo tinha de ser feito como ela queria e nada que eu fizesse estava suficientemente bom. Eu só percebia desdém e irritação na voz dela quando me pedia para buscar água, tomar conta de um dos bebês ou ajudar Zilpah no tear.

Sempre que falava comigo, meus olhos se enchiam de lágrimas, minha garganta se contraía de raiva e vergonha e eu batia o pé no chão.

— O que foi? — perguntava ela, pelo menos três vezes ao dia. — O que há de errado com você?

Não havia nada de errado comigo, pensava eu. Lia é que se tornara impaciente, amarga e difícil de aguentar. De alguma forma, ela envelhecera anos durante os meses em que eu estivera fora. Os profundos sulcos em sua testa estavam sempre cheios de poeira, e a sujeira sob suas unhas era repugnante.

É evidente que eu não podia expressar nada disso, seria um grande desrespeito, portanto evitava a companhia de minha mãe e escapava para a calma do tear de Zilpah e para a doçura da voz de Bilah. Passei até a dormir na tenda de Raquel, o que deve ter magoado Lia um pouco. Inna, que eu agora percebia ser no mínimo tão velha quanto a Avó, repreendia-me por causar esse aborrecimento à minha mãe. No entanto, eu era jovem demais para compreender que as mudanças estavam ocorrendo em mim, não em Lia.

Em algumas semanas acabei acostumando-me outra vez à barulheira do dia a dia e ao cheiro dos homens, sendo que estes passaram a ser um assunto fascinante para mim. Olhava para o sexo em botão dos meninos pequenos que corriam nus de um lado para outro e espiava os cães se acasalando. Virava-me desassossegada em meu cobertor à noite, deixava minhas mãos vagarem por meus seios e entre minhas pernas e perdia-me em devaneios.

Uma noite, Inna surpreendeu-me ao lado da tenda de Judá, onde ele e Shua estavam fazendo outro filho. A parteira agarrou-me pela orelha e levou-me embora dali.

— Agora falta pouco, minha menina — disse-me ela, com um olhar malicioso. — Sua vez está chegando.

Fiquei aflita e horrorizada com a possibilidade de Inna contar à minha mãe onde me encontrara. Mesmo assim, não conseguia parar de pensar no mistério dos homens e mulheres.

⁂

Naquelas noites em que eu me consumia de curiosidade e desejo, meu pai e seus filhos estavam imersos em sérias conversas. Os rebanhos logo seriam numerosos demais para as terras de que dispúnhamos e meus irmãos queriam perspectivas mais amplas para si mesmos e para seus filhos. Jacó começara a sonhar novamente, dessa vez com uma cidade murada e um vale familiar entre duas montanhas. Em seus sonhos, já estávamos em Shechem, onde seu avô derramara vinho sobre uma pilha de pedras a que chamara altar sagrado. Meus irmãos gostavam desse sonho. Faziam negócios na cidade e voltavam para as tendas cheios de histórias sobre o mercado, onde a lã e o gado alcançavam bons preços. O rei de Shechem, Hamor, era pacífico e recebia bem as tribos que desejavam fazer a terra prosperar. Simão e Levi falaram com o vizir de Hamor em nome de meu pai e voltaram cheios de si, tendo concluído um acordo sobre um pedaço de terra de bom tamanho onde havia também um poço.

Assim, as tendas foram desmontadas, os rebanhos reunidos e percorremos uma pequena distância até o local que o rei determinara ser nosso. Minhas mães declararam que o vale lhes agradava muito.

— Montanhas são onde o céu encontra a terra — disse Zilpah, satisfeita porque encontraria inspiração.

— As montanhas vão nos proteger dos maus ventos — observou Lia, e estava certa.

— Preciso encontrar a especialista em ervas desta região para sabermos o que estas colinas têm para nos oferecer — Raquel disse a Inna.

Só Bilah parecia infeliz à sombra do Ebal, que era o nome da montanha em cuja encosta erguemos nossas tendas.

— Este lugar é tão grande — suspirava ela. — Sinto-me perdida.

Construímos fornos e plantamos sementes. Os rebanhos se multiplicaram e mais três de meus irmãos tomaram esposas, moças a quem minhas mães não fizeram objeção. Eram de Canaã e desconheciam os costumes de Haram, onde as mães eram reverenciadas tanto pela força quanto pela beleza. E, embora minhas novas irmãs entrassem na tenda vermelha para agradar Lia, elas nunca riam conosco. Observavam sem interesse o nosso sacrifício para a Rainha do Paraíso e recusavam-se a aprender o que fazer. "Sacrifícios são para os homens", diziam, e comiam seus doces. Ainda assim, as mulheres de meus irmãos eram trabalhadeiras e férteis. Ganhei muitos sobrinhos e sobrinhas em Shechem, e a família de Jacó crescia.

Havia paz em nossas tendas, exceto no que se referia a Simão e Levi, que viviam sempre nos limites cada vez mais amplos da própria insatisfação. O poço, que dera um atrativo especial à terra, provou ser um antigo amontoado instável de pedras que secou logo depois que chegamos. Meus irmãos cavaram outro, uma tarefa extenuante que não deu certo no primeiro lugar em que tentaram. Simão e Levi estavam convencidos de que Hamor deliberadamente os enganara, e um alimentava a raiva do outro sobre o que chamavam de sua humilhação. Na ocasião em que o segundo poço começou a fornecer água, o ressentimento dos dois estava tão entranhado que já fazia parte deles. Sentia-me grata por nossos caminhos só raramente se cruzarem. Assustavam-me seus olhares sombrios e as facas compridas que sempre traziam penduradas nos cintos.

༄༅༅

Quando o ar ficou mais suave com a chegada da primavera e as ovelhas andavam redondas e pesadas com seus cordeiros, meu mês chegou. A tarde ia terminando, aquela seria a primeira noite da lua nova e eu estava agachada para me aliviar quando notei a mancha em minha coxa. Levei um certo tempo para compreender o que via. Era mais castanho que vermelho. Não deveria ser vermelho? Minha barriga não deveria estar doendo? Talvez estivesse enganada e o sangue fosse da perna, mas não encontrei nenhum corte ou arranhão.

Tinha a impressão de que sempre estivera esperando para me tornar mulher, e no entanto não saí correndo para contar às minhas mães. Fiquei onde estava, agachada, escondida pelos galhos dos arbustos, pensando: minha infância acabou. De agora em diante, vou usar um avental e cobrir a cabeça. Não vou mais servir de criada durante a lua nova, vou sentar-me com as outras mulheres até engravidar. Vou ficar ociosa na companhia de minhas mães e irmãs na penumbra rosada da tenda vermelha durante três dias e três noites, até a deusa do crescente ser vista pela primeira vez. Meu sangue vai fluir através da palha fresca, enchendo o ar com o odor salgado das mulheres.

Por um momento, considerei a ideia de manter segredo e continuar criança, mas o pensamento logo passou. Eu só podia ser o que era de fato. E eu era mulher.

Levantei-me, as mãos manchadas com os primeiros sinais de minha maturidade, e dei-me conta de que havia realmente uma dor surda nas minhas entranhas. Com um orgulho novo, fui andando para a tenda, sabendo que o crescimento de meus seios não seria mais motivo de brincadeiras entre as mulheres. Agora, eu seria bem-vinda em qualquer tenda quando Raquel e Inna assistissem um parto. Agora, eu também poderia derramar o vinho e fazer oferendas de pão na lua nova, e logo aprenderia os segredos que existem entre homens e mulheres.

Entrei na tenda vermelha sem a água que me haviam mandado buscar. Porém, antes que minha mãe abrisse a boca para me repreender, mostrei-lhe meus dedos manchados.

— Também não posso carregar nada hoje, mãe.

— Oh, oh, oh! — exclamou Lia, que pela primeira vez não soube o que dizer. Beijou-me nas duas faces e minhas tias rodearam-me, revezando-se para me cumprimentar com mais beijos. Minhas cunhadas batiam palmas e todas elas começaram a falar ao mesmo tempo. Inna veio correndo saber a razão de tanta algazarra e vi-me cercada de rostos sorridentes.

Já era quase noite e minha cerimônia começou antes que eu percebesse o que estava acontecendo. Inna trouxe uma taça de metal polido cheia de vinho fortificante, tão escuro e doce que só provei um pouco. Entretanto, logo minha cabeça flutuava enquanto minhas mães me preparavam, tingindo com hena a sola dos meus pés e a palma das minhas mãos. A pintura era diferente da que se fazia nas noivas, e elas traçaram uma linha vermelha dos meus pés até o meu sexo e, em minhas mãos, desenharam pintas que iam até o umbigo.

    Pintaram meus olhos com *khol* ("Para que você enxergue longe", disse Lia) e perfumaram minha testa e minhas axilas ("Para que você ande entre flores", disse Raquel). Tiraram minhas pulseiras e despiram minha túnica. Deve ter sido o vinho que não me deixou perguntar-lhes por que haviam tido tanto trabalho com pinturas e perfumes para depois me vestirem a camisola de fio grosseiro feito em casa, que era usada pelas mulheres em trabalho de parto e para envolver a placenta depois que a criança nascia.

    Elas eram tão bondosas comigo, tão engraçadas, tão meigas. Não deixavam que eu comesse sozinha, insistiam em colocar os melhores bocados em minha boca com seus dedos. Massagearam meu pescoço e minhas costas até eu me sentir flexível como um gato. Cantaram todas as canções que conhecíamos. Minha mãe mantinha meu copo de vinho cheio e levava-o aos meus lábios com tanta frequência que comecei a ter dificuldade para falar, e de vez em quando as vozes a meu redor se fundiam em um zumbido alto e alegre.

    A mulher de Zebulun, Ahavah, dançou com sua barriga crescida de grávida ao ritmo das palmas das outras. Eu ri até minha cintura doer, sorri até os músculos de meu rosto cansarem. Era ótimo ser mulher!

    Então, Raquel trouxe os ídolos e todas se calaram. Os deuses domésticos haviam ficado escondidos até aquele dia. Eu era bem pequena quando os vira pela última vez, mas lembrava deles como velhos amigos: a mãe grávida, a deusa que tinha cobras enfeitando seu cabelo, o que era homem e mulher ao mesmo tempo, o pequeno carneiro carrancudo. Raquel dispôs todos eles cuidadosamente lado a lado e escolheu a deusa que tinha a forma de um sapo sorrindo. A boca aberta da deusa continha todos os seus ovos para protegê-los e as pernas alargavam-se em um triângulo em forma de adaga, preparando-a para pôr milhares de ovos mais. Raquel friccionou com óleo a estatueta de obsidiana até ela brilhar e pingar à luz das lamparinas. Eu olhei para a cara tola do sapo e dei uma risada, mas ninguém riu comigo.

    No momento seguinte, vi-me do lado de fora da tenda acompanhada de minha mãe e minhas tias. Estávamos em um canteiro de trigo no centro da horta, um local escondido onde se cultivava o cereal destinado aos sacrifícios. O solo havia sido limpo e preparado para ser plantado depois do retorno da lua, e eu estava despida, deitada de bruços na terra fria. Estremeci. Minha mãe encostou minha face no chão e soltou meu cabelo, espalhando-o à minha volta. Estendeu meus braços, que ficaram abertos "para abraçar a terra", como ela murmurou para mim. Dobrou meus joelhos e puxou a sola dos meus pés até uma tocar a outra, "para devolver o primeiro sangue à terra", disse Lia. Sentia a brisa da noite em meu sexo, e era estranho e maravilhoso estar tão aberta assim ao ar livre.

Minhas mães reuniram-se em torno de mim: Lia junto à minha cabeça, Bilah do meu lado esquerdo, a mão de Zilpah na parte de trás de minhas pernas. Eu estava sorrindo como o sapo, meio adormecida, sentindo amor por todas elas. A voz de Raquel atrás de mim quebrou o silêncio.

— Mãe! Innana, Rainha da Noite! Aceitai a oferta de sangue de vossa filha, em nome da mãe dela, em vosso nome. Que ela possa viver em seu próprio sangue, que com seu próprio sangue ela possa dar vida.

Não senti dor. O óleo facilitou a penetração e o triângulo estreito encaixou-se perfeitamente quando entrou em mim. Eu estava virada para o oeste, e a pequena deusa voltava-se para o leste quando abriu a porta de meu ventre. Deixei escapar um grito, não tanto de dor mas de surpresa, talvez até de prazer, pois me parecia que a própria Rainha estava deitada sobre mim, com Dumuzi, seu consorte, deitado por baixo. Eu era como um pedaço de pano que tivesse ficado entre os dois enquanto se amavam, aquecida pela grande paixão deles.

Minhas mães gemeram baixinho, solidárias. Se eu conseguisse falar, teria garantido a elas que estava perfeitamente feliz. Pois todas as estrelas do céu tinham entrado em meu ventre atrás das pernas da pequena deusa sorridente em forma de sapo. Na noite mais serena e extraordinária desde a separação da terra e da água, da terra e do céu, eu estava deitada, ofegante, sentindo que girava pela imensidão infinita da noite. E, quando comecei a cair, não tive medo.

O céu estava rosado quando abri os olhos. Inna estava agachada ao meu lado, observando meu rosto. Eu estava deitada de costas, braços e pernas abertos como os raios da roda, minha nudez coberta pelo melhor cobertor de minha mãe. A parteira ajudou-me a ficar de pé e levou-me de volta para um canto macio da tenda vermelha, onde as outras mulheres ainda dormiam.

— Você sonhou?— perguntou-me. Quando assenti com a cabeça, ela chegou mais perto de mim e indagou: — Que forma ela tomou?

Era curioso, pois eu entendia o que ela queria saber, mas não sabia como chamar a criatura que sorrira para mim. Nunca vira nada parecido: imensa, negra, a boca com dentes enormes, a pele semelhante ao couro. Tentei descrever o animal para Inna, que ficou intrigada. Então, perguntou:

— Ela estava na água?

Respondi que sim e Inna sorriu.

— Já disse a você que a água é o seu destino. Essa é Taweret, uma deusa egípcia muito antiga que vive dentro do rio e ri com uma boca bem grande. Dá leite às mães e protege todas as crianças.

Minha velha amiga beijou meu rosto e beliscou de leve minhas bochechas.

— É tudo o que sei sobre Taweret, mas nunca em toda a minha vida conheci mulher nenhuma que tivesse sonhado com ela. Deve ser um sinal de sorte, minha pequena. Agora, durma.

Meus olhos só se abriram de novo à noite, e sonhei o dia inteiro com uma lua amarela crescendo entre minhas pernas. Pela manhã, concederam-me a honra de ser a primeira a sair da tenda vermelha para saudar a primeira aparição da nova lua à luz do dia.

☙❧

Quando Lia foi contar a Jacó que sua filha atingira a maioridade, descobriu que ele já sabia. Inbu falara sobre o assunto com Levi, que cochichara ao ouvido do pai referindo-se a "abominações".

A mulher cananeia ficara chocada com o ritual que me levara a fazer o antigo pacto entre terra, sangue e céu. A família de Inbu desconhecia inteiramente a cerimônia de abertura do ventre. Ao casar-se com meu irmão, sua mãe havia entrado correndo na tenda nupcial e pegara o cobertor manchado de sangue da noite do casamento, caso Jacó — que pagara o preço da noiva integral — desejasse uma prova da virgindade da moça. Como se meu pai pudesse querer examinar o sangue de uma mulher.

Mas dessa vez Inbu contara a Levi sobre o sacrifício na horta — ou, pelo menos, sobre o que ela imaginava que acontecera —, e ele foi falar com nosso pai, Jacó. Os homens nada sabiam sobre a tenda vermelha nem sobre suas cerimônias e seus sacrifícios. Jacó não gostou daquilo que ouviu. Suas esposas cumpriam suas obrigações para com ele e para com seu deus; ele não tinha motivos de queixas delas nem de suas deusas. Entretanto, não podia fingir que os ídolos de Labão não estavam em sua casa, e não podia tolerar a presença de deuses que abjurara.

Portanto, Jacó chamou Raquel à sua presença e ordenou que lhe entregasse os deuses domésticos que tirara de Labão. Levou-os todos para um lugar desconhecido e despedaçou-os, um por um, com uma pedra. Em seguida, enterrou-os em segredo, para que ninguém fosse derramar libações sobre eles.

Ahavah abortou na semana seguinte, o que Zilpah considerou uma punição e um presságio dos males que ainda estavam por vir. Lia não estava tão preocupada com os ídolos.

— Ficaram escondidos em uma cesta por anos a fio e não nos fizeram mal. O problema são as mulheres de meus filhos, que não seguem nossos costumes. Precisamos ensiná-las para que mudem. Temos de torná-las nossas filhas.

E minha mãe procurou trazer para perto de si Ahavah e a mulher de Judá, Shua. Nos anos seguintes, também tentou doutrinar Hesia, a noiva de Issacar, e a de Gad, chamada Oreet. Mas elas não conseguiram abandonar os costumes de suas mães.

A traição de Inbu deixou uma ruptura profunda, que jamais cicatrizou. As esposas de Levi e Simão nunca mais entraram na tenda vermelha e mantinham suas filhas consigo. E Jacó começou a olhar com desaprovação para a tenda vermelha.

❧❦❧

A cada lua nova, eu tomava meu lugar na tenda vermelha e aprendia com minhas mães como não deixar que meus pés tocassem a terra nua e como sentar-me confortavelmente sobre um trapo de pano em cima da palha. Meus dias moldavam-se de acordo com o crescer e o minguar da lua. O tempo girava em torno da concentração progressiva dentro do meu corpo, do intumescimento dos meus seios, da dolorosa expectativa de alívio, dos três dias de desobrigação e pausa.

Já deixara de venerar minhas mães e considerá-las criaturas perfeitas, mas gostava muito daqueles dias que passava com elas e com as outras mulheres. Certa vez, quando coincidiu de somente minhas mães e eu estarmos sentadas na tenda vermelha, Raquel comentou que era como nos velhos tempos em Haram. Lia, porém, retrucou:

— Não é igual em nada. Agora temos muita gente para nos servir e minha filha está sentada na palha conosco.

Bilah notou que as palavras de minha mãe magoavam Raquel, que suspirava por uma filha e ainda não perdera as esperanças. Minha doce tia disse:

— Ah, Lia, mas é muito agradável estarmos as cinco juntas de novo. Como Ada teria ficado satisfeita se nos visse!

O nome de minha avó realizou a mágica de costume e as irmãs abrandaram os ânimos em memória dela. Mas o dano estava feito e o velho rancor entre Lia e Raquel voltou aos territórios das mulheres.

Pouco tempo depois de nos instalarmos à sombra do Ebal, Inna e Raquel fizeram um parto em que o menino estava virado. A mãe, uma de nossas servas, sobreviveu, algo que naquela região raramente acontecia quando a criança vinha com os pés na frente. Logo as mulheres das colinas e até de pontos distantes do vale começaram a mandar chamá-las ao primeiro sinal de um parto difícil. Correu o boato de que Inna e Raquel — especialmente Raquel, que tinha laços de parentesco com a linha de Mamre — tinham poderes especiais para aplacar Lamashtu e Lillake, demônios antigos que se dizia serem ávidos pelo sangue de recém-nascidos e eram muito temidos pelo povo do lugar.

Muitas vezes, saí com minha tia e a velha parteira, que achava mais fácil apoiar-se em seu cajado sem precisar carregar uma bolsa no ombro. Os moradores das colinas achavam um absurdo elas levarem uma moça solteira como eu para atender mães em trabalho de parto. No vale, entretanto, as pessoas não pareciam se importar com isso, e era a mim que as mães de primeiros filhos, algumas mais jovens que eu, pediam para segurar sua mão e ficar junto delas quando as dores apertavam.

Sempre achei que minhas mestras sabiam tudo sobre partos, mas Raquel e Inna procuravam aprender o mais que podiam com outras mulheres aonde quer que fossem. Ficaram extremamente satisfeitas ao descobrir um tipo de menta muito doce que crescia nas encostas. Acalmava rapidamente o estômago e era muito benéfico para aquelas que sofriam de inchaços e vômitos durante a gravidez. No entanto, quando Inna viu como algumas das mulheres das colinas pintavam o corpo das futuras mães com espirais amarelas "para enganar os demônios", ela torceu o nariz e declarou que aquilo só servia para irritar a pele.

Houve uma coisa que aprenderam com as mulheres do vale de Shechem que consideraram um presente extraordinário. Não foi uma erva nem um utensílio, mas uma canção para o nascimento, e era o bálsamo mais eficaz que Inna ou Raquel jamais utilizaram. Fazia as mulheres em trabalho de parto respirarem com mais facilidade e, sob seu efeito, a pele se esticava em vez de se romper. Acalmava as piores dores. Até as que morriam — pois, mesmo tendo ao lado uma parteira tão habilidosa como Inna, algumas delas morriam —, até essas, sorriam ao fechar os olhos para sempre, serenas e sem medo.

Nós cantávamos:

Não tenha medo, está quase na hora.
Não tenha medo, seus ossos são fortes.

Não tenha medo, a ajuda já vem.
Não tenha medo, Gula está perto.
Não tenha medo, seu filho está vindo.
Não tenha medo, ele viverá e honrará seu nome.
Não tenha medo, as mãos da parteira são hábeis.
Não tenha medo, a terra está a seus pés.
Não tenha medo, temos água e sal.
Não tenha medo, mãezinha.
Não tenha medo, mãe de todos nós.

Inna adorava essa canção, principalmente quando as mulheres da casa cantavam em coro fazendo outras vozes e a mágica da música aumentava ainda mais. Ficou encantada por ter aprendido algo tão poderoso àquela altura de sua vida.

— Até os muito velhos — dizia, sacudindo um dedo ossudo para mim —, até nós, idosos, sempre podemos aprender uns truques novos aqui e ali.

Nossa amiga querida estava envelhecendo e chegou o tempo em que Inna não aguentava mais caminhar à noite ou enfrentar subidas íngremes, de modo que Raquel passou a levar-me com ela e comecei a aprender com minhas mãos também, e não só com os olhos.

Uma vez, quando fomos chamadas para ajudar uma jovem mãe a ter seu segundo filho — um parto fácil de uma mulher meiga que sorria até quando sentia as dores —, minha tia deixou-me colocar os tijolos e amarrar o cordão umbilical. Na volta para casa, Raquel bateu em meu ombro e disse que eu seria uma boa parteira. Quando acrescentou que minha voz soava muito bem ao cantar a canção da mãe sem medo, fiquei mais orgulhosa do que nunca.

7

Às vezes, éramos chamadas para atender uma ou outra parturiente que vivia perto da cidade. Aquelas pequenas viagens eram meu maior prazer. Os muros de Shechem seduziam-me mais que as montanhas enevoadas que inspiravam sacrifícios a Jacó e Zilpah. As mentes que haviam concebido um projeto tão grandioso faziam com que eu me sentisse mais sábia, e o vigor dos músculos que haviam construído a fortaleza fazia com que eu me sentisse mais forte. Sempre que avistava os muros da cidade, não conseguia desviar o olhar deles.

Ansiava por entrar ali, ver a praça do templo, as ruas estreitas e o aglomerado de casas. Sabia alguma coisa a respeito do lugar por meio de José, que estivera em Shechem com nossos irmãos. José contou-me que o palácio suntuoso onde o rei Hamor vivia com sua esposa egípcia e quinze concubinas tinha mais aposentos do que o que eu tinha de irmãos. José dizia que Hamor possuía mais servos do que o que nós possuíamos de carneiros. Não que um pastor sujo de poeira como meu irmão tivesse qualquer esperança de sequer dar uma espiadela no interior de uma casa tão importante. Ainda assim, eu apreciava as histórias extravagantes que ele contava. Até as mentiras sobre aquele lugar me fascinavam, e eu chegava a fantasiar que sentia o perfume das cortesãs na túnica de meu irmão quando ele voltava do mercado.

Minha mãe decidiu que tinha de ver o local com seus próprios olhos. Lia estava convencida de que seria capaz de negociar nossa lã melhor que Rubem, que era generoso demais para se encarregar de tais transações. Quase beijei as mãos dela quando soube que a acompanharia para ajudar. Rubem instalou-nos em um bom ponto junto à saída dos portões da cidade, mas manteve-se à distância quando minha mãe começou a chamar aos brados todos os estranhos que passavam e a regatear com todos os que se aproximavam como se fosse um comerciante de camelos.

Eu tinha pouco a fazer além de olhar, o que eu fazia com grande satisfação. Aquele dia no portão leste foi uma verdadeira maravilha para mim. Vi malabaristas pela primeira vez. Comi uma romã pela primeira vez. Vi rostos de pele negra e de pele parda, bodes com o pelo incrivelmente encaracolado, mulheres todas cobertas por mantos negros e escravas completamente nuas. Era como estar outra vez viajando na estrada principal, só que sem ter os pés doendo. Vi um anão passando com seu andar claudicante ao lado de um jumento mais branco que a lua, e um alto sacerdote vestido com um cafetã ricamente bordado comprando azeitonas. E então vi Tabea.

Ou pensei ter visto. Uma moça com a mesma altura e aparência dela veio em direção ao nosso tabuleiro. Estava usando os trajes brancos do templo, a cabeça raspada, as duas orelhas furadas. Levantei-me e chamei seu nome, mas ela deu meia-volta e fugiu apressada. Sem refletir e antes que minha mãe tivesse tempo de me impedir, corri atrás dela, como se eu ainda fosse uma criança, não uma moça.

— Tabea! — gritei. — Prima! — Mas ela não me ouviu ou, se ouviu, não quis parar, e sua roupa branca desapareceu pelo vão de uma porta.

Rubem alcançou-me.

— O que você estava fazendo? — perguntou.

— Pensei que fosse Tabea — respondi, quase chorando. — Mas estava enganada.

— Tabea? — perguntou ele.

— Uma prima, filha de Esaú. Você não a conhece — disse eu. — Desculpe-me por fazer você correr atrás de mim. Mamãe ficou muito zangada?

Ele riu da tolice da minha pergunta, eu ri também. Ela estava furiosa, e tive de me sentar virada para o muro pelo resto da tarde. Contudo, àquela altura, minha despreocupação e minha alegria já tinham ido embora, e eu me contentei em escutar os barulhos característicos do mercado, absorta em lembranças da amiga que perdera.

⚜

Algum tempo depois, recebemos uma mensageira vinda da cidade. Ela usava um manto de linho, lindas sandálias e queria falar apenas com Raquel.

— Uma das mulheres da casa do rei está prestes a dar à luz — disse ela à minha tia. — A rainha de Hamor solicita a presença das parteiras da casa de Jacó para atendê-la.

Lia não gostou nada quando comecei a preparar meu material para a viagem. Foi falar com Raquel.

— Por que não leva Inna com você para atender a rainha? Por que quer levar Dinah para longe de mim logo agora que temos de fazer a colheita das azeitonas?

Minha tia deu de ombros.

— Você sabe muito bem que Inna não aguenta mais andar essa distância toda até a cidade. Se quiser que eu leve uma escrava, muito bem. Mas a rainha está esperando duas parteiras, e não vai ficar muito disposta a comprar suas lãs se eu entrar no palácio sem uma ajudante competente.

Lia dardejou um olhar para a irmã de palavras macias e eu baixei os olhos para o chão, para que minha mãe não percebesse quanto eu desejava ir. Prendi a respiração enquanto ela decidia.

— Ora... — disse, jogando as mãos para o alto e indo embora. Tapei depressa a boca com as duas mãos para não deixar escapar um grito de alegria, e Raquel sorriu para mim com um ar de criança que tapeou os mais velhos.

Terminamos nossos preparativos e pusemos nossas roupas de festa, mas Raquel me fez parar antes de sairmos e prendeu meu cabelo fazendo tranças lisas.

— À moda egípcia — segredou-me. Bilah e Zilpah acenaram para nós em despedida, mas não vimos Lia em lugar algum quando seguimos para o vale atrás da mensageira.

Naquela primeira vez que atravessei os portões da cidade, fiquei extremamente decepcionada. As ruas eram mais estreitas e empoeiradas do que eu imaginara. O cheiro era uma horrenda mistura de frutas podres e lixo. Andávamos depressa demais para enxergar qualquer coisa dentro dos casebres escuros, mas meus ouvidos e meu nariz revelaram-me que as cabras viviam lá com seus donos, e finalmente compreendi por que a vida na cidade desagradava tanto a meu pai.

Ao pisarmos dentro do palácio, entramos em um mundo diferente. As paredes eram grossas, isolando o interior dos ruídos e odores da rua, e o pátio interno onde nos encontrávamos era claro e espaçoso.

Uma escrava nua aproximou-se e fez sinal para que a seguíssemos por uma das portas que dava para a ala das mulheres e em seguida para o quarto onde a futura mãe arquejava deitada no chão. Tinha mais ou menos a minha idade e tudo indicava que o trabalho de parto estava no início. Raquel tocou sua barriga e olhou-me de soslaio. Tínhamos sido chamadas para um parto dos mais simples. Mas nenhuma de nós duas se importava com isso. Uma ida ao palácio era em si uma aventura pela qual estávamos agradecidas.

Logo depois de encontrarmos a jovem mãe, a mulher de Hamor entrou no quarto, curiosa para conhecer as parteiras das colinas. A rainha, que se chamava Re-nefer, estava vestida com um vestido justo de linho diáfano coberto por uma túnica feita de contas de turquesa, a roupa mais elegante que eu jamais vira. Mesmo assim, a beleza de minha tia não foi ofuscada pela elegância da dama. Mesmo com a idade que tinha, a pele marcada pelo sol e pelo trabalho, acocorada no chão com a mão entre as pernas de uma mulher em trabalho de parto, mesmo assim minha tia resplandecia com seu brilho dourado. Seu cabelo ainda era lustroso e seus olhos negros cintilavam. As duas mulheres olharam uma para a outra com ar de aprovação e cumprimentaram-se com um gesto de cabeça.

Re-nefer levantou o vestido acima dos joelhos e agachou-se do outro lado de Ashnan, pois era esse o nome da moça, que arfava e gemia mais de medo que de dor. As duas mulheres mais velhas começaram a falar sobre óleos que pudessem facilitar a saída da cabeça da criança. Impressionou-me ver quanto aquela mulher nobre conhecia a respeito de partos e a desenvoltura de Raquel ao conversar com uma rainha.

Ashnan, segundo viemos a saber, era filha da ama de leite da rainha e havia sido companheira de brinquedos do próprio filho de Re-nefer quando bebê, além de sua irmã de leite — exatamente como José e eu. A ama havia morrido quando as crianças eram ainda bem pequenas e Re-nefer desde então tratara a menina com muito carinho, mais ainda naquela ocasião, já que Hamor era o pai da criança que ia nascer. Ashnan era sua mais nova concubina.

Tudo isso nos foi contado pela própria Re-nefer, que permaneceu ao lado de Ashnan do meio-dia até quase o crepúsculo. A mãe era forte e todos os indícios eram favoráveis, mas o parto progredia lentamente. Crises de dores intensas eram seguidas por longas pausas. Quando Ashnan adormeceu no fim da tarde, exausta pelo esforço, Re-nefer levou Raquel para seus aposentos particulares para descansar um pouco e as duas deixaram-me fazendo companhia à parturiente.

Eu estava quase dormindo quando ouvi uma voz masculina na antecâmara. Deveria ter mandado a escrava verificar quem era, mas a ideia não me ocorreu. Sentia-me entediada e entorpecida por estar sentada há tanto tempo, e assim me levantei e fui ver.

O nome dele era Shalem. Era o primogênito, o mais bonito e o mais brilhante dos filhos do rei, muito estimado pelo povo de Shechem. Era dourado e belo como um pôr do sol.

Baixei os olhos de imediato para não o encarar — como se ele fosse uma cabra de duas cabeças ou algo que desafiasse a ordem das coisas. E, no entanto, ele de fato desafiava a natureza. Era perfeito.

Ao evitar olhá-lo nos olhos, reparei que suas unhas eram limpas e suas mãos pareciam macias. Os braços não eram escuros e queimados pelo sol como os de meus irmãos, embora também não tivessem aparência doentia. Usava apenas um saiote e tinha o peito nu, sem pelos e com os músculos bem desenvolvidos.

Olhava também para mim, e arrepiei-me de vergonha das manchas em meu avental. Até minha túnica de festa parecia surrada e sem graça comparada com a qualidade do tecido do traje simples que ele usava em casa. Meu cabelo estava desarrumado e minha cabeça descoberta. Meus pés estavam sujos. Comecei a ouvir o som de alguém respirando, sem saber se era ele ou eu.

Afinal, não pude me conter e ergui os olhos para ele. Era pelo menos um palmo mais alto que eu. Tinha cabelos pretos e lustrosos, dentes bem alinhados e muito brancos. Seus olhos eram dourados, verdes ou castanhos, não sei bem. Na verdade, não olhei para eles o suficiente para poder distinguir sua cor porque nunca havia sido olhada assim. Sua boca sorria com amabilidade, mas os olhos pediam resposta para uma pergunta que eu não compreendia inteiramente.

Meus ouvidos latejavam. Queria sair correndo e, ao mesmo tempo, não queria que terminasse aquele estranho arroubo de confusão e necessidade que me acometeu. Eu não dizia nada.

Ele também estava desconcertado. Tossiu dentro do punho fechado, relanceou os olhos para a entrada do quarto onde estava Ashnan e depois olhou para mim. Por fim, gaguejou uma pergunta sobre sua irmã de leite. Devo ter respondido alguma coisa, embora não me lembre. Só me lembro da intensidade daquele encontro na pequena antessala vazia.

Fico estupefata quando lembro que tudo isso se passou no espaço de um ou dois instantes. O tempo todo, repreendia a mim mesma, pensando: *Tola! Infantil! Boba! Mamãe vai rir quando eu contar a ela.*

Mas sabia que não contaria nada à minha mãe. E essa ideia me fez enrubescer. Não foi o calor do meu sentimento por esse Shalem, cujo nome eu ainda nem sabia qual era, cuja presença me deixava muda e de pernas bambas. O que fez minhas faces se ruborizarem foi a certeza de que não falaria com Lia sobre o fogo e a festa em meu coração.

Ele me viu corar e seu sorriso se alargou. Meu constrangimento se dissipou e devolvi o sorriso. E foi como se o preço da noiva tivesse sido pago e o dote combinado. Foi como se estivéssemos sozinhos em nossa tenda nupcial. A pergunta havia sido respondida.

Hoje tudo me parece engraçado e, se uma filha minha me confessasse tais coisas, eu teria rido alto ou zangado com ela. Naquele dia, porém, eu era uma moça que estava preparada para um homem.

Enquanto ríamos um para o outro, lembrei os sons que vinham da tenda de Judá e compreendi o sentido de minhas noites febris. Shalem, alguns anos mais velho que eu, sabia a razão de sua ansiedade e no entanto sentiu naquela hora mais que o mero impulso do desejo, segundo o que me disse mais tarde, depois que cumprimos nossa tácita promessa e já estávamos nos braços um do outro. Disse que ficou enamorado e encabulado na antecâmara da ala das mulheres. Que ficou encantado, mudo e emocionado. Como eu.

Acho que não nos dissemos mais nada até Raquel e a rainha surgirem e arrastarem-me de volta para o quarto. Não tive mais tempo para pensar em Shalem porque a bolsa d'água de Ashnan estourou e ela deu à luz um menino grande e saudável que mal rompeu sua carne.

— Vai estar curada em uma semana — Raquel disse à moça, que chorava de alívio por tudo estar terminado.

Dormimos no palácio naquela noite, apesar de eu quase não ter conseguido fechar os olhos de tanta excitação. Ir embora no dia seguinte foi o mesmo que morrer. Pensava que talvez nunca mais o visse. Achava que provavelmente tudo havia sido um engano de minha parte, a fantasia de uma inexperiente moça do campo que se viu de repente diante de um príncipe. Mas meu coração recusava-se a aceitar essa ideia, e eu torcia o pescoço olhando para trás quando saímos, pensando que ele ainda poderia vir me buscar. Shalem não apareceu, todavia, e mordi os lábios para não chorar ao subirmos as colinas de volta às tendas de meu pai.

∽⊙⊙⊙∽

Ninguém notou! Pensei que todos fossem saber ao olhar para mim. Pensei que Raquel adivinharia meu segredo e arrancaria a história de mim no caminho para casa. Mas minha tia só queria falar de Re-nefer, que elogiara suas habilidades e dera-lhe um colar de contas de ônix.

Ao voltarmos para o acampamento, minha mãe abraçou-me sem reparar que meu corpo tinha um novo calor e mandou-me para o bosque de oliveiras, onde todos estavam atarefados com a colheita. Zilpah estava lá supervisionando a prensagem e respondeu distraída ao meu cumprimento. Até Bilah, a do coração sensível, tinha a atenção voltada para uns cântaros de azeite que se tinham rachado e não percebeu coisa alguma.

A desatenção delas foi uma surpresa para mim. Antes de minha ida a Shechem, presumia que minhas mães eram capazes de ler meus pensamentos e enxergar de imediato o fundo de meu coração. A partir dali, descobri que eu era um ser isolado, opaco, atraído para uma órbita que elas desconheciam por completo.

Deliciei-me com a descoberta de minha solidão e fiz questão de protegê-la, mantendo-me ocupada na extremidade do pomar e até dormindo na tenda improvisada próxima da orla das árvores, com as mulheres de meus irmãos. Estava feliz por estar sozinha, pensando apenas em meu amado, enumerando suas qualidades, imaginando suas virtudes. Contemplava minhas mãos e me perguntava como seria tocar a pele dos seus ombros, seus braços tão bonitos. Em meus sonhos, vi a luz do sol cintilando na água e acordei sorrindo.

Depois de três dias de enlevo, minhas esperanças começaram a murchar. Será que ele viria me buscar? Minhas mãos cheias de calos não seriam grosseiras demais para agradar a um príncipe? Roí as unhas, perdi a fome. À noite, ficava sem dormir em meu cobertor, repassando nosso encontro vezes seguidas em minha mente. Não pensava em mais nada a não ser nele, e no entanto comecei a duvidar de minhas lembranças. Talvez o sorriso dele tivesse sido de indulgência e não de reconhecimento. Talvez eu fosse uma grande idiota.

Porém, quando receava que a qualquer momento me trairia deixando escapar uma torrente de lágrimas, a salvação chegou. O próprio rei mandou buscar-me. Hamor queria atender a todos os desejos de sua jovem concubina e, quando Ashnan perguntou se a amável filha de Jacó poderia vir distraí-la durante o seu período de resguardo, um mensageiro foi enviado. O criado do rei trouxe até uma escrava para tomar meu lugar na colheita. Minha mãe considerou o gesto dele atencioso e generoso.

— Deixe-a ir — disse a meu pai.

Jacó não fez objeção e mandou Levi acompanhar-me até a entrada da ala das mulheres no palácio de Hamor.

Acenando para as minhas mães, notei que Bilah e Raquel olhavam-me com expressão curiosa. Talvez a minha pressa ou o meu prazer com o convite do rei tivessem alertado as duas para alguma coisa, mas então já era tarde demais para perguntarem. Acenaram de volta para mim enquanto eu estava descendo para o vale, mas eu podia sentir as perguntas delas às minhas costas. Um falcão voou em círculos acima de nós todo o tempo que durou a nossa descida. Levi dizia que era um bom sinal, porém o mensageiro cuspia no chão cada vez que a sombra do pássaro cruzava nosso caminho.

Meu irmão deixou-me no portão do palácio de Hamor e, em voz alta e pomposa, exibindo-se para o mensageiro, recomendou que eu me portasse "como condizia a uma das filhas de Jacó". Como eu era a única filha de Jacó, não pude deixar de rir. Fora-me recomendado que me comportasse como eu mesma, e era de fato o que eu tinha a intenção de fazer.

Nas três semanas seguintes conheci as filhas de Shechem. As mulheres de todos os homens importantes da cidade vieram visitar Ashnan e seu menino, que só receberia um nome publicamente quando tivesse três meses de idade, de acordo com o costume do Egito.

— Desse modo, os demônios não saberão onde encontrá-lo — segredou-me Ashnan, temendo a presença do mal mesmo cercada de segurança e conforto em seus aposentos.

Ashnan era uma moça bastante tola com bons dentes e seios grandes, que recuperaram sua forma e beleza bem depressa quando o bebê foi entregue a uma ama de leite. Eu nunca ouvira falar de uma mulher saudável que tivesse dado o filho para ser amamentado por outra; em meu mundo, isso só acontecia quando a mãe morria ou estava morrendo. Entretanto, quem disse que eu entendia da vida das mulheres nobres? No princípio, eu me espantava com quase tudo que via.

Não me importava muito em ser uma criada de Ashnan, pois era assim que ela me tratava. Trazia-lhe comida e alimentava-a. Banhava seus pés e seu rosto. Ela pediu para ser massageada, e eu tive de aprender essa arte com uma mulher idosa da casa. Queria pintar-se também, e tagarelava sem parar ensinando-me a aplicar *khol* em torno de meus olhos e a triturar um pó verde para pintar as pálpebras.

— Não só faz você ficar bonita — explicava-me Ashnan — como afasta os mosquitos.

Ashnan também me ensinou o significado do tédio, uma terrível calamidade que acomete as mulheres nos palácios. Houve uma tarde em que cheguei de fato a chorar, agoniada com a monotonia de ter de ficar sentada imóvel enquanto Ashnan dormia. Só o que tinha para me ocupar era a inquietação que me atormentava, se Shalem estaria ou não consciente da minha presença no palácio de seu pai. Tinha dúvida se ele ainda se lembraria da tosca ajudante da parteira de sua irmã de leite. Eu estava presa ali sem ter como conseguir resposta, pois as paredes que dividiam as alas das mulheres e dos homens eram grossas, e no mundo do palácio não havia nenhum tipo de trabalho que oferecesse uma oportunidade de nossos caminhos se cruzarem.

Passaram-se muitos dias e Re-nefer veio ver como Ashnan ia passando. Tentei encontrar coragem para falar com ela sobre seu filho, mas só fiz gaguejar e enrubescer.

— Está sentindo falta de sua mãe, menina? — perguntou ela bondosamente.

Sacudi a cabeça negando, mas com um ar tão infeliz que a rainha segurou minha mão e disse:

— Acho que está precisando de um pouco de distração. Uma moça como você, que vive ao ar livre, deve se sentir como um pássaro engaiolado atrás dessas paredes.

Sorri para Re-nefer e ela apertou meus dedos.

— Você irá ao mercado com minha criada — decidiu. — Ajude-a a escolher as melhores romãs e veja se consegue achar uns bons figos para meu filho. Shalem gosta muito de figos.

Na manhã seguinte, saí do palácio para a balbúrdia da cidade, onde pude olhar tudo o que quis. A criada ao meu lado não parecia ter pressa e deixou-me vaguear à vontade. Parei em quase todas as barracas e cobertores estendidos no chão do mercado, deslumbrada com a variedade e a quantidade de lamparinas, frutas, tecidos, queijos, cotes, ferramentas, animais, cestos, joias, frutas, ervas, tudo, enfim.

Mas foi impossível encontrar figos naquele dia. Procuramos por eles até eu quase ficar tonta de calor e sede, pois detestaria voltar para o palácio sem satisfazer o pedido da rainha, sem levar as frutas para o meu amado. Afinal, depois de andarmos por todo lado, não havia mais nada a fazer senão voltar.

Em nosso caminho para o palácio deparei com o rosto mais velho que jamais encontrara: uma vendedora de ervas cuja pele escura tinha rugas tão cavadas quanto um *wadi* seco. Parei ao lado de seu cobertor, escutando-a matraquear sobre um linimento qualquer "bom para dor nas costas". Porém, ao abaixar-me para pegar uma raiz que não conhecia, ela agarrou meu pulso e encarou-me:

— Ah, a mocinha quer algo para seu amante! Alguma coisa mágica que leve o seu rapaz para a cama, para que ela se livre dessa sua virgindade incômoda!

Soltei o braço com um repelão, horrorizada, porque a feiticeira enxergara tão bem o fundo do meu coração. Dizia provavelmente a mesma coisa para todas as moças que se aproximavam, mas a criada de Re-nefer notou meu constrangimento e deu uma risada. Eu estava mortificada e procurei afastar-me depressa da velha.

Não vi Shalem chegar, mas ele se postou à minha frente, o sol da tarde enchendo o céu em volta de sua cabeça como uma coroa reluzente. Prendi a respiração.

— Está passando bem, jovem? — perguntou ele, com a voz suave e flautada de que me lembrava. Fiquei muda.

Olhou para mim com um desejo igual ao que eu sentia e segurou meu cotovelo para escoltar-me de volta ao palácio, a criada da rainha atrás de nós exibindo um largo sorriso. Sua senhora tinha razão, havia uma centelha entre o príncipe e a descendente de Mamre.

⁂

Ao contrário de mim, o filho de Re-nefer não conseguiu esconder da mãe o que se passava em seu coração. Re-nefer desprezava as mulheres da cidade desde que chegara a Shechem, quando ainda era uma jovem noiva.

— Ignorantes e vazias — qualificava-as todas. — Fiam mal, tecem pior ainda, vestem-se como homens e não entendem nada de ervas. Vão lhe dar filhos ignorantes — dizia a Shalem. — Vamos ter de arranjar algo melhor para você.

Re-nefer ficara impressionada com as atitudes da parteira vinda das colinas e também gostara da aparência da moça que carregava a bolsa dela. Apreciou minha altura e a força de meus braços, minha coloração e a maneira como eu andava de cabeça erguida. O fato de uma pessoa tão jovem já estar seguindo o caminho das parteiras demonstrava que eu não era nenhuma tola. Quando Raquel saiu com a rainha para descansar durante o trabalho de parto de Ashnan, Re-nefer obteve mais informações a meu respeito, mas de modo tão discreto que Raquel nem desconfiou dos objetivos dela quando foi interrogada sobre minha idade, a posição ocupada por minha mãe e minhas habilidades na cozinha e no tear.

Ao surpreender Shalem e eu na antessala, Re-nefer percebeu de imediato que a semente de sua ideia já brotara por conta própria. Fez o que pôde para fomentar seu crescimento.

Foi Re-nefer quem disse a Ashnan para mandar buscar-me na casa de meu pai e também foi ela quem disse ao filho para sair à minha procura no mercado naquela manhã.

— Estou com medo de que a menina das colinas se perca — disse a Shalem. — Você sabe que minha criada é uma tonta, é bem capaz de perdê-la de vista. Mas será que você ainda se lembra daquela moça, a que se chama Dinah? — perguntou ao filho. — A de olhos escuros e cabelos encaracolados, a de mãos bonitas, que veio com a parteira? Você falou com ela na antessala quando Ashnan estava em trabalho de parto.

Shalem concordou em fazer o que a mãe pedia com tamanha rapidez que Re-nefer a custo reprimiu uma risada.

O príncipe e eu voltamos para o palácio e encontramos o pátio deserto, de acordo com as instruções de Re-nefer. A criada desapareceu. Ficamos em silêncio por um instante apenas e então Shalem me puxou para um canto sombrio, pôs as mãos em meus ombros e cobriu minha boca com a sua, comprimindo seu corpo contra o meu. E eu, que nunca fora tocada ou beijada por homem nenhum, não senti qualquer temor. Ele não me pressionou ou empurrou, e coloquei as mãos em suas costas e apoiei-me em seu peito e dissolvi-me em suas mãos e em sua boca.

Seus lábios desceram para o meu pescoço, eu gemi e ele parou. Examinou meu rosto para descobrir o significado daquilo e, vendo um sim, pegou-me pela mão e levou-me por um corredor desconhecido para um quarto com o chão polido e uma cama com pernas esculpidas em formato de garras de falcão. Deitamo-nos sobre uma coberta de lã negra com perfume suave e encontramos um ao outro.

Não gritei quando ele me tomou porque meu amado, embora fosse jovem, não se apressou. Mais tarde, afinal serenado, ao descobrir que meu rosto estava úmido, ele disse:

— Ah, minha esposinha, não deixe que eu a machuque outra vez.

Expliquei a ele que minhas lágrimas não eram de dor, que era a primeira vez em minha vida que chorava de felicidade.

— Prove-as — eu disse para o meu amado, e ele viu que minhas lágrimas eram doces. E também chorou. Abraçamo-nos com força até o desejo de Shalem renovar-se e, dessa vez, não prendi a respiração quando ele entrou em mim, comecei a sentir o que estava acontecendo com meu corpo e a compreender os prazeres do amor.

Ninguém nos perturbou. A noite caiu e deixaram comida para nós na entrada do quarto — frutas esplêndidas e vinho dourado, pão fresco e azeitonas, bolos encharcados de mel. Devoramos tudo aquilo como dois cães esfaimados.

Depois de comer, ele banhou-me em uma grande tina cheia de água quente que surgiu tão misteriosamente quanto a comida. Falou-me sobre o Egito e sobre o grande rio aonde ele me levaria para nadar e aquecer-me ao sol.

— Não sei nadar — contei a Shalem.

— Ótimo — replicou ele —, assim sou eu quem vai ensinar a você.

Pôs as mãos em meu cabelo e emaranhou os dedos nos fios de tal forma que levamos algum tempo para soltá-lo.

— Adoro estes grilhões — disse, quando não conseguiu desenredar-se, e ele cresceu e nossa união foi deliciosamente lenta. As mãos dele acariciaram meu rosto e gritamos juntos de prazer.

Sempre que não estávamos nos beijando, nos amando ou dormindo, Shalem e eu contávamos histórias um para o outro. Falei-lhe de meu pai, de minhas mães e descrevi meus irmãos, um por um. Ele ficou encantado com o nome deles e decorou todos, por ordem de nascimento, e quem nascera do ventre de qual das mães. Não sei se meu próprio pai teria feito melhor.

Falou-me sobre seu preceptor, um aleijado que possuía uma voz maravilhosa e o ensinara a cantar e a ler. Falou-me sobre a dedicação e o amor de sua mãe e sobre seus cinco meios-irmãos, acrescentando que nenhum deles aprendera as artes do Egito. Contou-me sobre sua visita à sacerdotisa que, em nome dos céus, o havia iniciado na arte do amor.

— Em nenhum momento vi o rosto dela — disse. — Os ritos são realizados na câmara mais profunda do templo, onde não há luz. Era como um sonho dentro de um sonho.

Contou-me também que três vezes dormira com uma escrava, que dava risadas quando ele a abraçava e que queria receber pagamento quando terminaram.

Entretanto, no final de nosso segundo dia juntos, suas experiências com outras mulheres já haviam sido superadas.

— Esqueci todas elas — admitiu.

— Então, perdoo-lhe todas elas — disse eu.

Fazíamos amor sem cessar. Dormíamos e acordávamos com as mãos um no outro. Beijávamo-nos por toda parte, e aprendi o sabor dos dedos dos pés de meu amado, o cheiro de seu sexo antes e depois de nos unirmos, a umidade de seu pescoço.

Permanecemos juntos como noiva e noivo por três dias, e só então me perguntei por que eu não fora chamada para lavar as mãos de Ashnan ou massagear suas costas. Shalem, da mesma forma, esquecera que devia sempre fazer as refeições da noite com seu pai. Re-nefer, porém, cuidara para que ignorássemos o que se passava no mundo e que o mundo nos deixasse em paz. Enviava comida cuidadosamente escolhida a todas as horas do dia ou da noite e determinou que os criados enchessem a banheira de Shalem com água limpa e perfumada sempre que adormecêssemos.

Eu não me preocupava com o futuro. Shalem dizia que nosso amor ratificara o nosso casamento. Provocava-me a respeito do preço da noiva que levaria para meu pai: caixotes de moedas de ouro, camelos carregados, de linho e lápis-lazúli, uma caravana de escravos, um rebanho de carneiros tão excepcionais que sua lã nunca precisava ser lavada.

— Você merece um resgate de rainha — sussurrava ele, enquanto mergulhávamos de volta em nossos sonhos comuns. — Vou mandar construir para você uma tumba de beleza insuperável — prometia Shalem. — O mundo nunca esquecerá o nome de Dinah, que me julgou digno dela.

Eu gostaria de ter sido igualmente audaciosa com minhas palavras. Não que eu fosse tímida. Shalem sabia que eu estava encantada com ele, cheia de gratidão e desejo por ele. Dei-lhe tudo. Entreguei-me inteira a ele e esqueci-me nele. Só não sabia expressar o turbilhão de felicidade que sentia.

No mesmo momento em que eu estava abraçando Shalem pela primeira vez, Levi estava saindo enfurecido do palácio porque não lhe havia sido concedida a audiência com o rei que ele considerava lhe ser devida. Meu irmão fora enviado por minha família para saber quando eu voltaria para casa e, se lhe tivessem oferecido uma boa refeição e uma cama para passar a noite, talvez a história de minha vida fosse contada de maneira diferente.

Mais tarde, conjeturei o que teria acontecido se tivesse sido Rubem ou Judá a ir buscar-me. Hamor não estava disposto a encontrar-se com aquele filho de Jacó em especial, o brigão que o acusara de ludibriar a família. Por que se sujeitaria a ouvir mais acusações do filho lamuriento de um pastor de ovelhas?

Se tivesse sido Rubem, Hamor o teria recebido de bom grado para jantar e passar a noite. Na realidade, qualquer um dos outros, até José, teria sido muito bem recebido. Hamor simpatizava com Jacó da mesma forma que sua rainha gostava das esposas de Jacó. O rei sabia que Jacó cuidara de seus rebanhos com tanta competência que logo se tornara o pastor mais rico do vale. A lã produzida por Jacó era a mais macia, suas esposas eram habilidosas e seus filhos eram leais. Não provocava inimizades entre vizinhos. Havia enriquecido o vale, e Hamor fazia questão de manter um bom relacionamento com ele. Casamentos entre as duas famílias seriam altamente desejáveis, e, portanto, Hamor mostrou-se muito satisfeito quando Re-nefer lhe segredou que seu filho tinha interesse pela filha de Jacó. Na verdade, assim que o rei soube que Shalem estava deitado comigo, começou a fazer planos e cálculos sobre o generoso preço da noiva que ofereceria a Jacó.

Ao ser informado pelos criados que os jovens faziam um belo par, que se adoravam e estavam muito ocupados produzindo seu neto, entusiasmou-se tanto que convocou Ashnan para sua cama uma semana antes do fim do resguardo. Re-nefer nem chegou a repreender o marido e a moça quando soube do fato, tão alegre estava com a escolha do filho.

No quarto dia de nossa felicidade, Shalem saiu do banho, vestiu-se e disse-me que iria falar com seu pai.

— Já está na hora de Hamor providenciar o preço da noiva.

Ele estava tão bonito em sua túnica e suas sandálias que meus olhos se encheram de lágrimas outra vez.

— Nada de lágrimas, nem de felicidade — disse e tirou-me da água, beijou meu nariz e minha boca, levou-me para a cama. — Espere por mim, amada. Não se vista. Fique apenas deitada aqui para que eu a veja assim quando pensar em você. Não vou demorar.

Cobri seu rosto de beijos e pedi que voltasse correndo. Estava dormindo quando ele se deitou novamente ao meu lado, trazendo na pele o cheiro do mundo além de nossa cama pela primeira vez em tantos dias.

Hamor partiu bem cedo na manhã seguinte em direção ao acampamento de Jacó, um carroção abarrotado seguindo atrás dele. Não levou tenda nem criados para uma estada de uma noite. Não esperava ficar lá ou precisar negociar. Como poderia supor que suas boas notícias e seus presentes generosos encontrariam objeções?

※

As novidades sobre Shalem e a filha de Jacó já haviam se espalhado pela cidade, mas não haviam chegado às tendas de Jacó. Quando ele soube que o príncipe da cidade tomara-me como esposa, não disse nada e não respondeu à oferta de Hamor. Como se estivesse petrificado, olhou para o homem sobre quem Levi e Simão haviam falado com tanta virulência, um homem da sua idade, segundo podia ver, mas ricamente vestido, de fala macia e gordo. O rei fez um gesto em direção à carroça cheia de presentes e aos carneiros e cabras que a acompanhavam. Declarou que ele e Jacó agora eram parentes e logo seriam avôs do mesmo neto.

Jacó protegeu os olhos e cobriu a boca com as mãos para que Hamor não visse seu mal-estar e seu espanto. Sacudiu a cabeça quando Hamor louvou a beleza de sua filha. Jacó ainda não refletira sobre um casamento para ela, apesar de Lia já ter mencionado o assunto. A menina decerto já tinha idade suficiente para isso. Mas Jacó não se sentia à vontade com aquela união, não sabia bem por quê, e seu pescoço enrijeceu-se diante da expectativa de Hamor de que ele faria o que lhe dissessem para fazer.

Esquadrinhou a mente em busca de uma forma de adiar a decisão, um modo de recuperar o controle.

— Vou discutir o assunto com meus filhos — disse ao rei, com mais veemência do que pretendia.

Hamor sentiu-se melindrado.

— Sua filha não é mais virgem, Jacó — o rei insistiu —, e, no entanto, trouxe comigo um preço da noiva digno de uma princesa egípcia virgem, mais do que meu próprio pai ofereceu por minha esposa. Isso não significa que sua filha não seja merecedora de tudo isso e de mais ainda. Diga o que deseja e terá o que pedir, pois meu filho ama a moça. E ouvi dizer que ela também está bastante contente — acrescentou ele, com um sorriso largo demais para o gosto de Jacó.

Não agradou a Jacó ouvir falar tão cruamente da filha, ainda que ele não fosse capaz de se lembrar com precisão do rosto de Dinah. Tudo o que lhe ocorria era a imagem de uma cabeleira desgrenhada quando a menina corria atrás de José. A lembrança era muito antiga.

— Vou esperar por meus filhos — disse Jacó e deu as costas ao rei, afastando-se, como se o senhor de Shechem não fosse mais que um pastor, e deixou por conta de suas esposas receber o rei com bebidas e comida. Mas Hamor não viu razão para ficar e retornou ao seu palácio, levando de volta os presentes.

Jacó chamou Lia e dirigiu-lhe as palavras mais duras que jamais usara com uma esposa.

— Sua filha não é mais uma moça. Você foi muito insolente ao esconder isso de mim. Você já passou dos limites outras vezes, mas nunca me envergonhou dessa maneira.

Minha mãe estava tão surpresa quanto o marido e quis saber notícias de sua filha.

— O príncipe de Shechem reclamou-a para si. O pai dele veio pagar o preço da noiva máximo por uma virgem. O que eu presumo que ela fosse antes de passar os portões daquela maldita cidade, daquele monte de esterco — Jacó falou em tom mordaz. — Ela agora pertence a Shechem, suponho, e não tem mais nada a ver comigo.

Lia ficou furiosa.

— Vá procurar sua esposa, minha irmã — disse ela. — Foi Raquel quem a levou para lá. É Raquel quem tem os olhos voltados para a cidade, não eu, marido. Pergunte à sua esposa. — E as palavras de minha mãe estavam impregnadas de fel.

Pergunto-me se naquele momento de alguma forma ela pensou em mim, se experimentou qualquer angústia imaginando se eu teria consentido ou protestado, se o coração dela tentou adivinhar se eu teria chorado ou exultado. Suas palavras só se referiam à perda de uma filha que se fora para a cidade onde moraria com mulheres estrangeiras, aprenderia seus costumes e esqueceria sua mãe.

Meu pai chamou Raquel em seguida.

— Marido! — ela exclamou ao chegar, sorridente. — Ouvi dizer que temos boas notícias.

Jacó não sorriu.

— Não gosto daquela cidade nem de seu rei — disse ele. — E gosto menos ainda de uma filha indigna de confiança e de uma esposa mentirosa.

— Não diga nada de que possa arrepender-se mais tarde — replicou Raquel. — Minha irmã indispôs você contra mim e contra sua única filha, que é apreciada por sua mãe em Mamre. É um bom casamento. O rei disse que os dois estão apaixonados, não disse? Você já esqueceu o fogo que sentia? Será que ficou tão velho que nem se lembra mais daquele desejo?

A expressão no rosto de Jacó era impenetrável. Olhou longamente para Raquel e ela sustentou o olhar.

— Conceda a eles a sua bênção, marido — disse Raquel. — Aceite as carroças carregadas de prata e linho e dê a Hamor a boa acolhida que se deve dar a um rei. Você é o senhor aqui. Não há necessidade de esperar por ninguém.

Mas Jacó resistiu à insistência de Raquel.

— Quando meus filhos voltarem de viagem, decidirei.

Hamor não era capaz de lembrar quando fora tão maltratado. Ainda assim, mostrava-se favoravelmente disposto para com Jacó.

— Um bom aliado, penso eu — disse a Shalem no dia seguinte. — Mas um inimigo a evitar. É um homem orgulhoso. Não gosta de perder o controle do destino de sua família. Estranho não ter percebido ainda que os filhos deixam de servir aos pais quando crescem. Até as filhas.

Contudo, Shalem insistiu para que o pai voltasse ao acampamento o mais depressa possível.

— Amo essa moça — reafirmou.

Hamor sorriu.

— Não se preocupe, a moça é sua. Nenhum pai iria querer a filha de volta em uma situação como esta. Volte para sua esposa e deixe que eu me preocupe com o pai dela.

Outra semana se passou e meu marido e eu aprendemos maneiras cada vez mais sutis de nos amarmos, com carícias e demonstrações de profundo afeto. Meus pés não tocavam o chão. Eu era toda sorrisos.

E então recebi um presente de casamento especial: a visita de Bilah. Minha tia apareceu no portão do palácio perguntando por Dinah, esposa de Shalem. Foi levada primeiro à presença de Re-nefer, que a submeteu a inúmeras perguntas sobre a relutância de Jacó em aceitar a oferta de seu marido. A rainha perguntou também sobre Lia e Raquel e disse a Bilah que ela não sairia do palácio sem presentes para a família de sua nora. Em seguida, Re-nefer em pessoa levou minha tia até mim.

Meu abraço levantou do chão minha pequenina tia, e cobri seu rosto escuro com dezenas de beijos.

— Você está radiante — disse ela quando recuou, segurando minhas mãos nas suas. — Você está feliz. — E sorriu. — É maravilhoso que tenha encontrado tanta felicidade. Vou contar a Lia e ela ficará mais conformada com a situação.

— Minha mãe está zangada? — perguntei, perplexa.

— Lia acha que Raquel vendeu você, que a entregou ao mal. Ela é igual a seu pai, não confia em nada que venha da cidade, e está aborrecida porque você fez sua cama dentro destes muros. Na minha opinião, porém, mais que tudo isso, o que ela sente mesmo é falta de você. Mas vou contar a ela sobre essa luz em seus olhos, esse riso em sua boca e sua aparência de mulher, agora que é uma esposa. Ele é bom para você, não é? — Bilah perguntou, dando-me a oportunidade de elogiar meu Shalem.

Descobri que estava louca de vontade de contar a alguém os detalhes de minha felicidade, e derramei tudo nos ouvidos atentos de Bilah. Ela bateu palmas quando me ouviu falar como uma noiva.

— Ah, amar e ser amada assim! — Suspirou.

Bilah comeu em minha companhia e, sem ser vista, deu uma espiada em Shalem. Concordou que ele era bonito mas recusou-se a encontrá-lo.

— Não posso falar com ele antes que meu marido o faça — resistiu ela. — Mas já vi o suficiente para levar de volta uma boa quantidade de informações sobre nossa filha.

Pela manhã, abraçou-me e foi-se embora com Rubem, que viera trazê-la. Levava consigo o testemunho de minha felicidade para as tendas de meu pai, mas sua voz foi abafada pelos berros de meus irmãos, que me chamavam de meretriz. E Jacó não fez nada para calar suas bocas imundas.

Simão e Levi tinham voltado depois de vários dias de ausência e do fracasso de um objetivo secreto. Tinham estado em Askelon não só para negociar as cabras e os carneiros, a lã e o azeite da família, mas para falar com comerciantes de escravos, cuja atividade podia render muito mais riquezas do que qualquer colheita suada de produtos da terra. Simão e Levi cobiçavam o poder que lhes viria com a riqueza, mas não tinham esperanças de herdar nem uma coisa nem outra de Jacó. Era evidente que Rubem teria o direito de primogenitura e que a bênção do pai iria para José. Sendo assim, os dois estavam determinados a conquistar a própria glória, fosse como fosse.

Entretanto, Levi e Simão descobriram que os comerciantes de escravos só queriam crianças. Os negócios iam mal. O excesso de comerciantes enfraquecera o mercado e agora só obtinham bons preços por jovens saudáveis. Meus irmãos não conseguiram trocar coisa alguma por duas velhas criadas que haviam recebido como parte do dote de suas esposas. Voltaram para casa frustrados e amargos.

Ao saberem que Hamor oferecera a meu pai um régio preço da noiva por mim, manifestaram-se contra o casamento, achando que sua posição pessoal ficaria enfraquecida com uma aliança daquelas. A casa de Jacó seria engolida pelas dinastias de Shechem, e, ao mesmo tempo que existia a possibilidade de Rubem um dia se tornar um príncipe, eles e seus filhos continuariam a ser sempre pastores, uns primos pobres, umas nulidades.

— Seremos ainda menos importantes que Esaú — um resmungava para o outro e para os irmãos sobre os quais ainda tinham domínio: Zebulun, Issacar e Naftali, filhos de Lia, e Gad e Asher, filhos de Zilpah.

Quando Jacó chamou os filhos à sua tenda para discutir a oferta de Hamor, Simão ergueu o punho e bradou:

— Vingança! Minha irmã foi violentada por um cão egípcio!

Rubem falou em defesa de Shalem:

— Nossa irmã não protestou nem o príncipe a abandonou.

Judá concordou.

— O volume e o valor do preço da noiva são um cumprimento à nossa irmã, ao nosso pai e a toda a casa de Jacó. Nós mesmos nos tornaremos príncipes. Seríamos uns tolos de não aceitar as dádivas que os deuses nos enviam. Que tipo de idiota é capaz de confundir uma bênção com uma maldição?

Mas Levi rasgou a própria roupa como se chorasse a minha morte, e Simão advertiu:

— Isso é uma armadilha para os filhos de Jacó. Se consentirmos nesse casamento, a fartura da cidade vai estragar meus filhos e os filhos de meus irmãos. Esse casamento desagrada ao deus de nosso pai — falou, desafiando Jacó a discordar.

As vozes foram subindo de volume e meus irmãos lançavam olhares ferozes uns para os outros sob a luz das lamparinas, mas Jacó não deixou transparecer o que pensava.

— O cão incircuncidado violenta minha irmã todos os dias — bradou Simão. — Como posso permitir tamanha profanação de nossa única irmã, filha de minha própria mãe?

Ao ouvir isso, José demonstrou ceticismo e meio que cochichou para Rubem:

— Se meu irmão está tão preocupado com o formato do pênis de nosso cunhado, que nosso pai exija o prepúcio dele como preço da noiva. Ou melhor, que todos os homens de Shechem fiquem como nós. Que suas membranas formem uma pilha tão alta quanto o mastro da tenda de meu pai, para que os filhos deles e os nossos urinem da mesma maneira, se excitem da mesma maneira e ninguém consiga distinguir uns dos outros. E assim a tribo de Jacó crescerá não apenas nas próximas gerações, mas amanhã mesmo.

Jacó apoderou-se das palavras de José, que pretendera apenas zombar dos irmãos que o haviam torturado desde muito pequeno. Jacó, porém, não percebeu a intenção das palavras do filho. E disse:

— Abraão fez circuncidar os homens de sua casa que não eram de seu povo. Se os homens de Shechem concordarem, ninguém poderá dizer que nossa filha foi ofendida. Se os homens da cidade fizerem esse sacrifício ao deus de meus pais, seremos lembrados como aqueles que fizeram almas, que reuniram homens. Como as estrelas no céu, de acordo com o que foi dito a meu pai Abraão. Como as areias do mar, de acordo com a profecia de minha mãe

Rebeca. E agora serei eu a fazer com que isso se cumpra. Farei o que José diz, pois ele tem meu coração.

Jacó falou com tal veemência que não adiantava mais continuar discutindo.

O rosto de Levi contorceu-se de ódio com a decisão de Jacó, mas Simão pôs a mão no braço dele e puxou-o para fora da tenda, para a escuridão da noite, longe da luz das lamparinas e dos ouvidos dos outros irmãos.

⁂

Quando Hamor se dirigiu ao acampamento de Jacó pela segunda vez, Shalem foi com ele. Determinado a não voltar para a cidade sem a bênção de meu pai, levou dois jumentos carregados de mais presentes. Meu amado estava confiante ao sair, mas, ao chegar às tendas de meu pai, a comitiva do rei foi novamente recebida com hostilidade, e nem ao menos uma concha de água lhes foi oferecida antes de começarem a discutir as condições.

Meu pai foi o primeiro a falar, e falou sem rodeios.

— Vieram por causa de minha filha — disse ele. — Concordamos com o casamento, mas duvido que aceitem nossas condições, pois são rigorosas.

Hamor replicou, sua boa disposição anterior já aniquilada pela ultrajante falta de hospitalidade:

— Meu filho tem amor pela moça — disse o rei. — Fará qualquer coisa por ela, e eu farei o que meu filho desejar. Apresente suas condições, Jacó. Shechem irá cumpri-las para que seus filhos e meus filhos produzam novas gerações nesta terra.

Porém, quando Jacó mencionou qual seria o preço a pagar por sua filha, Hamor empalideceu.

— Que espécie de barbaridade é essa? — perguntou. — Quem você pensa que é, pastor, para exigir o sangue da masculinidade de meu filho, e o meu, e o dos meus parentes e súditos? Você enlouqueceu de tanto sol, de tanto viver isolado no meio deste deserto. Quer a moça de volta do jeito que está? Deve prezar muito pouco essa filha para escarnecer dessa maneira do futuro dela.

Mas Shalem deu um passo à frente e pôs a mão no braço do pai.

— Concordo com a exigência — disse diretamente a Jacó. — Aqui e agora, se quiser. Honrarei o costume da família de minha esposa e ordenarei que meus escravos e seus filhos façam o mesmo em seguida. Sei que meu pai fala desse modo porque se preocupa comigo e por lealdade a seus homens, que iriam sofrer. Para mim, porém, a questão está resolvida. Ouço e obedeço.

Hamor teria contestado a decisão de seu filho, e Simão e Levi estavam preparados para cuspir-lhe no rosto. O ar estava carregado e as adagas poderiam ter sido sacadas se Bilah não tivesse aparecido com água e vinho. Atrás dela vinham mulheres trazendo pão e azeite. Jacó fez um sinal com a cabeça para que começassem a servir. Os homens comeram alguns bocados em silêncio.

As condições foram estabelecidas naquele fim de tarde. Jacó aceitou quatro jumentos carregados de presentes como preço da noiva. Shalem e Hamor seriam circuncidados dentro de três dias, assim como todos os homens de Shechem, fossem eles nobres ou escravos. Todos os homens saudáveis que se encontrassem dentro dos muros da cidade na mesma manhã teriam de aceitar a marca de Jacó, e Hamor prometeu que, dali em diante, todo filho varão nascido na cidade seria circuncidado no oitavo dia, como era o costume entre os filhos de Abraão. Hamor também assumiu o compromisso de fazer o deus de Jacó ser adorado em seu templo, e chegou até a chamá-lo de Elohim, o deus único de muitos deuses.

Meu pai concedeu-me um belo dote. Dezoito carneiros e dezoito cabras, todas as minhas roupas e joias, meu fuso e minha pedra de amolar, dez cântaros de azeite fresco e seis grandes rolos de lã. Jacó consentiu na realização de casamentos entre seus filhos e os de Shechem daquele dia em diante.

Hamor pousou a mão sob a coxa de Jacó, Jacó tocou no rei da mesma forma e meu contrato de casamento foi ratificado sem sorrisos ou satisfação.

Naquela mesma noite, Shalem escapuliu da tenda de seu pai e voltou para nossa cama levando as novidades.

— Você agora é uma mulher casada e não mais uma moça desonrada — sussurrou ele, acordando-me antes da primeira luz da manhã.

Beijei-o e empurrei-o para longe.

— Muito bem, agora que estou casada e você não pode mais se livrar de mim, digo-lhe que minha cabeça está doendo e não posso receber meu senhor neste momento — disse eu, cobrindo os ombros com minha roupa e fingindo dar um grande bocejo, ao mesmo tempo que enfiava a mão entre as pernas de meu marido. — Como sabe, meu senhor, as mulheres apenas se submetem às carícias de seus maridos; elas não sentem prazer algum com esse uso grosseiro de seus corpos.

Shalem riu, puxou-me para a cama e nos amamos com grande ternura naquela manhã. Era um reencontro depois da nossa separação mais prolongada desde o dia em que ele me encontrara no mercado e levara-me para sua cama, que passara então a ser nossa.

Dormimos até tarde naquele dia, e só depois de comermos ele me contou sobre a exigência de meu pai. Esfriei, meu estômago se revirou. Em minha mente, via meu amado contorcendo-se de dor, a faca cortando fundo, a ferida infeccionando e Shalem morrendo em meus braços. Explodi em lágrimas como uma criança pequena.

Shalem procurou diminuir a importância do fato.

— Não é nada — dizia. — É só uma ferida. E ouvi dizer que depois vou sentir mais prazer com você do que agora. Portanto, mulher, prepare-se. Não lhe darei sossego noite e dia.

Mas não achei graça. Arrepiei-me com um frio que me penetrou até os ossos e não me deixou mais.

Re-nefer também tentou tranquilizar-me. Não lhe desagradava o acordo feito por seu marido.

— No Egito — explicou ela —, os meninos são circuncidados quando sua voz muda. É uma ocasião bastante alegre: correm atrás deles para pegá-los e, depois, eles são mimados e dão-lhes todos os doces e guloseimas que quiserem. Fique descansada, todos eles sobrevivem. Será meu guarda pessoal quem o fará. Nehesi tem muita prática nisso. Posso cuidar para que não sintam dor, e você vai me ajudar, parteirinha.

Tagarelou sem parar sobre como seria fácil e depois cochichou, com um olhar de soslaio cheio de malícia:

— Você não acha o membro masculino mais atraente sem o capuz?

Mas eu não achava divertido nada que se referisse à prova pela qual Shalem teria de passar e não sorri de volta para minha sogra.

Os três dias se passaram. Agarrava-me a meu marido em total desvario naquelas noites, e as lágrimas desciam pelo meu rosto até quando atingia graus de prazer mais intensos que antes. Meu marido bebia a água de minhas faces e corria sua língua salgada ao longo de meu corpo.

— Vou implicar com você sobre isso quando nosso primeiro filho nascer — sussurrava ele, enquanto eu me deitava em seu peito, ainda tremendo de frio.

A hora combinada chegou. Shalem deixou-me ao raiar do dia. Fiquei na cama fingindo dormir, observando-o com olhos entreabertos enquanto ele se lavava e se vestia. Inclinou-se para beijar-me, mas não virei o rosto para que seus lábios tocassem os meus.

Permaneci ali deitada, sozinha, alimentando minha raiva. Detestava meu pai por ter exigido um preço tão alto. Detestava meu marido e seu pai por terem concordado em pagá-lo. Detestava minha sogra por tentar facilitar as coisas. Detestava mais ainda a mim mesma por ser a causa de tudo.

Fiquei na cama, enrodilhada em cobertores, tremendo de ódio, medo e um mau pressentimento indefinido, até Shalem ser trazido de volta para mim.

Foi feito na antecâmara do rei. Shalem foi o primeiro e, em seguida, seu pai, Hamor. Nehesi disse que nem o rei nem o príncipe deram um gemido sequer. O filho pequeno de Ashnan foi o seguinte, e gritou muito, mas não sofreu por muito tempo, pois tinha um seio cheio de leite à espera para consolá-lo. Os homens da casa e os pobres coitados que não tinham fugido para o campo além dos muros da cidade não tiveram tanta sorte. Sentiram o peso da faca e muitos berraram como se estivessem sendo assassinados. Seus gritos cortaram o ar durante toda a manhã, mas cessaram no início da tarde.

O dia foi impiedosamente quente. Não havia brisa ou nuvem no céu e, mesmo no interior das grossas paredes do palácio, o ar estava úmido e pesado. O suor dos convalescentes molhava sua roupa e encharcava as camas onde eles dormiam.

Hamor, que não deixou escapar nem um som ao ser cortado, desmaiou de dor e, ao acordar do desmaio, pôs uma faca entre os dentes para não gritar. Meu Shalem sofreu também, embora nem tanto. Era mais jovem e os unguentos pareciam aliviá-lo. No entanto, também para ele, o único remédio era dormir. Administrei-lhe um soporífero e, sempre que ele despertava, estava atordoado e sonolento, tonto e com a fala engrolada. Eu banhava o rosto de meu amado enquanto ele dormia seu sono entorpecido e lavava suas costas suadas com a maior delicadeza possível. Procurava não chorar para que meu rosto estivesse com boa aparência quando ele acordasse, mas, à medida que o dia passava, as lágrimas vinham apesar de meus esforços. Ao cair da noite, sentia-me exausta e adormeci ao lado de meu marido, envolta nas cobertas para proteger-me dos ventos gelados de meus temores, ao mesmo tempo que Shalem dormia despido por causa do calor reinante.

Durante a noite, acordei uma vez sentindo Shalem afagar meu rosto. Ao ver que eu abrira os olhos, deu um sorriso meio trêmulo e disse:

— Logo tudo isso vai ser apenas um sonho e nossos abraços serão mais doces do que nunca.

Seus olhos voltaram a fechar-se e ouvi-o roncar pela primeira vez. Enquanto mergulhava no sono, ocorreu-me que caçoaria dele sobre o ruído que fizera dormindo — como um velho cão ao sol. Até hoje, não tenho certeza se Shalem disse de fato aquelas palavras ou se foi um sonho para reconfortar-me.

O resto sei que é verdade.

Primeiro, houve o som de uma mulher gritando. Algo terrível devia ter acontecido com aquela pobre criatura, pensei, tentando não prestar atenção aos gritos pungentes, lancinantes, estridentes, medonhos demais para o mundo real, gritos de pesadelo.

Os gritos desvairados, aterrorizantes, vinham de muito longe, mas seu desespero era tão insistente e perturbador que eu não podia mais ignorá-los, e tentei acordar de meu sono pesado para escapar do ruído. Tornaram-se mais e mais assustadores até eu perceber que meus olhos estavam abertos e que a alma atormentada da qual eu tinha pena não era parte de um sonho nem estava distante. Os gritos que eu ouvia eram meus, o som espectral vinha de minha boca contorcida.

Eu estava coberta de sangue. Meus braços estavam cobertos pelo sangue denso e quente que corria da garganta de Shalem e descia como um rio pela cama abaixo para o chão. O sangue dele cobria meu rosto, ardia em meus olhos e salgava meus lábios. O sangue dele encharcava os cobertores e queimava meus seios, escorria pelas minhas pernas, envolvia os dedos de meus pés. Eu me afogava no sangue de meu amado. Gritava tão alto que poderia ter convocado até os mortos, mas ninguém parecia ouvir. Nenhum guarda irrompeu porta adentro. Nenhum criado veio correndo. Era como se eu fosse a última pessoa viva no mundo.

Não ouvi passos nem qualquer aviso antes que braços vigorosos me segurassem e me soltassem à força de meu amado. Arrastaram-me para fora da cama, deixando atrás um rastro de sangue, gritando na escuridão da noite. Foi Simão quem me pegou e Levi quem me amordaçou, e os dois ataram meus pés e mãos como se faz com um bode que vai ser sacrificado, jogaram-me sobre o lombo de um jumento e mandaram-me às pressas para o acampamento de meu pai, antes que meus gritos alertassem algum infeliz ainda vivo na cidade condenada. As facas de meus irmãos trabalharam até a claridade do amanhecer revelar toda a extensão do ato execrável tramado pelos filhos de Jacó. Eles assassinaram todos os homens que encontraram.

Mas eu desconhecia tudo isso. Sabia apenas que queria morrer. Só a morte interromperia o meu horror. Só a morte me traria paz, apagaria a visão de Shalem esfaqueado, sangrando, morto em seu sono sobressaltado. Se ninguém tivesse afrouxado a mordaça quando vomitei, eu teria conseguido. Subindo as colinas, durante todo o caminho de volta para as tendas de Jacó, eu gritava em silêncio. Ah, deuses, céus, ah, minha mãe... Por que ainda estou viva?

8

Fui a primeira de quem tiveram notícia. Minha própria mãe avistou-me e gritou quando viu meu corpo ensanguentado. Caiu no chão, ajoelhando-se ao lado da filha assassinada, e as tendas esvaziaram-se para vir saber o motivo da tristeza de Lia. Bilah, porém, desatou os nós que me prendiam e ajudou-me a ficar de pé, enquanto Lia olhava, primeiro horrorizada, depois aliviada e por fim aturdida. Estendeu as mãos para mim, mas a expressão de meu rosto a fez parar.

Virei-me decidida a voltar andando para Shechem, mas minhas mães carregaram-me em seus braços e eu estava fraca demais para resistir. Tiraram os cobertores e mantos que me envolviam, escuros e endurecidos com o sangue de Shalem. Banharam-me, untaram meu corpo com óleo e pentearam meu cabelo. Puseram comida em minha boca, mas não comi. Deitaram-me em um cobertor, mas não dormi. Pelo resto daquele dia ninguém ousou falar comigo e eu não tinha nada a dizer.

Quando a noite chegou outra vez, ouvi meus irmãos retornando e os ecos de seu saque: mulheres gemendo, choro de crianças, animais balindo, carroças rangendo sob o peso dos objetos roubados. Simão e Levi gritavam ordens ásperas. A voz de Jacó não era ouvida em parte alguma.

Eu deveria estar prostrada de pesar. Deveria estar mais que exausta. O ódio, porém, enrijeceu minhas costas. O percurso aos solavancos montanha acima, amarrada como um animal que vai ser sacrificado, despertou em mim uma fúria que se alimentou de si mesma enquanto estava deitada no cobertor, hirta e vigilante. O rumor das vozes dos meus irmãos me fez levantar e sair para enfrentá-los.

Meus olhos fuzilavam, poderiam ter queimado e consumido todos eles até as cinzas com uma única palavra, um bafejo, um relance.

— Jacó! — gritei, como um animal ferido. — Jacó! — berrei, chamando-o pelo nome, como se fosse eu o pai e ele o filho rebelde.

Jacó surgiu de sua tenda, trêmulo. Mais tarde, alegou que não sabia o que haviam feito em seu nome. Acusou Simão e Levi, voltando-se contra eles. Quando estava diante de mim, porém, vi a verdade em seus olhos perturbados. Vi sua culpa antes que ele tivesse tempo de negá-la.

— Jacó, seus filhos cometeram assassinato — disse eu, com uma voz que não reconhecia como minha. — Você mentiu e foi conivente, e seus filhos assassinaram homens de bem, massacrando-os por causa da fraqueza que você demonstrou. Você despojou corpos de defuntos e saqueou seus túmulos, e por isso suas sombras vão persegui-lo para sempre. Você e seus filhos produziram uma geração de viúvas e órfãos que nunca os perdoarão. Jacó! — chamei, e minha voz ecoou como um trovão. — Jacó! — minha voz sibilou como a da serpente, que se livra da própria pele e continua viva. — Jacó! — urrei, e a lua desapareceu. — Enquanto viver, Jacó jamais experimentará a paz outra vez. Perderá tudo o que preza e repudiará aqueles a quem deveria abraçar. Nunca mais terá descanso e suas preces não encontrarão o favor do deus de seus pais. Jacó sabe que minhas palavras são verdadeiras. Olhe para mim, pois estou vestida com o sangue dos homens de bem de Shechem. O sangue deles mancha suas mãos e sua cabeça, e você nunca mais ficará limpo. Você é impuro e maldito — falei, cuspindo no rosto do homem que havia sido meu pai. Virei-lhe as costas e ele morreu para mim.

Amaldiçoei-os todos. Com o cheiro do sangue de meu marido ainda em minhas narinas, chamei cada um pelo nome e clamei pelos poderes de todos os deuses e de todas as deusas, de todos os demônios e tormentas para destruí-los e devorá-los: os filhos de minha mãe Lia e o filho de minha mãe Raquel e os filhos de minha mãe Zilpah e o filho de minha mãe Bilah. O sangue de Shalem estava entranhado sob minhas unhas, e não havia piedade em meu coração por nenhum deles.

— Os filhos de Jacó são víboras — falei para os meus irmãos amedrontados. — São podres como vermes que se alimentam de carniça. Os filhos de Jacó sofrerão, todos, cada um por sua vez, e seu sofrimento atormentará seu pai.

O silêncio era absoluto e sólido como uma rocha quando lhes dei as costas. Descalça, vestindo apenas uma túnica, afastei-me de meus irmãos, de meu pai e de tudo aquilo que havia sido o meu lar. Afastei-me também do amor, pois nunca mais veria minha imagem refletida nos olhos das minhas mães. Mas não poderia viver no meio deles.

Andei pela noite sem lua, cortando os pés e esfolando os joelhos no caminho para o vale, mas não parei até chegar aos portões de Shechem. Tinha uma visão que me impelia.

Sepultaria meu marido e seria sepultada com ele. Encontraria seu cadáver, envolveria seu corpo em linho, usaria a faca que lhe havia tirado a vida para cortar meus pulsos e dormiríamos juntos no pó da terra. Passaríamos a eternidade no tranquilo, triste e cinzento mundo dos mortos, comendo o pó da terra, contemplando com olhos feitos de pó o falso mundo dos vivos.

Não pensava em mais nada. Estava sozinha e vazia. Eu era um túmulo esperando ser preenchido com a paz da morte. Andei até cair de joelhos diante do imenso portão da cidade, incapaz de seguir adiante.

Se Rubem tivesse me encontrado e levado de volta, minha vida teria terminado. Poderia ter seguido e chorado por mais alguns anos, meio louca, acabando meus dias na porta da esposa menos importante de um irmão qualquer. Mas minha vida estaria terminada.

Se Rubem tivesse me encontrado, Simão e Levi certamente teriam matado meu filho, abandonando-o ao relento para que os chacais o dilacerassem. Teriam me vendido como escrava com José, antes arrancando minha língua para evitar que eu amaldiçoasse os olhos, os ossos, a pele, os testículos deles. Nenhuma dor e sofrimento que sentissem, por mais terríveis que fossem, jamais seriam capazes de me apaziguar.

Nem teria me abrandado o fato de Jacó acovardar-se e adotar um novo nome, Isra'El, para que as pessoas não se recordassem dele como o carniceiro de Shechem. Livrou-se do nome Jacó, que se transformou em sinônimo de "mentiroso", de modo que, por muitas gerações, "servir ao deus de Jacó" tornou-se uma das piores afrontas que um homem poderia fazer a outro naquela terra. Se eu estivesse lá para ver, talvez achasse graça quando ele perdeu o velho talento para lidar com animais e até seus cães passaram a fugir dele. Mereceu a angústia de achar que José havia sido estraçalhado por feras selvagens.

Se Rubem tivesse me encontrado junto ao portão de Shechem, eu estaria presente para dar um enterro digno a Raquel. Ela morreu na estrada principal, que Jacó tomara tentando escapar da ira que se havia espalhado pelo povo do vale, empenhado em vingar o extermínio de Hamor e a paz de Shechem. Raquel morreu em meio a sofrimentos atrozes, dando à luz o último filho de Jacó. "Filho da desgraça" foi o nome que ela deu ao menino que lhe custou um mar de sangue escuro. Todavia, o nome que Raquel escolheu para o filho era acusador demais, portanto Jacó desobedeceu à última vontade da mulher e fingiu que Ben-Oni era Benjamim.

O pavor que se apossara de Jacó afugentou-o do corpo exaurido de Raquel logo depois de enterrá-la às pressas, sem nenhum ritual, à beira da estrada, com apenas uns poucos seixos para lembrar o grande amor da sua vida. Talvez eu tivesse ficado junto ao túmulo de Raquel com Inna, que se instalou no lugar e reuniu belas pedras para fazer um altar em memória de sua única filha. Inna ensinou as mulheres do vale a dizerem o nome de Raquel e amarrarem fios vermelhos ao redor do pilar que se erguia sobre seu túmulo, prometendo que, em troca, delas só nasceriam crianças vivas, e fazendo o nome de minha tia manter-se vivo para sempre nos lábios das mulheres.

Se Rubem me tivesse encontrado, eu teria presenciado a maldição que lancei enroscar-se no pescoço dele, fazendo vir à tona a paixão não consumada de uma vida inteira entre ele e Bilah e as declarações de amor que os dois nunca fizeram. Quando o dique se rompeu, eles se precipitaram sofregamente nos braços um do outro, encontrando-se nos campos, sob as estrelas e até mesmo dentro da tenda de Bilah. Eram os amantes mais verdadeiros, a imagem perfeita da Rainha do Mar e de seu Irmão-Senhor, feitos um para o outro e por isso mesmo condenados.

Jacó encontrou-os, descobriu tudo, deserdou o mais merecedor de seus filhos e mandou-o para uma pastagem distante, o que o impediu de proteger José. Jacó bateu no rosto de Bilah, quebrando-lhe os dentes. Desde então, ela começou a definhar. Aquela mãe tão doce, tão miúda, ficou menor e mais magra, mais silenciosa, mais cautelosa. Não cozinhava mais, apenas fiava, e seu fio era o mais fino que qualquer mulher já fiara, mais fino que uma teia de aranha.

Então, um dia, ela sumiu. Suas roupas foram encontradas sobre seu cobertor e os poucos anéis que possuía estavam onde suas mãos deveriam estar. Não havia pegadas se afastando. Ela desapareceu, e Jacó nunca mais pronunciou seu nome.

Zilpah morreu de febre na noite em que Jacó despedaçou o último dos deuses domésticos de Raquel sob uma árvore sagrada. Ele havia encontrado a deusa em forma de pequena rã — a que havia aberto o ventre de gerações de mulheres — e quebrou o ídolo antigo com um machado. Jacó urinou sobre os cacos de pedra, amaldiçoando-o e atribuindo-lhe a responsabilidade por todas as suas desgraças. Vendo isso, Zilpah arrancou os próprios cabelos e bradou aos céus. Implorou que a morte a levasse e cuspiu sobre a memória da mãe que a havia abandonado. Atirou-se no chão e encheu a boca de punhados de terra. Foram necessários três homens para amarrá-la e evitar que se machucasse. Sua morte foi horrível e, quando a preparavam para o sepultamento, seu corpo partiu-se em pedaços como se fosse uma lamparina de argila velha e frágil.

Ainda bem que não presenciei nada disso. Sou grata por não ter visto Lia perder o uso das mãos, depois dos braços, nem estar presente na manhã em que ela acordou sobre suas próprias fezes, incapaz de se pôr de pé. Ela teria me suplicado, como suplicou às noras insensíveis, que lhe desse veneno, e eu o teria feito. Teria tido piedade, preparado a bebida fatal, matando-a e enterrando-a. Teria sido melhor que deixá-la morrer sem dignidade.

Se Rubem me tivesse levado de volta para as tendas dos homens que me transformaram no instrumento da morte de Shalem, eu teria cometido assassinato todos os dias dentro de mim. Teria provado fel e amargura em meus sonhos. Eu teria sido uma nódoa neste mundo.

Mas os deuses tinham outros planos para mim. Rubem chegou tarde demais. Quando alcançou o portão oriental, o sol brilhava sobre os muros da cidade e outros braços já me haviam levado embora.

Parte III
EGITO

1

Eu jazia inconsciente nos braços de Nehesi, mordomo e guarda pessoal de Re-nefer. Ele me levou de volta para o palácio, que fervilhava de moscas, atraídas pelo sangue de pais e filhos. Meus irmãos, aqueles demônios, tinham transpassado com suas armas até mesmo o bebê de Ashnan, e a mãe desventurada sangrou até a morte, o braço decepado tentando defender o filho da lâmina de um machado.

De todos os homens da casa, só Nehesi sobreviveu. Aos primeiros gritos, ele correu aos aposentos do rei a tempo de proteger Re-nefer de Levi e de um de seus homens. No momento em que Nehesi chegou, a rainha erguia uma faca contra Levi. Nehesi feriu meu irmão na perna e liquidou de vez com o cúmplice dele. Arrancou a faca das mãos da rainha, impedindo-a de enfiá-la em seu próprio coração.

Nehesi levou-me ao encontro de Re-nefer. Ela estava sentada no chão de terra do pátio, a cabeça encostada no muro, o cabelo cheio de pó, as unhas cobertas por uma crosta de sangue. Muitos anos se passariam antes que eu pudesse compreender por que ela não me deixara ali para morrer, por que o assassinato de seus entes queridos não a enchera de raiva por mim, a causadora de tudo. Re-nefer, porém, culpava apenas a si própria pela morte do marido e do filho, pois havia desejado meu casamento com Shalem e fizera sacrifícios para garantir nossa união. Havia sido ela quem mandara Shalem ir ao mercado à minha procura e planejara para que caíssemos nos braços um do outro sem qualquer impedimento. Assumiu a culpa e jamais se livrou dela.

A compaixão da rainha por mim tinha outro motivo, maior ainda que o remorso. Ansiava por um neto — alguém para construir sua tumba no Egito e resgatar o que sobrara de sua vida, alguém por quem viver. Foi por isso que Re-nefer, pouco antes de fugir de Canaã, reuniu suas forças e mandou Nehesi procurar-me em meio ao desespero em que estava mergulhada a cidade.

Embora temeroso, Nehesi acatou as ordens sem dizer nada. Conhecia a rainha melhor que ninguém — melhor que as mulheres que a serviam e, certamente, melhor que o marido. Nehesi viera para Shechem acompanhando Re-nefer, então uma noiva jovem e assustada. Quando afinal me encontrou, ele ainda ponderou se deveria aumentar o sofrimento de sua senhora levando para ela mais um motivo de tristeza. Eu parecia um cadáver em seus braços; quando me mexi, foi para gritar e enfiar as unhas no meu próprio pescoço até tirar sangue. Foi preciso amarrar minhas mãos e tapar minha boca para sairmos despercebidos da cidade no escuro da noite.

Re-nefer e Nehesi desenterraram vasos cheios de ouro e prata e fugiram, levando-me com eles para o porto em Joppa, onde contrataram um barco cretense que nos levaria até o Egito. Durante a viagem, uma tempestade violenta rasgou as velas e por pouco não virou o barco. Os marinheiros que ouviram meus gritos e gemidos acharam que eu estivesse possuída por um demônio que instigava as águas contra eles. Só a espada de Nehesi impediu-os de se apoderarem de mim e me atirarem ao mar.

Não tomei nenhum conhecimento do que se passava enquanto, deitada no escuro, enfaixada, transpirando, tentava juntar-me a meu marido. Talvez fosse jovem demais para morrer de tristeza, ou quem sabe tenha sido bem cuidada demais para sucumbir. Re-nefer jamais se afastava de mim. Mantinha meus lábios umedecidos e falava comigo no tom suave e complacente que as mães usam para tranquilizar bebês inquietos.

Havia motivo para esperanças. Uma nova lua chegou enquanto eu estava mergulhada em minha própria escuridão e nenhuma gota de sangue manchou as cobertas entre minhas pernas. Minha barriga estava macia, meus seios estavam quentes e meu hálito recendia a cevada. Com o passar dos dias, meu sono tornou-se menos febril. Engolia sofregamente os caldos que Re-nefer me servia e, calada, apertava seus dedos em sinal de gratidão.

No dia do desembarque, minha sogra aproximou-se de mim, colocou os dedos com firmeza sobre os meus lábios e falou com uma determinação que nada tinha a ver com a minha saúde:

— Estamos de volta à terra de meus pais. Ouça o que tenho a dizer e obedeça. Na presença de meu irmão e da mulher dele, vou chamá-la de filha. Direi que você trabalhava em minha casa e que meu filho a tomou, uma virgem, com o meu consentimento. Vou explicar que você me ajudou a fugir dos bárbaros. Será minha nora e eu serei sua senhora. Serei eu quem vai ampará-la no parto de seu filho, e ele será um príncipe do Egito.

Seus olhos procuraram os meus para certificar-se de que eu compreendera. Ela era boa e eu a amava. Pressentia algo de errado, porém. Não conseguia definir o medo que se apoderava de mim enquanto ela falava. Mais tarde, dei-me conta de que minha nova mãe não mencionara seu filho, meu marido, nem falara do assassinato dele, nem de meus irmãos e de sua traição. Nunca choramos ou guardamos luto pela morte de Shalem, nem ela me disse onde meu amado fora sepultado. O horror permaneceria impronunciável e minha dor ficaria selada em meus lábios. Nossa história comum jamais seria revivida com palavras, e daí em diante eu estaria comprometida com o vazio da história contada por ela.

Quando cheguei ao Egito, estava grávida e era viúva. Vestia linho branco como uma egípcia e, embora não fosse mais solteira, estava com a cabeça descoberta, como as outras mulheres da terra. Carregava um cesto pequeno para Re-nefer, mas não trouxera nada de meu. Nem mesmo um pedaço de lã tecido pelas minhas mães, nem o consolo das lembranças.

⁕

Havia muitas maravilhas para admirar no trajeto para a grande cidade ao sul onde o irmão de Re-nefer morava. Passamos por casas e pirâmides, aves e caçadores, palmeiras e flores, desertos de areia e penhascos, mas eu nada via. Meus olhos se voltavam sobretudo para o rio, fixava o olhar na água, minha mão deixando um rastro na água escura, que ia mudando, ora castanha, ora verde, ora preta, cinza, e, certa vez, quando passamos por um curtume, da cor do sangue.

Naquela noite acordei apertando o pescoço com as mãos, afogando-me em sangue, gritando por Shalem, por socorro, por minha mãe, em um pesadelo que retornaria muitas vezes. No início do sonho, sentia o corpo de Shalem nas minhas costas, uma sensação maravilhosa de peso que me enchia de bem-estar. Depois, sentia um calor estranho no peito e nas mãos e, de repente, percebia que minha boca estava cheia do sangue de Shalem, minhas narinas impregnadas dos miasmas da vida dele se esvaindo. O sangue coagulava sobre os meus olhos e eu lutava para abri-los. Gritava sem tomar fôlego, mas não ouvia som algum. Continuava gritando, querendo que meu coração e meu estômago se desprendessem de mim enquanto gritava e eu morresse também.

Na quarta noite em que tive o mesmo pesadelo, quando o sangue começou a me sufocar e minha boca se abriu buscando a morte, fui acordada por uma dor intensa, lancinante. Sentei-me e dei com Nehesi de pé diante de mim, o lado sem fio da lâmina de sua imensa espada ainda encostado na sola dos meus pés, onde ele me havia golpeado.

— Chega — disse ele ao meu ouvido com voz sibilante. — Re-nefer não aguenta mais.

Ele se foi. Eu ofegava, aterrorizada. Daquela noite em diante, obriguei-me a acordar quando sentia um calor se espalhando por meus seios. Arquejando, transpirando, deitada de costas, tentava não dormir. Passei a temer a chegada da noite com a mesma intensidade com que algumas pessoas temem a morte.

A luz do dia dissipou meus medos. Pela manhã, antes que o calor tomasse conta de tudo, Re-nefer sentou-se junto de mim e Nehesi e contou casos alegres sobre sua infância. Vimos um pato e ela se lembrou das caçadas de que participava com o pai e os irmãos, dos quais o mais velho seria nosso protetor. Ainda criança, confiavam-lhe as lanças, que ela devia entregar aos caçadores quando fosse necessário e antes que eles pedissem. Quando passamos por uma grande casa senhoril, Re-nefer descreveu a casa de seu pai em Mênfis, e os muitos jardins e lagos que havia em seu pátio amplo. O pai havia sido um escriba, trabalhara para os sacerdotes de Re, e sua família levara uma vida confortável.

Re-nefer ainda se recordava de todos os criados e escravos que a tinham servido quando criança. Contou sobre a mãe, Nebettani, que lembrava ser bonita mas distante; sempre às voltas com seus potes de *kohl*, seu maior prazer era quando as criadas derramavam vasos e mais vasos de água perfumada em suas costas dentro de sua linda banheira. Nebettani, porém, morrera de parto quando Re-nefer ainda usava o penteado das meninas pequenas.

Minha sogra reviveu seu passado através de contos e histórias encantadores de sua infância até a semana em que deixara o Egito para se casar. Os preparativos para o casamento haviam sido esmerados e um grande dote fora reunido. Re-nefer ainda se lembrava da quantidade de roupa de cama e mesa que havia em suas arcas, das joias que havia em seus dedos e pescoço e dos barqueiros que a tinham levado pelo rio até o mar.

Eu me debruçava para ela, ansiosa para saber detalhes da vida em Shechem, saber como tinha sido o nascimento de Shalem ou ouvir alguma história da infância dele. Em vão. Ela encerrou o relato com a sua chegada ao palácio do marido; um olhar vazio apagou o semblante alegre. Nenhuma palavra sobre Canaã, sobre o marido ou sobre os filhos que tivera com ele. Não mencionou o nome de Hamor uma vez sequer, e era como se Shalem não tivesse nascido, ou me amado, ou sangrado em meus braços até morrer.

O silêncio de Re-nefer pulsava de dor. Porém, quando procurei tocar sua mão, ela retomou o sorriso alegre e virou-se para falar sobre a beleza das palmeiras ou da importante posição que seu irmão ocupava como chefe dos escribas e inspetor dos sacerdotes de Re. Voltei, então, a contemplar as águas, e nelas mantive os olhos até chegarmos a Tebas.

A cidade coruscava ao pôr do sol. Colinas cor de púrpura, a oeste, rodeavam um vale verde, pontilhado de templos pintados de cores vivas de onde pendiam estandartes verdes e dourados. Na margem leste, grandes mansões, templos e bairros populosos de prédios menores, cujas fachadas caiadas reluziam em tons de rosa e ouro à medida que o sol se retirava para trás dos penhascos. Vi tendas brancas armadas nos terraços e fiquei imaginando se seriam pessoas de raça diferente que moravam por cima da população da cidade.

As ruas que saíam das margens do rio eram barulhentas e empoeiradas e circulamos por elas rapidamente, querendo chegar ao nosso destino antes do anoitecer. O perfume das flores-de-lótus ficava mais intenso à medida que a luz do dia declinava. Nehesi perguntou a um passante se ele sabia o caminho para a casa do escriba Nakht-re. O homem apontou para uma enorme construção ao lado de um dos magníficos templos da margem leste.

Uma menininha nua abriu a porta e hesitou ao ver os três estranhos. Re-nefer disse-lhe que queria ser imediatamente levada à presença de Nakht-re, seu irmão. Mas a menina apenas olhava para eles, parada junto à grande porta lustrosa. À sua frente, uma senhora egípcia vestindo uma túnica empoeirada, sem pintura no rosto nem joias, um guarda negro e corpulento com uma adaga à cinta mas descalço e uma estrangeira malvestida, com a cabeça tão baixa que provavelmente escondia um lábio leporino.

Re-nefer insistiu no pedido, mas a menina não se mexeu. Então, Nehesi empurrou a porta e atravessou o vestíbulo, que dava para um grande salão. O dono da casa estava finalizando as tarefas do dia, com rolos de pergaminho no colo e ajudantes aos seus pés. Nakht-re olhou para Nehesi, alarmado e sem compreender de que se tratava, mas ergueu-se de um salto quando viu Re-nefer, espalhando papéis pelo chão ao correr para abraçá-la.

Mal seus braços envolveram Re-nefer, ela começou a chorar. Não eram as lágrimas de alívio e felicidade de uma mulher contente por reencontrar um membro da família, mas o pranto desesperado da mãe que acabou de ter o filho assassinado na própria cama. Re-nefer chorava alto nos braços do irmão desconcertado. Acabou caindo de joelhos e gemendo lugubremente, dando vazão às mágoas de seu coração despedaçado.

O barulho assustador fez todas as pessoas da casa de Nakht-re acorrerem ao salão: cozinheiros, jardineiros, padeiros, crianças e a dona da casa. Nakht-re ajudou a irmã a se levantar e fez com que se sentasse em sua cadeira, onde a abanaram e deram-lhe água. Todos os olhares se voltavam para Re-nefer, que segurou as mãos de Nakht-re e relatou o que havia acontecido sem acrescentar muitos detalhes, da maneira como havia combinado comigo. Contou que sua casa fora invadida por bárbaros, que seus bens tinham sido saqueados, que sua família fora exterminada, que toda a sua vida lhe fora roubada. Descreveu a fuga e a tempestade no mar. Quando Nakht-re lhe perguntou sobre o marido, ela respondeu:

— Morto, assim como meu filho!

E voltou a chorar convulsivamente. Com isso, as mulheres da casa iniciaram um lamento fúnebre alto e estridente que fez um arrepio correr pelo meu pescoço, como uma maldição.

Re-nefer foi novamente abraçada pelo irmão e novamente procurou controlar-se.

— Nehesi é meu salvador — falou, dirigindo todos os olhares para onde ele estava, ao meu lado. — Eu estaria morta sem a força de seu braço, sua sabedoria e seu estímulo. Conseguiu fazer-me sair de Canaã, assim como esta moça, esposa de meu filho e que traz meu neto em seu ventre.

Os olhares se voltaram para a minha barriga e instintivamente minhas mãos se moveram para onde meu filho estava se desenvolvendo.

Depois, foi o mesmo que assistir a uma pantomima. Sabia apenas algumas palavras no idioma deles e as que havia aprendido na cama com meu amado. Conhecia as palavras que designavam as partes do corpo, a aurora e o pôr do sol, o pão, o vinho e a água. E o amor.

Porém os egípcios são um povo exuberante, que fala com as mãos e mostra os dentes ao falar, e acompanhei bastante bem o que diziam. Pelas expressões do rosto de Re-nefer, entendi que seu pai havia falecido, seu irmão mais moço estava em terras longínquas, que uma amiga, ou talvez uma irmã muito querida, morrera ao dar à luz e que Nakht-re era tão bem-conceituado quanto o pai deles.

Fiquei parada junto à porta, esquecida e portanto a salvo, até que desmaiei. Estava escuro quando acordei sobre um colchão de crina que exalava um aroma muito doce, ao lado da cama de Re-nefer, que dormia tranquilamente. Toda a casa também parecia dormir. O silêncio era tão profundo que, se não tivesse caminhado pelo burburinho das ruas de uma cidade naquela mesma tarde, seria capaz de jurar que estava no meio de um campo deserto ou no cume de uma montanha.

O canto de uma ave quebrou a quietude. Fiquei ouvindo, tentando encontrar a melodia de sua canção arrebatada. Já teria ouvido algum pássaro cantar à noite? Não me lembrava. Por um momento, esqueci tudo que não fosse a música de um pássaro cantando para a lua crescente, e quase sorri.

De repente, senti um leve toque em meus dedos e a sensação de prazer se foi. Com um salto, estava de pé, porém ainda não havia esquecido o golpe da espada de Nehesi e contive o grito. Uma pequena sombra movia-se em círculos à minha volta. O pássaro ainda cantava, mas agora seu trinado parecia zombar da alegria que eu experimentara momentos antes.

Horrorizada, vi a sombra pular para a cama de Re-nefer e desaparecer. Meus olhos ardiam com o esforço de enxergar na escuridão e comecei a chorar a morte da minha boa senhora, certa de que a criatura havia acabado com a sua vida. Torcia as mãos e lastimei a minha própria sorte: sozinha e abandonada em uma terra distante. Deixei escapar um gemido e Re-nefer mexeu-se, murmurando, meio adormecida:

— O que houve, criança?

— Perigo — eu disse entre soluços.

Re-nefer sentou-se e a sombra pulou na minha direção. Cobri a cabeça e dei um grito.

— Um gato — ela explicou, rindo mansamente. — É só um gato. Bastet, que rege o coração das casas aqui. Volte a dormir agora. — Suspirou e voltou para seu travesseiro.

Fiquei deitada, mas meus olhos não se fecharam mais naquela noite. Pouco depois, a luz começou a se filtrar pelas janelas que se enfileiravam no alto de uma parede. A claridade do sol encheu o quarto. Observei as paredes caiadas e, em um canto, uma aranha tecendo sua teia. Vi imagens de deuses que não conhecia colocadas em nichos ao redor das paredes. Estendi a mão para tocar o belo pé da cama de Re-nefer, entalhado com a forma da pata de um animal gigantesco. Inalei o cheiro de meu colchão: feno, suavizado com o perfume de uma flor que eu não conhecia. O quarto parecia abarrotado de cestos com desenhos intricados e tapetes trançados. Havia um conjunto de frascos dentro de uma caixa marchetada, ao lado de uma pilha alta de panos dobrados, que mais tarde aprendi serem toalhas de banho. Todas as superfícies eram tingidas ou pintadas com cores fortes.

Eu não pertencia àquele lugar, cheio de tantas coisas maravilhosas. Porém era o único lar que eu possuía.

Durante as primeiras semanas, eu não estava totalmente consciente de que trazia uma criança dentro de mim. Meu corpo parecia igual e estava tão ocupada com o novo ambiente que não reparei nas mudanças de fase da lua, que as mulheres egípcias encaravam com pouca formalidade e que não implicavam afastamento. Permaneci junto a Re-nefer, que passou esses primeiros dias descansando no jardim e traduzindo quando eu não compreendia as poucas palavras que me dirigiam.

Não era maltratada. Todos na casa de Nakht-re eram gentis, até sua esposa Herya, que, sem ter sido avisada, tivera de partilhar sua casa com uma irmã há muito esquecida e seus dois criados estrangeiros. Nehesi sabia como se tornar útil e logo passou a trabalhar para Nakht-re como mensageiro, circulando entre a residência, o templo e as tumbas que estavam sendo construídas no vale a oeste.

Eu não chegava a ser criada nem era propriamente sobrinha. Apenas uma estrangeira de quem se desconhecia o idioma e as habilidades. Quando me encontrava, a dona da casa dava-me uns tapinhas afetuosos como se eu fosse um gato e afastava-se antes que fosse necessário trocar palavras. Os criados também não sabiam onde me encaixar. Tentaram ensinar-me como fiar o linho para que pudesse ajudar no trabalho doméstico, porém minhas mãos não eram ágeis, e já que eu não podia participar de conversas e mexericos na cozinha, fui deixada de lado.

Minha ocupação principal era cuidar de Re-nefer, mas ela preferia a solidão. Procurei, então, outras tarefas para encher meu tempo. As escadarias da casa atraíam-me de modo especial, e achava sempre alguma desculpa para subir e descer de um andar para outro, observando como o ambiente ficava diferente a cada degrau. Assumi a tarefa de lavá-las pela manhã e varrê-las ao entardecer, e mantê-las limpas enchia-me de um orgulho tolo.

Sempre que podia, subia para o terraço, onde o vento norte vindo do rio quase levantava a tenda armada como proteção contra o sol. Nas noites quentes, quase todas as pessoas da casa dormiam lá, mas nunca me juntei a elas receando que ficassem sabendo do meu pesadelo.

Do terraço, eu via ao longe o reflexo do sol no rio e a dança das velas dos barcos. Lembrei a primeira vez que vira tanta água, quando era criança e viajava com minha família de Haram para o sul. Pensei no rio junto ao qual José e eu tínhamos sido atacados por um poder invisível e salvos pelo amor de nossas mães. Ao lembrar a promessa de Shalem de me ensinar a nadar, senti um terrível aperto na garganta. Fixei os olhos bem abertos no horizonte, como fizera em Mamre, para segurar o choro e não ceder à vontade de me atirar do terraço.

Os dias se passavam em uma sucessão indistinta de coisas novas para ver e aprender. As noites, porém, eram sempre iguais. Lutava contra os sonhos que me deixavam banhada de suor, encharcando o colchão como o sangue de Shalem havia encharcado a nossa cama, arquejante e temendo fazer qualquer ruído. De manhã, meus olhos doíam e minha cabeça latejava. Re-nefer ficou preocupada comigo e trocou ideias com a cunhada. As duas determinaram que eu passaria as tardes repousando. Ataram um cordão vermelho em torno de minha cintura. Faziam-me beber leite de cabra misturado com uma poção amarela que manchava minha língua.

À medida que minha barriga crescia, as mulheres da casa encantavam-se cada vez mais comigo. Fazia muito tempo que nascera a última criança na família de Nakht-re e todos estavam ansiosos por um pequenino. Serviam-me comidas surpreendentes, tão exóticas para mim quanto as flores do luxuriante jardim que havia atrás da casa. Comia melão de polpa alaranjada e melão de polpa rosada, e havia sempre muitas tâmaras. Nos muitos dias de festa dedicados aos deuses ou nos feriados, havia ganso preparado com alho ou peixe ao molho de mel.

O melhor de tudo, porém, eram os pepinos, a comida mais deliciosa que eu poderia imaginar. Verdes. Doces. Mesmo ao calor do sol, um pepino beijava a boca com o frescor da lua. Seria capaz de comê-los sem parar, nunca ficaria enjoada ou satisfeita. Minha mãe adoraria esse fruto, pensei na primeira vez que mordi sua polpa sumarenta. Era meu primeiro pensamento para Lia em mais de um mês. Minha mãe não sabia que eu estava grávida, minhas tias não sabiam nem mesmo se eu estava viva. Estremeci de tanta solidão.

Herya notou que meus ombros tremiam e levou-me pela mão até o vestíbulo da porta da frente. Paramos diante de um nicho na parede e, com um gesto, ela mandou que eu pegasse a pequenina deusa. Era um hipopótamo de pé nas patas traseiras, a barriga protuberante e uma boca enorme e sorridente.

— Taweret — disse Herya, tocando a imagem de barro e em seguida tocando a minha barriga.

Franzi as sobrancelhas, sem entender. Herya ficou de cócoras, como uma mulher em trabalho de parto, colocou a imagem entre suas pernas e, através da mímica, mostrou-me que Taweret cuidaria para que eu tivesse um bom parto.

A dona da casa pensara que eu estava com medo de dar à luz. Assenti com a cabeça e sorri.

— Menino — disse ela e de novo afagou minha barriga.

Fiz que sim com a cabeça. Eu sabia que estava esperando um menino e respondi no idioma da casa.

— Menino.

Herya pôs a estatueta em minhas mãos, querendo dizer que eu ficasse com ela, e beijou meu rosto. Por um momento, a gargalhada rouca de Inna soou tão alto em meus ouvidos que pensei que a velha parteira estivesse ao meu lado, satisfeita com a profecia que fizera muito tempo antes, de que Taweret tomaria conta de mim.

Na semana seguinte, senti o adejar da asa de um pássaro em meu coração. Estava impressionada com o amor que sentia pela vida que carregava em meu ventre. Comecei a sussurrar para o meu filho ainda não nascido quando estava deitada em minha cama, cantarolava baixinho para ele as canções da minha infância enquanto varria ou fiava. Pensava no meu bebê enquanto penteava o cabelo, quando comia, de manhã e à noite.

Os pesadelos com o sangue de Shalem foram sendo substituídos por um sonho alegre com o filho dele, a quem chamei Bar-Shalem. No sonho, meu filho não era um bebê, mas uma pequenina cópia de seu pai, aninhado em meus braços e contando-me histórias sobre sua infância no palácio, sobre as maravilhas do rio, sobre a vida do outro lado da vida. Nesse sonho, meu amado protegia-me e afugentava um crocodilo faminto que viera atrás de mim e do menino.

Detestava acordar, e então passei a dormir cada vez mais tarde só para continuar dentro do sonho. Re-nefer permitia que eu ficasse na cama e qualquer coisa mais que eu desejasse. Antes de adormecer, ela e eu ficávamos observando os movimentos de minha barriga. Encantada, ela dizia:

— Ele é forte!

E eu rezava:

— Que ele seja forte.

Eu não estava preparada quando a hora chegou. Confiante em tudo que tinha aprendido com Raquel e Inna, não me preocupava com o parto. Já havia testemunhado o nascimento de muitos bebês saudáveis e a coragem de muitas mães capazes. Achava que não tinha nada a temer.

Quando a primeira dor de verdade se apoderou de mim e me tirou o fôlego, lembrei-me das mulheres que haviam desmaiado, das mulheres que haviam gritado, chorado e implorado pela morte. Lembrei-me da mulher que havia morrido com os olhos arregalados de terror e da que morrera em um mar de sangue, os olhos fundos de exaustão.

Um soluço escapou de minha garganta quando a bolsa estourou e o líquido escorreu pelas minhas pernas. Exclamei "Mãe!", sentindo falta daqueles quatro rostos, daqueles generosos quatro pares de mãos. Como estavam distantes. Sentia-me muito só. Como gostaria de ouvir as vozes delas me reconfortando em minha própria língua.

Por que ninguém me dissera que meu corpo se transformaria em um campo de batalha, em um altar de sacrifício, em uma prova a ser superada? Por que eu não soube antes que é durante o parto que a mulher adquire a coragem de ser mãe? Todavia, não há como se dizer ou ouvir isso. Até chegar a vez de cada uma subir nos tijolos, não se tem ideia de que a morte está à espreita, pronta para desempenhar o seu papel. Até chegar a sua vez de subir nos tijolos, não se imagina o poder que emerge das outras mulheres que estão em volta — mesmo das que falam uma língua estrangeira e invocam deuses que se desconhecem.

Atrás de mim, Re-nefer recebia meu peso sobre os seus joelhos e elogiava minha coragem. Herya, a dona da casa, segurava meu braço direito e, em voz baixa, fazia preces a Taweret, Ísis e a Bes, o feio deus anão que adorava crianças. A cozinheira, do meu lado esquerdo, agitava acima da minha cabeça, para abrandar a dor, um bastão curvado e entalhado com cenas de nascimentos. De cócoras, à minha frente, estava uma parteira chamada Meryt, pronta para aparar o bebê. Não a conhecia, mas suas mãos eram tão seguras e delicadas quanto imagino que as de Inna deviam ter sido. Soprava em meu rosto quando as dores recomeçavam para que eu não prendesse a respiração. No início, até me fez rir um pouco e soprar de volta.

No intervalo das dores, as quatro mulheres conversavam por cima de minha cabeça e tranquilizavam-me com palavras de estímulo assim que recomeçavam. Molhavam minha boca com suco de frutas e enxugavam meu corpo com toalhas perfumadas. Meryt massageava minhas pernas. Os olhos de Re-nefer brilhavam, cheios de lágrimas.

Eu chorava e gritava. Perdi as esperanças e rezei. Vomitei e meus joelhos se dobraram. Mas elas não pareciam preocupadas ou ansiosas, embora ficassem de testa franzida quando eu demonstrava dor. Sentindo-me protegida, continuei lutando.

Então, comecei a fazer força, pois nada mais havia a fazer. Fiz força, fiz tanta força que pensei que fosse desmaiar. Ainda assim, o bebê não vinha. O tempo ia passando. Mais força, mais força, e nenhum progresso.

Em determinado momento, Meryt olhou para Re-nefer e eu surpreendi a mesma troca de olhares que já presenciara entre Raquel e Inna em momentos como aquele, quando a transição natural da vida para a vida se transforma em uma luta entre a vida e a morte. Senti a sombra que estava à espreita curvar-se para mim e meu filho.

— Não — gritei, primeiro em minha língua materna. — Não — disse no idioma das mulheres a meu redor. — Mãe — implorei a Re-nefer —, traga-me um espelho para que eu possa ver por mim mesma.

Trouxeram um espelho e uma lamparina e vi minha carne retesada. Lembrei-me do que Inna fazia.

— Enfie a mão — supliquei a Meryt. — Acho que ele está virado. Ponha a mão dentro de mim e vire o rosto dele, o ombro.

Meryt tentou fazer o que eu mandara, porém suas mãos eram grandes demais. Minha pele estava esticada demais. Meu filho era grande demais.

— Traga uma faca — pedi, quase gritando —, ele precisa de uma passagem maior.

Re-nefer traduziu e Herya respondeu em um sussurro grave.

— Não temos cirurgiões nesta casa, filha — explicou-me por sua vez Re-nefer. — Vamos mandar buscar um agora, mas...

As palavras chegaram a mim como se viessem de muito longe. Tudo o que eu queria era me livrar daquele peso, acabar com aquela agonia e dormir, ou então morrer. Meu corpo exigia que eu fizesse força, mas, quando a sombra à espreita no canto do quarto sacudiu a cabeça em sinal de aprovação, recusei-me a obedecer.

— É você quem vai fazer isso — disse a Meryt. — Pegue a faca e abra o caminho para ele. Por favor — implorei, e ela me olhou penalizada, sem compreender. — Uma faca! Mãe! — gritei, em desespero. — Raquel, onde está você? Inna, o que devo fazer?

Re-nefer chamou alguém e voltaram com uma faca. Meryt segurou-a, temerosa. Enquanto eu gritava e lutava para não fazer força, ela encostou a lâmina em meu corpo e abriu caminho, da frente para trás, como eu já tinha visto fazer. Pôs a mão dentro de mim para girar o ombro da criança. Fiquei cega de dor, como se estivesse sentada sobre o próprio sol. Em um instante, o bebê estava fora. Porém, em vez de gritos de alegria, foi recebido com silêncio; o cordão umbilical estava enrolado em seu pescoço, os lábios estavam azuis.

Meryt agiu rápido. Cortou o cordão umbilical e pegou seus canudos de junco, sugando a morte da boca da criança e soprando a vida em suas narinas. Eu gritava, soluçava, tremia. Herya segurava-me enquanto todas nós acompanhávamos o trabalho da parteira.

A tenebrosa cabeça do cão da morte moveu-se para a frente, mas a criança tossiu e, com um choro zangado, dissipou todas as incertezas. O canto em que a sombra se escondera encheu-se de luz, pois a morte não permanece nos lugares onde foi derrotada. Ao meu redor ecoavam as vozes de quatro mulheres conversando e rindo alto. Deixei-me cair sobre o colchão e não tomei conhecimento de mais nada.

Estava escuro quando acordei. Uma única lamparina luzia ao meu lado. O chão havia sido lavado e até meu cabelo cheirava a limpeza. Uma menina que estava de vigília viu que eu abrira os olhos e chamou Meryt, que veio carregando um embrulho de linho.

— Seu filho — ela disse.

— Meu filho — respondi, aturdida, e tomei-o em meus braços.

Assim como não há meios de prevenir ninguém sobre um parto, também não existe preparação para o momento de olhar o primeiro filho. Examinei seu rosto, seus dedos, as dobras das suas perninhas, os contornos de suas orelhas, os diminutos mamilos em seu peito. Prendia o ar quando ele suspirava, ria quando ele bocejava, espantava-me quando ele apertava meu dedo. Não me cansava de olhar para ele.

Deveria haver uma canção para todas as mães cantarem nessa hora, ou uma prece para se rezar. Talvez não existam porque não há palavras fortes o bastante para expressar o momento. Como todas as mães desde a primeira, sentia-me ao mesmo tempo triunfante e despojada, exultante e destruída. Fizera a travessia, minha infância ficara para trás. Vi-me como uma criança no colo de minha mãe e vislumbrei minha própria morte. Chorei, sem saber se era de júbilo ou de tristeza. Minhas mães e as mães de minhas mães estavam todas comigo quando segurei meu filho pela primeira vez.

— Bar-Shalem — falei baixinho.

Ele tomou meu peito e mamou enquanto dormia.

— Felizardo — disse eu, comovida —, dois prazeres de uma só vez.

Nós dois adormecemos sob o olhar cuidadoso de Meryt, a parteira egípcia, a quem, tinha certeza, amaria para sempre, mesmo que não voltasse a vê-la. Naquela noite, sonhei que Raquel me dera dois tijolos de ouro e Inna me presenteara com um caniço de prata. Aceitei os presentes, solene e orgulhosa, tendo Meryt ao meu lado.

Não vi meu filho quando acordei. Tentei levantar-me, mas a dor prendeu-me na cama. Gritei assustada e Meryt apareceu trazendo compressas macias e unguentos para as minhas feridas.

— Meu filho? — perguntei, no idioma dela.

Olhou-me com ternura e respondeu:

— O menino está com a mãe dele.

Pensei que não havia compreendido bem. Talvez eu não tivesse usado as palavras corretas. Perguntei de novo, dessa vez devagar, mas ela tocou em mim, penalizada, e sacudiu a cabeça: não.

— O menino está com a mãe dele, com a senhora.

Ainda confusa, chamei:

— Re-nefer, Re-nefer! Levaram meu filho! Mãe, ajude-me!

Ela veio, trazendo o bebê envolto em uma manta de linho muito fino debruado a ouro.

— Minha filha — disse Re-nefer, de pé ao meu lado —, você se comportou muito bem. Foi realmente magnífica, e todas as mulheres de Tebas ficarão sabendo da sua coragem. Quanto a mim, serei grata a você enquanto viver. O filho que teve sobre meus joelhos será um príncipe do Egito. Será educado como sobrinho do importante escriba Nakht-re, e como neto de Paser, escriba de dois reinados, guardião do livro de contas do próprio rei.

Olhou para o meu rosto perplexo e ferido e procurou consolar-me, mesmo sabendo que me aniquilava:

— No Egito, a mãe dele sou eu. Você será a ama de leite, e ele vai saber que nasceu de você. Seu prêmio será cuidar dele, mas vai chamar nós duas de mãe e ficar aqui até poder ir para a escola. Por tudo isso você deve ser grata.

E continuou:

— Este é o meu filho, Re-mose, filho de Re, que você deu à luz para mim e para minha família. Ele vai construir minha tumba e escrever seu nome, Den-ner, sobre ela. Será um príncipe do Egito.

Entregou-me o menino, que havia começado a chorar, virou as costas e saiu.

— Bar-Shalem — sussurrei no ouvido dele.

Re-nefer ouviu e estacou. Sem se voltar para me encarar, avisou:

— Se chamá-lo de novo por esse nome, vou mandar que a expulsem desta casa e a atirem na rua. Se não obedecer às minhas instruções, seja neste ou em quaisquer outros assuntos relativos à educação de nosso filho, vai perdê-lo. Isso deve ficar bem claro.

Então, virou-se para mim e notei que seu rosto estava úmido.

— A única vida que tenho está aqui, junto ao rio — disse, com a voz embargada de lágrimas. — O infortúnio, a força do mal que arrebatou meu *ka* e submeteu-o à brutalidade de terras inóspitas, finalmente acabou. Estou de volta à minha família, à civilização, ao serviço de Re. Consultei os sacerdotes a quem meu irmão serve e eles acreditam que o seu *ka*, o seu espírito, também deve ter raízes aqui, ou você não teria sobrevivido à doença, à viagem e ao parto.

Re-nefer contemplou a criança em meu seio e, com infinita ternura, falou:

— Ele será protegido das tormentas e dos espíritos maléficos. Será um príncipe do Egito.

E, com um sussurro que não disfarçava sua determinação, falou:

— Você fará o que eu estou mandando.

✧✦✧

A princípio, as palavras de Re-nefer significaram pouco para mim. Eu tomava cuidado para não chamar meu filho de Bar-Shalem quando alguém estivesse por perto, mas, de resto, era a sua mãe. Re-mose passava os dias e as noites comigo de modo que eu pudesse amamentá-lo sempre que chorasse. Dormia ao meu lado e eu o embalava, e brincava com ele, e memorizava cada traço e cada humor dele.

Por três meses, moramos no quarto de Re-nefer. Meu filho crescia sem parar, ganhava peso e tornava-se robusto, de pele lisa e macia, o bebê mais bonito que já havia nascido. Fiquei completamente curada, graças aos cuidados de Meryt. Nas horas quentes da tarde, Re-nefer tomava conta dele enquanto eu me banhava ou dormia.

Os dias se passavam tranquilos, sem trabalho, sem lembranças. A criança em meu peito era o centro do universo. Eu era a fonte de toda a sua felicidade e, durante umas poucas semanas, a deusa e eu fomos uma só.

No princípio do quarto mês de sua vida, toda a família se reuniu no salão onde Nakht-re se sentava com seus assistentes. As mulheres agruparam-se junto às paredes enquanto os homens rodeavam a criança e colocavam os instrumentos do escriba em suas mãos pequeninas. Seus dedos se fecharam em volta de pincéis de junco novos e ele agarrou uma lousa redonda onde as tintas eram misturadas. Agitou no ar com as duas mãos um pedaço de papiro como se fosse um leque, o que encantou Nakht-re, que declarou que o menino nascera para a profissão. Assim, meu filho foi recebido no mundo dos homens.

Só então me lembrei do oitavo dia, quando os meninos recém-nascidos em minha família eram circuncidados e as que eram mães pela primeira vez, aterrorizadas, ficavam na tenda vermelha aos cuidados das mais experientes. Meu coração se partiu em dois pedaços, um deles lamentando que na outra vida o deus adorado por meu pai não fosse reconhecer aquele menino, nem meu irmão José o reconheceria, nem suas avós. Por outro lado, estava imensamente orgulhosa por saber que o sexo do meu filho permaneceria inteiro, pois, afinal, por que ele deveria conviver com um sinal que lhe lembrasse a morte do pai? Por que sacrificar-se a um deus em nome do qual eu me tornara uma viúva e ele próprio um órfão?

Naquela noite houve um banquete. Sentei-me no chão ao lado de Re-nefer, que segurava o menino no colo e dava-lhe melão amassado para comer, e fazia-lhe cócegas com uma pluma, e acarinhava-o tanto que ele ria e sorria para todos os convidados, que tinham vindo comemorar a chegada de um novo filho à casa de Nakht-re.

Havia comida e bebida em quantidades que eu era incapaz de calcular: peixe e caça, frutas e doces de sabor tão intenso que chegavam a enjoar, e vinho e cerveja em abundância. Alguns músicos tocavam flautas e sistros, instrumentos de percussão com lâminas tilintantes cujo som era exatamente igual ao de água caindo. Havia canções tolas, canções de amor e canções dedicadas aos deuses. Quando os sistros começaram a soar, surgiram correndo dançarinas que vieram ocupar o meio da sala, girando e saltando, curvando o corpo para trás até a cabeça tocar o chão.

Os adornos de cabeça que todos os convidados recebiam à entrada eram cones de cera perfumada que, ao longo da noite, se derreteram em cascatas de lótus e lírio. A pele de meu filho estava pegajosa quando o levei, profundamente adormecido, do colo de Re-nefer, e o aroma ficou impregnado no cabelo escuro dele por muitos dias.

Uma das muitas surpresas do meu primeiro banquete foi ver mulheres e homens comendo juntos. Maridos e mulheres sentavam-se lado a lado à mesa durante toda a refeição e conversavam. Vi uma mulher pôr a mão no braço do marido e um homem beijando as mãos cheias de joias de sua acompanhante. Era impossível para mim imaginar meus pais fazendo uma refeição na companhia um do outro, ainda mais se tocando na presença de outras pessoas. Mas estávamos no Egito e a estrangeira era eu.

Aquela noite marcou o final do meu isolamento. Minhas feridas estavam cicatrizadas e meu filho era saudável. Portanto, fomos mandados para o jardim, onde ele não sujaria o assoalho e a sua tagarelice não incomodaria o trabalho dos escribas. Assim, meus dias eram passados ao ar livre. Enquanto meu filho dormia entre os canteiros de flores, eu aproveitava para arrancar ervas daninhas, colher o que fora encomendado pela cozinheira e aprender a reconhecer as frutas e flores do lugar. Ao acordar, meu filho era saudado pelo canto dos pássaros do Egito e arregalava os olhos de alegria quando os via alçar voo.

O jardim passou a ser uma casa para mim e uma escola para o meu filho. Re-mose deu seus primeiros passos à beira de um enorme tanque repleto de peixes e aves domésticas, que ele observava fascinado. Suas primeiras palavras, depois de "mãe", foram "pato" e "lótus".

A avó trazia-lhe lindos brinquedos. Quase todos os dias, ela o surpreendia com uma bola, um pião ou uma lança de caçador em miniatura. Certa vez, trouxe de presente um gato de madeira com um mecanismo que fazia a boca do animal abrir e fechar quando se puxava um cordão. Fiquei tão maravilhada quanto o menino. Meu filho amava Re-nefer e, quando via que ela estava chegando, corria com seu andar vacilante ao encontro dela para recebê-la com um abraço.

Eu não era infeliz vivendo no jardim. Re-mose, que era saudável e alegre, dava sentido à minha presença e um certo prestígio à minha pessoa, pois todos o adoravam e atribuíam a mim o mérito por seus bons modos e temperamento agradável.

Todos os dias eu beijava meus dedos e com eles tocava a estátua de Ísis, oferecendo graças a ser distribuídas aos muitos deuses e deusas egípcios cujas histórias eu não conhecia, em gratidão pela dádiva de meu filho. Dava graças todas as vezes que meu filho me abraçava e, a cada sete dias, partia um pedaço de pão e dava de comer aos patos e peixes, em memória às oferendas de minhas mães à Rainha do Paraíso e como uma prece para que meu Re-mose continuasse saudável.

Os dias transcorreram serenos e logo se transformaram em meses, consumidos pelas tarefas infindáveis que nos impomos ao amar uma criança. Não dispunha de tempo para pensar no passado nem tinha necessidade do futuro.

Teria ficado para sempre dentro do jardim em que Re-mose passou a infância, mas o tempo é inimigo das mães. Antes que me desse conta, ele já não era mais um bebê: a criança que só andava segurando na minha mão transformou-se em um menino que corria por todos os lados. Foi desmamado e eu abandonei o recato de Canaã, passando a usar um vestido solto de linho fino e transparente como os das mulheres egípcias. Parte da cabeça de Re-mose foi raspada e os cabelos arrumados em uma trança lateral, usada por todas as crianças egípcias.

Meu filho cresceu forte e robusto, brincando de lutar com o tio Nakht-re, a quem chamava Ba. Eles se adoravam e Re-mose o acompanhava nas expedições de caça aos patos. Segundo Re-nefer, o menino nadava como um peixe. Eu nunca saía de casa ou dos jardins, mas ela ia no barco que os levava às caçadas para vê-lo nadar. Com apenas sete anos, meu filho já conseguia vencer o tio em complicados jogos de tabuleiro que exigiam planejamento estratégico e pensamento lógico para vencer, como o *senet* e o dos "vinte quadrados". Assim que o menino conseguiu segurar uma vareta, Nakht-re mostrou-lhe como desenhar figuras em pedaços de pedra, primeiro de brincadeira e depois de professor para aluno.

À medida que crescia, Re-mose passava mais tempo dentro de casa observando Nakht-re trabalhar, praticando a escrita e fazendo a refeição da noite com a avó. Certa manhã, ao tomar o desjejum comigo na cozinha, reparei que se empertigou e enrubesceu quando parti um figo com os dentes e dei-lhe metade para comer. Meu filho nada disse que pudesse me magoar, mas depois disso parou de comer em minha companhia e passou a dormir no terraço da casa, deixando-me sozinha no meu catre do jardim a me perguntar aonde teriam ido parar os últimos oito anos.

Aos nove anos, Re-mose chegou à idade em que os meninos atavam sua primeira faixa de pano nos quadris, o que punha fim a seus dias de andarem despidos. Era hora de ir para a escola e tornar-se um escriba. Nakht-re concluiu que os professores da região não eram suficientemente qualificados para seu sobrinho e, sendo assim, Re-mose iria para uma grande academia em Mênfis, onde os filhos dos escribas mais poderosos recebiam treinamento e encargos e onde o próprio Nakht-re havia estudado. Ele me explicou tudo isso numa certa manhã no jardim. Expressou-se com delicadeza e compaixão, pois sabia como seria penoso para mim ver Re-mose partir.

Re-nefer percorreu os mercados à procura dos melhores cestos para guardar suas roupas, em busca das sandálias mais duráveis e da caixa perfeita para acondicionar seus pincéis. Encomendou a um escultor uma paleta para misturar tintas. Para comemorar a partida de Re-mose, Nakht-re planejou um grande banquete e deu-lhe de presente um requintado conjunto de pincéis. Os olhos de Re-mose brilhavam de excitação diante da perspectiva de sair para o mundo e falava sobre a viagem sempre que estávamos juntos.

Acompanhei os preparativos do fundo de um poço escuro. Se tentava conversar com Re-mose, meus olhos se enchiam de lágrimas e eu ficava com um nó na garganta. Ele fazia de tudo para me consolar.

— Eu não vou morrer, mãe — dizia com uma voz tão séria e doce que me entristecia mais ainda. — Vou voltar trazendo presentes para você e, quando for um escriba importante como Ba, vou construir para você uma casa com o maior jardim de todas as terras do sul.

Nos dias que antecederam a sua partida, abraçou-me e segurou minha mão muitas vezes. Mantinha o queixo erguido para que eu não achasse que estava triste ou com medo, embora fosse na realidade apenas um garotinho deixando suas mães e sua casa pela primeira vez. Dei-lhe o último beijo no jardim, perto do mesmo tanque em que se encantara com os peixes e brincara com os patos. Então, Nakht-re segurou sua mão e levou-o.

Do terraço, observei-os saindo de casa, um pano enfiado na boca para poder finalmente chorar até me sentir vazia. Naquela mesma noite o antigo pesadelo voltou com toda a força. Estava mais uma vez sozinha no Egito.

2

Desde o seu nascimento, minha vida evoluiu em torno de meu filho. Meus pensamentos jamais se desviavam de sua felicidade e meu coração batia em uníssono com o dele. Suas alegrias eram minhas alegrias e, porque ele era uma criança excelente, meus dias tinham uma razão de ser e eram sempre alegres.

Quando ele foi embora, senti-me ainda mais sozinha do que quando cheguei ao Egito. Shalem fora meu marido por algumas poucas semanas, a recordação que tinha dele fora se desvanecendo e tornara-se uma imagem triste que assombrava meu sono. Re-mose, por outro lado, havia convivido comigo durante toda a minha vida adulta. Enquanto ele crescia, meu corpo desabrochou e meu coração cresceu em sabedoria, pois entendi o significado de ser mãe.

Quando olhava de relance minha imagem nas águas do tanque do jardim, via uma mulher de lábios finos, cabelos cacheados e olhos pequenos, arredondados, estrangeiros. Em nada lembrava meu filho, moreno, bonito, que se parecia mais com o tio do que com qualquer outra pessoa e estava se transformando no que Re-nefer profetizara: um príncipe do Egito.

Não tinha tempo para pensar sobre a minha solidão, pois precisava encontrar meu lugar na casa de Nakht-re. Embora Re-nefer continuasse gentil, pouco tínhamos para conversar depois da partida de Re-mose, e sentia crescer entre nós um silêncio pesado. Raramente eu entrava na casa.

Fiz um lugar para mim em um canto de um pequeno abrigo do jardim usado para guardar enxadas e foices, o mesmo onde Re-mose costumava esconder seus tesouros: seixos rolados, plumas, pedaços de papiro recolhidos na sala de Nakht-re. Ele havia deixado essas coisas para trás sem se importar, mas eu as embrulhei em um retalho de linho fino e guardei, com todo o cuidado, como se fossem estatuetas de marfim com imagens de deuses, e não apenas os brinquedos que uma criança jogou fora.

Os homens que cuidavam do jardim não faziam qualquer objeção à presença de uma mulher entre eles. Eu trabalhava duro e eles apreciavam o talento especial que eu demonstrava com as flores e frutas que entregava na cozinha. Não me interessava ter companhia e rejeitei tantas vezes as atenções masculinas que os homens simplesmente deixaram de me procurar. Quando encontrava os familiares de meu filho aproveitando o frescor do jardim, trocávamos apenas cumprimentos com acenos de cabeça e palavras formais de saudação.

Quando havia notícias de Re-mose vindas de Mênfis, o próprio Nakht-re vinha transmiti-las para mim. As notícias eram sempre enviadas por Kar, o professor mais importante, que também havia sido seu instrutor. Assim, fiquei sabendo que Re-mose dominara em apenas dois anos alguma coisa chamada *keymt*, uma proeza de memorização que provava que meu filho iria longe e talvez algum dia até mesmo prestasse serviços ao rei.

Nunca se dizia uma palavra sobre sua vinda para casa. Em uma ocasião, Re-mose fora convidado para ir caçar com os filhos do governador e não ficaria bem recusar um convite tão auspicioso. Em outra, meu filho havia sido escolhido como aprendiz e assistente de Kar quando o mestre fora convocado a julgar uma questão legal, justamente durante as semanas em que os outros meninos iriam visitar suas famílias.

Certa vez, Nakht-re e Re-nefer foram visitar Re-mose em Mênfis, em peregrinação à tumba do pai de ambos. Voltaram trazendo lembranças carinhosas dele para mim e notícias sobre seu crescimento. Passados quatro anos, ele estava mais alto que Nakht-re e mostrava-se desembaraçado e seguro de si. Trouxeram também exemplos do seu progresso nos estudos: fragmentos de cerâmica cobertos de inscrições.

— Olhe — disse Nakht-re, apontando para a figura de um falcão —, veja com que firmeza ele desenhou as costas de Hórus.

Presentearam-me com aquele tesouro vindo das mãos de meu filho. Fiquei maravilhada e mostrei-o a Meryt, que realmente se impressionou com a regularidade e beleza das figuras. Estava comovida pelo fato de meu filho ser capaz de discernir o significado de ranhuras em cacos de cerâmica e foi reconfortante saber que algum dia ele seria um grande homem. Poderia se tornar escriba dos sacerdotes de Amun ou até vizir de um governador. Não havia sido o próprio Nakht-re quem dissera que Re-mose poderia até aspirar a servir ao rei? Nada disso, porém, enchia meus braços ou alegrava meu olhar. Sabia que meu filho estava se tornando um adulto e tive medo de que, quando o visse, fôssemos como estranhos um para o outro.

✧

Se durante aqueles longos anos eu tivesse desaparecido, ninguém, exceto Meryt, teria dado ao fato mais que uma importância passageira. Mas Meryt estava sempre por perto, com sua infalível bondade, mesmo quando me afastava dela e não lhe dava motivos para me amar.

Nas semanas que se seguiram ao parto de Re-mose, a parteira viera visitar-me todos os dias. Fazia os curativos, trazia caldo feito de osso de boi para fortalecer-me e cerveja preta doce para que eu tivesse bastante leite. Massageava meus ombros, enrijecidos de tanto segurar o bebê, e foi ela quem me ajudou a ficar em pé para tomar meu primeiro banho de verdade como mãe, jogando água fresca e perfumada em minhas costas e enrolando-me em toalhas limpas.

Meu resguardo já terminara fazia muito tempo, mas as visitas de Meryt continuaram. Tinha muita preocupação com a minha saúde e adorava o menino, a quem examinava com cuidado, fazendo-lhe também massagens lentas e sensíveis que o ajudavam a dormir por horas a fio. No dia em que ele foi desmamado, Meryt até me deu um presente: uma pequena escultura de obsidiana que representava uma mulher amamentando. Fiquei embaraçada com sua generosidade, mas, quando tentei recusar suas atenções e seus presentes, ela insistiu, dizendo:

— A vida de parteira não é fácil, mas isso não é razão suficiente para torná-la desagradável.

Meryt sempre falava comigo de parteira para parteira. Pouco importava que a última vez que eu entrara em uma sala de parto tivesse sido para o nascimento de meu filho; ela continuava a elogiar a habilidade que eu demonstrara durante o parto. Ao voltar para casa naquele dia, Meryt pediu à sua senhora para descobrir o que pudesse a meu respeito. Sua senhora, Ruddedit, foi buscar informações junto a Re-nefer, que só lhe deu alguns detalhes. Meryt usou esses detalhes para criar uma história fabulosa.

Segundo a história de Meryt, eu era filha e neta de parteiras que conheciam o poder das ervas e das cascas de árvores melhor que as feiticeiras de On, onde se ensinava a arte de curar doenças no Egito. Ela acreditava que eu era uma princesa de Canaã, descendente de uma famosa rainha que fora destronada por um rei perverso.

Não quis corrigi-la. Temia que, ao pronunciar o nome de minhas mães e de Inna, eu perdesse o controle e acabasse por revelar toda a história da minha vida, sendo por isso expulsa da casa, e meu filho fosse rejeitado por trazer nas veias o sangue de assassinos. Assim, Meryt enfeitou minha história e repetiu-a para as mulheres que encontrava, que não eram poucas, pois era ela quem fazia a maioria dos partos na zona norte, atendendo a nobres e plebeus indiscriminadamente. Contava como eu salvara a vida de meu filho com minhas próprias mãos, sem mencionar sua participação. Discorria sobre meu conhecimento de plantas medicinais e a reputação que havia adquirido como curandeira em remotas terras estrangeiras. Tudo isso era fruto exclusivo de sua imaginação. E, quando ajudei uma das criadas de Nakht-re a dar à luz seu primeiro filho, Meryt espalhou a notícia de que eu tinha virado a criança ainda dentro do ventre da mãe no sexto mês de gravidez. Graças a Meryt, tornei-me um mito entre as mulheres da cidade sem nunca ter ido além do portão do jardim de Nakht-re.

Meryt também tinha sua história para contar. Embora fosse natural de Tebas, o sangue de sua mãe havia-se misturado com outro do sul distante e a cor de sua pele era igual à do povo da Núbia. No entanto, ao contrário de Bilah, cujo rosto surgia em minha mente enquanto Meryt tagarelava, ela era alta e imponente.

— Se não fosse parteira — ela disse um dia —, gostaria de ter sido dançarina, contratada para fazer apresentações nas grandes festas das casas importantes ou, quem sabe, até no palácio do rei.

Depois continuou, com um suspiro zombeteiro:

— Mas a vida passa voando. Agora, já estou gorda demais para dançar para os príncipes.

Deu um tapa na parte inferior de seu braço magro, cuja pele não balançou nem um pouco, e soltou uma gargalhada à qual não pude resistir.

Meryt conseguia fazer qualquer pessoa rir. Até mesmo mulheres em trabalho de parto esqueciam a dor e achavam graça em suas piadas. Re-mose, ainda pequeno, chamava-a de "a amiga de mamãe", antes mesmo que eu me desse conta de que ela era minha amiga de verdade e, mais que tudo, uma bênção para mim.

Eu sabia tudo sobre a vida de Meryt, pois ela adorava conversar. A mãe dela fora uma cozinheira casada com um padeiro e era conhecida também por seus dotes de cantora. Costumava ser chamada para divertir os convidados de seu senhor, seduzindo a plateia com sua voz grave.

— Se não estivesse sempre de seios nus, ninguém acreditaria que fosse de fato uma mulher — contava Meryt.

Infelizmente, ela morreu quando a filha ainda era pequena e, como na casa onde a mãe trabalhava Meryt não tinha como ser aproveitada, foi mandada para o mesmo lugar onde ainda vivia quando a conheci. Quando criança, carregava água para Ruddedit, uma filha de On, onde os sacerdotes são famosos como mágicos e curandeiros. Ruddedit cuidou bem de Meryt e, assim que percebeu que era inteligente, mandou-a aprender seu ofício com a velha e experiente parteira local, uma mulher que tinha dedos excepcionalmente compridos e trazia sorte às mães.

Meryt chegou à puberdade naquela casa e lá se casou com um padeiro, exatamente como a mãe. Era um bom homem e tratava-a bem, mas Meryt era estéril e não havia nada que pudesse fazer seu ventre produzir frutos. Depois de muitos anos, ela e o marido adotaram dois meninos cujos pais haviam morrido com febre do rio. Os filhos já eram adultos e faziam pão para os trabalhadores do bairro dos construtores de tumbas, na margem oeste do rio.

Fazia tempo que o marido estava morto. Quanto aos filhos, embora pouco os visse, Meryt sempre se gabava das suas habilidades e da saúde que tinham.

— Meus meninos têm os dentes mais bonitos que já se viram — dizia com certo ar solene, pois sua boca era cheia de cáries e ela mascava manjerona o dia inteiro para aplacar as dores de dentes.

Durante anos Meryt não me poupou nenhum detalhe de sua vida na expectativa de que eu fosse partilhar com ela alguma coisa da minha. Por fim, acabou desistindo de fazer perguntas a meu respeito, mas nunca deixou de me convidar para ajudá-la nos partos. Passava pela casa de Nakht-re e pedia a Herya ou a Re-nefer que dessem permissão para que eu a acompanhasse. As senhoras concordavam, porém eu sempre me recusava a ir. Não tinha nenhum desejo de sair de perto de Re-mose nem qualquer vontade de ver o mundo. Desde que chegara, jamais havia saído da propriedade e, à medida que os meses se transformavam em anos, cheguei a sentir medo só de pensar. Estava certa de que não saberia voltar para casa ou, pior ainda, que minha identidade seria denunciada. Imaginava que alguém reconheceria o pecado de minha família em meu rosto e eu seria destruída na hora. Meu filho descobriria a verdade sobre sua mãe e os irmãos dela, seus tios. Seria destituído dos privilégios que, como tudo indicava, estava destinado a herdar e amaldiçoaria minha existência.

Eu sentia vergonha desses medos secretos que me faziam dar as costas para os ensinamentos de Raquel e Inna e, consequentemente, para a lembrança que tinha delas. Sabia que era prisioneira da minha indignidade e ainda assim não conseguia fazer o que sabia que deveria.

Meryt nunca desistia. Às vezes, quando um parto não era bem-sucedido, ao voltar, mesmo que fosse no meio da noite, ela me acordava em meu catre no pequeno abrigo do jardim para contar o que acontecera e perguntar se poderia ter agido de outra maneira. Consolava-a muitas vezes dizendo que fizera o melhor possível e ficávamos sentadas lado a lado em silêncio. Em outras ocasiões, porém, ouvia a história e meu coração se confrangia. Certa vez, uma mulher morrera de repente quando estava prestes a dar à luz, e nem passara pela cabeça de Meryt pegar uma faca e tentar tirar o bebê, de modo que ambos se foram. Não consegui disfarçar meu desapontamento, e Meryt reparou na expressão do meu rosto.

— Vamos, diga-me, então — exigiu, agarrando-me pelos ombros. — Não faça essa cara quando sabe que eu poderia ter salvado a criança. Ensine-me, ao menos, para que eu possa tentar quando for preciso.

Envergonhada diante das lágrimas de Meryt, comecei falando sobre os métodos de Inna, sobre seu jeito de trabalhar com a faca, sua habilidade com a manipulação ao preparar os medicamentos. Tentei explicar a maneira como ela usava as ervas, mas eu desconhecia o nome egípcio das plantas e raízes. Então, Meryt trouxe seu estojo de ervas e traduzimos os nomes. Descrevi o que minhas mães faziam com a urtiga, o funcho e o coriandro, e ela saiu vasculhando os mercados à procura de folhas e sementes que eu não via desde a minha infância.

Meryt trouxe amostras de todas as flores e raízes que estavam à venda no cais. Algumas eu conhecia, outras exalavam mau cheiro, especialmente aquelas misturas nativas às quais acrescentavam coisas mortas: pedaços de animais secos, conchas e rochas trituradas e todo tipo de excremento. Os curandeiros egípcios aplicavam estrume de hipopótamo e de crocodilo, assim como urina de cavalo e de criança, em várias partes do corpo, dependendo da estação do ano. Às vezes, as misturas mais desagradáveis pareciam funcionar, mas era difícil entender como um povo tão preocupado com a limpeza do corpo aceitava submeter-se a tratamentos tão repulsivos.

Embora os conhecimentos dos egípcios sobre ervas fossem profundos e antigos, eu ficava satisfeita quando descobria métodos e plantas sobre os quais eles sabiam muito pouco. Meryt encontrou semente de cominho no mercado e ficou espantada quando eu lhe disse que aquilo ajudava na cicatrização de feridas. Conseguiu certa vez comprar hissopo e hortelã com as raízes ainda inteiras. Nós os plantamos e eles brotaram na terra escura do Egito. Daí em diante, ninguém mais teve azia na casa de Nakht-re. Assim, Meryt ficou famosa por "suas" curas com plantas exóticas, e eu tive a satisfação de constatar que a sabedoria das minhas mães havia sido bem empregada.

✦

Minha tranquilidade terminou quatro anos depois de Re-mose deixar a casa de Nakht-re, quando a filha de Ruddedit estava prestes a dar à luz.

Chamava-se Hatnuf, e as coisas não andavam bem para ela. O primeiro filho nascera morto: de bom peso e perfeito em todos os aspectos, mas sem vida. Hatnuf abortara várias vezes durante anos até que uma outra criança afinal se desenvolvera, mas ela estava aterrorizada com o parto. Depois de um dia inteiro de dores, a criança não parecia avançar. Meryt era a parteira e a dona da casa tinha mandado vir um médico-sacerdote, que entoou preces, espalhou amuletos pelo quarto e botou uma pilha de ervas e de estrume de cabra para fumegar, determinando que Hatnuf se agachasse sobre a fumaça.

Porém o cheiro da mistura fez a moça desmaiar e, na queda, ela cortou a testa e começou a sangrar. Depois disso, Ruddedit expulsou o médico do quarto, mandando que esperasse do lado de fora da porta principal, onde ele ficou recitando fórmulas mágicas no tom monótono e anasalado dos sacerdotes. O dia virou noite, a noite começou a clarear com as primeiras luzes do amanhecer, mas nem as dores cediam nem o bebê se movia. Hatnuf, a única filha de Ruddedit, estava quase morta de medo e dores quando Meryt sugeriu que eu fosse chamada.

Dessa vez, não se tratava de um convite. Meryt apareceu na porta do meu abrigo do jardim com Ruddedit ao seu lado, a luz da manhã por trás delineando seu corpo. O cansaço em nada diminuía a beleza de um rosto já não tão jovem.

— Den-ner — disse ela, pronunciando meu nome da maneira egípcia —, você tem de vir e fazer o que puder por minha filha. Tentamos tudo o que sabemos. O cheiro de Anúbis já está na casa. Pegue seu material e siga-me.

Apressadamente, Meryt contou-me a história. Peguei algumas ervas que eu pusera para secar nos caibros do telhado e fui atrás da senhora, que estava quase correndo, sem me dar conta de que havia saído do jardim. Passamos pela frente da casa de Nakht-re e veio-me à memória o primeiro dia em que avistara o lugar, uma vida inteira antes. Diante do imenso templo, os primeiros raios de sol batiam nas ponteiras douradas dos mastros de onde pendiam bandeiras sem vida no ar parado do amanhecer. A casa de Ruddedit ficava bem do outro lado do templo, e por isso em poucos minutos estávamos entrando na antessala onde Hatnuf chorava deitada no chão, as criadas em volta, quase tão exaustas quanto a mulher em trabalho de parto.

A morte estava presente. Vislumbrei-a na penumbra, sob a estátua de Bes, o deus protetor das crianças, figura ao mesmo tempo amistosa e grotesca que naquele momento parecia escarnecer da própria impotência.

Ruddedit apresentou-me à filha, que me olhou com um olhar vazio mas fez o que mandei. Ficou de lado, para que minha mão untada de óleo pudesse alcançar o útero. Não senti a cabeça da criança. O quarto estava quieto; as mulheres esperavam para ver o que eu faria ou pediria que fizessem.

O espectro da morte com cabeça de cão moveu-se ao perceber meu desalento. Sua precipitação irritou-me. Amaldiçoei seus ganidos, sua cauda, sua própria mãe. Praguejei na minha língua materna, que soou áspera até para mim depois de tantos anos de palavras egípcias em meus ouvidos. Meryt e as outras mulheres pensaram que eu estivesse proferindo palavras mágicas e deixaram escapar murmúrios de aprovação. Até mesmo Hatnuf.

Mandei vir óleo e um socador e misturei as ervas mais fortes que tinha à mão e que às vezes têm propriedades abortivas no início da gravidez: aristolóquia e extrato de cânhamo. Não fazia ideia se a mistura iria produzir o efeito desejado e preocupava-me com as consequências. Não havia, porém, nada mais a fazer. Ela estava morrendo. O fato de a criança já estar morta não significava que a mãe tivesse de morrer também.

Administrei a mistura e logo em seguida a moça foi tomada por fortes dores. Pedi que as mulheres ajudassem a colocar Hatnuf de novo sobre os tijolos. Apliquei-lhe uma massagem na barriga e procurei empurrar o bebê para baixo. Hatnuf já não conseguia manter-se nas pernas e foi preciso que Meryt substituísse Ruddedit na tarefa de apoiá-la por trás. Meryt dizia-lhe em voz baixa palavras de estímulo, enquanto eu, mais uma vez, tentava alcançar a cabeça da criança, agora já perto da saída.

As dores tornaram-se incessantes e insuportáveis para a pobre mulher sobre os tijolos. Ela revirou os olhos e caiu nos braços de Meryt, desacordada e sem condições de fazer força.

Já era dia claro, mas a sombra que permanecia na sala impedia que os raios de sol penetrassem na obscuridade do ambiente. Lágrimas corriam pelo meu rosto, não sabia o que fazer em seguida. Uma vez, Inna contara a história de um bebê que fora retirado do útero de uma mulher morta. Mas Hatnuf não estava morta. Não tinha outros recursos para experimentar, nem outras ervas.

Então, de repente, veio à minha cabeça uma canção que Inna adorava, que aprendera nas colinas próximas de Shechem.

"Não tenha medo", cantei, lembrando-me com facilidade da melodia, buscando as palavras no fundo da memória.

Não tenha medo, está quase na hora.
Não tenha medo, seus ossos são fortes.
Não tenha medo, a ajuda já vem.
Não tenha medo, Gula está perto.
Não tenha medo, seu filho está vindo.
Não tenha medo, ele viverá e honrará seu nome.
Não tenha medo, as mãos da parteira são hábeis.
Não tenha medo, a terra está a seus pés.
Não tenha medo, temos água e sal.
Não tenha medo, mãezinha.
Não tenha medo, mãe de todos nós.

Meryt se uniu a mim, cantando o refrão "Não tenha medo", sentindo o poder dos sons sem saber o que estava dizendo. Na terceira vez, todas as mulheres já cantavam "Não tenha medo", e Hatnuf voltou a respirar profundamente.

Pouco depois, o bebê nascia e, realmente, estava morto. Hatnuf voltou o rosto para a parede e fechou os olhos, desejando apenas morrer também. Meryt começou a aplicar compressas de linho fervido no pobre útero sofrido e, de repente, ouviu-se outra vez o grito da mãe em trabalho de parto.

— Há outra criança. Venha, Den-ner — chamou —, apare o gêmeo.

Mais um pouco de esforço e Hatnuf deu à luz um bebê em nada parecido com o irmão. O primeiro era forte, perfeito, porém sem vida, e esse era frágil, enrugado e gritava a plenos pulmões, como um bezerro desmamado.

Meryt soltou uma gargalhada e o som do seu riso desencadeou uma onda buliçosa e alegre de expressões de alívio e de felicidade. Ensanguentado, sujo, urrando a não poder mais, o menino foi passado de mão em mão, beijado e abençoado pelas mulheres presentes. Ruddedit caiu de joelhos, rindo e chorando com o neto nos braços. Hatnuf não nos ouvia, porém. O pequeno chegara em uma torrente de sangue que não cessava. Não havia compressas que estancassem a hemorragia. Momentos depois de dar à luz, Hatnuf morreu, a cabeça no colo da mãe.

A cena era aterradora: a mãe morta, uma das crianças morta, a outra esquelética, gritando pelos seios que jamais a alimentariam. Ruddedit sentada, consternada pela morte da única filha, avó pela primeira vez. Meryt chorava com sua patroa. Esgueirei-me para fora da casa desejando nunca ter saído do meu jardim.

❦

Depois do horrível acontecimento, imaginei que seria proibida de entrar em qualquer outra sala de parto da cidade. Segundo o relato de Meryt, todavia, eu havia sido a única responsável por salvar a vida da criança, nascida em um dia tão amaldiçoado por Set que, prosseguia ela, era um milagre que sequer respirasse.

Não tardou que mensageiros de outras importantes casas de Tebas viessem bater ao portão do jardim de Nakht-re com ordens para não retornar a menos que trouxessem Den-ner, a parteira. Eram criados de sacerdotes, escribas e de outras personalidades cujas ordens tinham de ser acatadas. Concordava em ir desde que Meryt estivesse ao meu lado, e, como ela sempre estava de acordo, nós duas passamos a ser as parteiras de nosso bairro, que abrangia muitas casas de prestígio onde as senhoras e suas criadas desfrutavam ventres muito férteis. Éramos chamadas pelo menos a cada sete dias e, por cada criança saudável, recebíamos de presente joias, amuletos, linho de boa qualidade ou vasos com óleo. Meryt e eu dividíamos essas coisas e, embora eu sempre oferecesse a minha parte a Re-nefer, ela recusava, insistindo para que eu a guardasse.

Um ano se passara e meu pequeno abrigo estava abarrotado de objetos que eu não usava e dos quais muitas vezes nem sequer gostava. Um dia, olhando em volta, Meryt decidiu que eu precisava de uma caixa de vime para guardar meus pertences. Como eu possuía uma quantidade mais que suficiente para fazer trocas, Meryt escolheu um dia favorável, de bons presságios, para irmos ao mercado.

Àquela altura, embora já tivesse saído de casa para ajudar em alguns nascimentos, ainda temia ir mais longe. Meryt sabia que eu tinha medo e segurou minha mão ao sairmos do jardim, tagarelando sem cessar para impedir que eu cedesse aos meus temores. Agarrei-me a ela como uma criança pequena que teme perder-se da mãe, mas, depois de algum tempo, encontrei coragem para observar o movimento do cais de Tebas. Ainda faltavam muitos dias para a colheita e a maioria dos fazendeiros não tinha nada mais para fazer além de esperar que seus produtos amadurecessem, de modo que as barracas estavam lotadas de gente do campo, embora a única mercadoria que tivessem para negociar fosse o tempo.

Meryt trocou um colar de contas que havia ganhado de uma das mães por um bolo doce, que comemos enquanto passeávamos de braços dados entre as barracas. Fiquei encantada com a quantidade de joias à venda e intrigada em saber quem teria condições de comprar tantas bugigangas. Alguns sapateiros faziam sandálias baratas sob encomenda. Uma fila de homens esperava por um certo barbeiro, conhecido por saber os melhores mexericos. Desviei o olhar de uma pilha de tecidos de lã vinda de Canaã, que poderiam ser fruto do trabalho de minhas próprias tias. Meryt e eu nos divertimos com as travessuras de um macaco que puxava por uma correia dois cachorros altos aparentemente famintos e fazia-os pedir pedaços de comida.

Depois de passearmos por todo lado, minha amiga resolveu que estava na hora de começar nossa busca. O primeiro cesteiro que encontramos não tinha nada do tamanho que eu queria, portanto seguimos adiante, passando por mercadores de óleo e vinho, padeiros e vendedores de pássaros vivos. Vimos muitas coisas lindas, também: cerâmica núbia de Kush em baixo-relevo, vasos de bronze trabalhado, estatuetas de deuses e deusas domésticos, bancos de três pernas e cadeiras. Meus olhos deram com uma caixa muito bonita em cuja tampa de marchetaria vicejava um jardim feito de marfim, louça esmaltada e madrepérola.

— Cá está uma peça digna da tumba do meu senhor — comentou Meryt, sinceramente impressionada.

O marceneiro apareceu por trás de seu trabalho e começou a contar a história de suas obras: onde comprava a madeira da acácia e a trabalheira que tinha para aplicar o marfim. Explicava com detalhes e bem devagar, como se estivesse contando uma história e não tentando vender alguma coisa. Eu mantinha os olhos fixos na caixa enquanto ele falava, apenas prestando atenção ao calor de sua voz ou aos movimentos de suas mãos, que acompanhavam o contorno do desenho em seu trabalho.

Não demorou muito e Meryt começou a implicar com o homem:

— Quem acha que somos, seu tratante? — perguntou. — Pensa que somos senhoras ricas disfarçadas de parteiras? Quem, senão um homem rico, poderia comprar um objeto tão precioso quanto este? Quem poderia reivindicar a autoria desta obra de arte, senão o construtor de uma tumba real? Está brincando comigo, seu baixote!

Rindo das palavras dela, ele respondeu:

— Se acha que sou pequeno, deve vir de uma terra de gigantes, irmã. Sou Benia — apresentou-se. — E vai ficar surpresa com as pechinchas que tenho na minha barraca. Tudo depende de quem compra, minha cara — retrucou no mesmo tom brincalhão. — Mulheres bonitas sempre conseguem o que querem.

Ouvindo isso, Meryt deu uma gargalhada alta e uma cotovelada em minhas costelas, mas não fiz nenhum comentário porque sabia que aquelas palavras eram para mim. Em um instante, Meryt também reparou que o marceneiro se dirigia a mim e que, embora eu não tivesse respondido coisa alguma, o som da voz dele e a brandura de sua fala tinham-me tocado.

Quase que por conta própria, meus dedos acompanharam o desenho de uma folha branca como leite que estava incrustada na caixa. Benia apontou para uma outra parte do mesmo desenho e disse:

— Isso vem do coração de uma criatura marinha que mora muito longe, no norte.

Não pude deixar de observar o tamanho de suas mãos: os dedos eram grossos como os galhos de uma árvore frutífera nova e ainda mais longos que a palma das mãos, imensas, que o trabalho havia sulcado de montanhas e vales de músculos. Sentiu o meu olhar e recolheu as mãos, como se tivesse vergonha delas.

— Quando nasci, minha mãe botou os olhos em mim e tomou um susto quando viu minhas mãos — comentou Benia. — Já naquela época eram grandes demais, desproporcionais ao tamanho do meu corpo. "Vai ser escultor", disse ela ao meu pai, que mais tarde fez com que eu me tornasse aprendiz na oficina de cantaria mais qualificada da época. Mas eu não tinha nenhum talento para trabalhar com pedras. Bastava um olhar meu e o alabastro rachava. Nem mesmo o granito permitia que eu me aproximasse. Só a madeira compreendia minhas mãos. Dócil, quente e viva, a madeira "fala" comigo dizendo-me onde cortar, como dar-lhe forma. Amo meu trabalho, senhora.

Olhou dentro dos meus olhos, que já estavam pousados em seu rosto enquanto falava.

Meryt notou a nossa troca de olhares e aproveitou o silêncio para dar um aparte digno de uma esperta vendedora de peixe em dia de feira:

— Esta é Den-ner, viúva e a melhor parteira de Tebas. Viemos apenas procurar um cesto para guardar os presentes que as mães dão a ela em retribuição ao seu trabalho.

— Mas um cesto é muito pouco para uma mestra — falou Benia, virando-se para negociar com Meryt. — Vamos ver o que trouxe para trocar, mãe, pois já estou aqui o dia inteiro e ainda não tive sorte.

Meryt desembrulhou nossa coleção de bugigangas: uma lousa esculpida, para misturar malaquita e fazer sombra verde para os olhos; um escaravelho enorme, feito de cornalina e vermelho demais para o meu gosto; e um lindo arranjo para a cabeça feito de contas, presente de uma concubina muito jovem e bonita, que entregou imediatamente à sua senhora, sem um olhar, o menino lindo que acabara de dar à luz. Meryt e eu presenciávamos muitas coisas estranhas nas salas de parto de Tebas.

Benia mostrou interesse pelo escaravelho. Sem esforço para ser sutil, Meryt perguntou:

— Para sua esposa?

— Não tenho esposa — Benia respondeu, com toda a simplicidade. — Há muitos anos moro com minha irmã, mas o marido dela já está cansado da minha presença à sua mesa. Muito em breve vou deixar a cidade para viver junto aos trabalhadores do Vale dos Reis — falou devagar, novamente se dirigindo a mim.

Ouvindo isso, Meryt ficou entusiasmada e contou-lhe tudo sobre os filhos, que eram padeiros a serviço dos trabalhadores de lá.

— Vou procurá-los quando chegar — prometeu Benia, acrescentando: — Por ser mestre-artesão, terei direito a uma casa própria. Quatro cômodos só para mim — disse, como se já pudesse ouvir sua própria voz ressoando pelos quartos vazios.

— Que desperdício, marceneiro — replicou Meryt.

Enquanto os dois trocavam confidências em meu proveito, meus dedos seguiam o contorno de um lago que Benia havia criado sobre a tampa da caixa. Antes que pudesse retirá-la, ele cobriu minha mão com a sua.

Receava olhar seu rosto. Talvez tivesse segundas intenções. Talvez achasse que, por fazer uma transação absurda — uma bagatela por uma obra de arte —, eu ficaria devendo a ele o uso de meu corpo. Porém, quando Meryt acotovelou-me para que eu respondesse, vi apenas gentileza no rosto do marceneiro.

— Leve a caixa ao portão do jardim da casa de Nakht-re, escriba dos sacerdotes de Amun-Re — disse Meryt. — Leve amanhã.

E entregou-lhe o escaravelho.

— Amanhã de manhã — ele confirmou.

E fomos embora.

— Isso, sim, é que foi uma boa compra, menina — disse Meryt. — E aquele escaravelho deu sorte a você, permitiu-lhe comprar uma caixa valiosa e um marido.

Abanei a cabeça para minha amiga e sorri, como se ela estivesse falando bobagens sem sentido, mas não neguei. Não disse absolutamente nada. Estava encabulada e excitada. Senti um aperto estranho entre as pernas e meu rosto afogueou-se.

Não conseguia, porém, entender meu coração, pois aquilo era completamente diferente do que sentira ao ver Shalem pela primeira vez. Nenhuma brisa quente soprara de Benia para mim. O sentimento agora era mais ameno, mais tranquilo. Mesmo assim, meu coração batia mais depressa e eu sabia que meus olhos estavam mais brilhantes que no começo do dia.

Benia e eu havíamos trocado umas poucas palavras e nossos dedos haviam-se roçado apenas de leve. Contudo, sentia-me ligada àquele desconhecido. Estava certa de que ele sentia a mesma coisa.

Em todo o percurso de volta para casa, meus passos marcaram o ritmo da minha perplexidade: Como pode ser? Como pode ser?

Quando nos aproximávamos da casa de Nakht-re, Meryt quebrou um silêncio que não lhe era muito costumeiro e, rindo, disse:

— Ainda vou fazer o parto dos seus filhos. Pelas minhas contas, você ainda não completou trinta anos. Vou ter netos vindos de você, filha do meu coração. — E deu-me um beijo de despedida.

Entretanto, assim que entrei no jardim, todos os pensamentos sobre Benia desapareceram. A casa estava em alvoroço. Re-mose tinha voltado!

⁂

Ele chegara um pouco depois de termos saído. Mandaram os empregados à minha procura e, como eu nunca saía da propriedade sem antes avisar Re-nefer, ela ficou preocupada e mandou que perguntassem por mim à sua amiga Ruddedit. Quando minha sogra me viu entrar no pátio segurando um pedaço mordido de bolo do mercado, ficou zangada e girou nos calcanhares sem dizer uma palavra. Foi a cozinheira quem me disse que fosse depressa ver meu filho, que viera para casa para se recuperar.

— Recuperar? — perguntei, de repente gelada de medo. — Ele está doente?

— Ah, não — respondeu com um sorriso. — Veio recuperar-se da circuncisão e comemorar sua passagem para a idade adulta com uma grande festa.

Vou trabalhar de manhã até a noite durante os próximos dias — falou, ao mesmo tempo em que me apertava as bochechas.

A última palavra que consegui ouvir foi "circuncisão". Minha cabeça latejava e meu coração batia acelerado quando entrei no grande salão onde Re-mose estava descansando, recostado em um catre ao lado da cadeira de Nakht-re. Ao ver-me, abriu logo um sorriso, sem qualquer traço de dor no rosto, que agora era um rosto inteiramente diferente.

Havia quase cinco anos que me deixara e o menino era agora um jovem adulto. O cabelo, que não raspava mais, crescera farto e escuro. Desenvolvera músculos nos braços, as pernas não eram mais lisas como seda, o peito lembrava a beleza do pai.

— Mãe — disse o rapaz que era meu filho —, mãe, você está tão bem. Melhor ainda do que me lembrava.

Estava apenas sendo cortês. Um príncipe do Egito falando com uma criada que lhe havia dado à luz. Era tudo o que eu sempre temera: agora éramos dois estranhos, e nossas vidas jamais permitiriam que fôssemos mais que isso. Fez um gesto para que me aproximasse e sentasse a seu lado. Nakht-re sorriu, aprovando.

Perguntei-lhe se sentia dor e descartou a questão com um aceno.

— Não sinto dor alguma — disse. — Antes e depois de fazerem o corte, dão-nos vinho misturado com suco de papoulas. Mas isso foi há mais de sete dias, e já estou quase bom. Agora, vamos comemorar, estou em casa para a festa.

E perguntou:

— E você, como está, mãe? Disseram-me que se tornou uma parteira famosa, a única em que as grandes senhoras de Tebas confiam na hora do parto.

— Faço o que posso — falei, reservada, querendo mudar de assunto, pois como uma mulher poderia conversar com um homem sobre crianças e sangue? — Mas e você, meu filho, conte-me o que aprendeu. Conte-me sobre o tempo na escola, suas amizades e os prêmios que ganhou por distinção. Seu tio diz que você é o melhor aluno.

Uma sombra passou pelo semblante de Re-mose, e reconheci a criança que certa vez chorou ao encontrar um patinho morto no jardim. Mas meu filho não se referiu aos insultos dos colegas nem ao coro de zombarias que o seguira por toda parte durante o primeiro ano de estudos: "Onde está seu pai? Você não tem pai".

Não falou da sua solidão, que só fez aumentar quando ele se revelou o melhor da turma, chamou a atenção do professor e se tornou seu aluno favorito. Falou apenas sobre o professor, Kar, a quem amava e obedecia integralmente e, em troca, de quem recebia toda a atenção.

Ao contrário de outros mestres, Kar nunca batia nos alunos ou os criticava por seus erros.

— É o homem mais digno que conheço, depois de meu tio — disse Re-mose, segurando a mão de Nakht-re. — Vim para casa comemorar não só minha maioridade, como também o grande presente que Kar me deu. Meu professor convidou-me a acompanhá-lo em uma viagem ao sul, até Kush, uma cidade onde o comércio de ébano e de marfim foi revigorado e cujo vizir foi apanhado apropriando-se de bens pertencentes à realeza. Foi o próprio rei quem pediu que Kar fosse pessoalmente para lá cuidar da contratação de um novo administrador, avaliar a situação e relatar o que encontrou.

E continuou:

— Vou como ajudante de meu professor e estarei presente quando ele assumir a função de juiz e decidir as questões que lhe forem apresentadas.

Fez uma pausa, para que eu avaliasse a importância do que diria a seguir:

— Fui educado para seguir a carreira de vizir. Depois dessa viagem, meu aprendizado estará completo e vou receber meu primeiro posto. Com isso, vou conquistar honras para minha família. Meu tio está satisfeito, mãe. Você não está também?

A pergunta era sincera. Um eco do desejo do menino que precisa saber a opinião da mãe.

— Estou feliz, meu filho. Você é um rapaz admirável, que trará honras para esta casa. Desejo-lhe felicidades, uma boa esposa e muitos filhos. Estou orgulhosa de você e orgulhosa de ser sua mãe.

Era tudo o que eu poderia dizer. Assim como ele nada me disse sobre o sofrimento que experimentou na escola, também não lhe contei sobre como senti sua falta ou como meu coração estava vazio, ou como, ao partir, havia levado consigo a luz da minha vida. Trocamos olhares carinhosos. Acariciou minha mão e levou-a aos lábios. Meu coração batia em dois ritmos alternados: o da felicidade e o da solidão.

Duas noites depois, durante a festa em sua homenagem, fiquei observando Re-mose do outro lado do salão. Estava sentado ao lado de Nakht-re e comia como se tivesse jejuado por muitos dias. Bebia vinho e seus olhos faiscavam de animação. Tomei vinho também e fixei os olhos em meu filho, imaginando a vida que iria viver, espantada por ele já ser um homem, apenas alguns anos mais jovem que seu pai quando o encontrei pela primeira vez.

Prestes a entrar na idade adulta, Re-mose era meia cabeça mais alto que Nakht-re, tinha o olhar claro e era aprumado como uma árvore. Re-nefer e eu, sentadas lado a lado pela primeira vez em muitos anos, admirávamos o homem-criança que dera a nós duas uma razão para viver. Minha mão roçou de leve nas mãos dela e ela não as retirou ao sentir meu toque, prendendo meus dedos nos seus. Ao menos por um momento compartilhamos o amor pelo nosso filho e, através dele, por aquele filho e aquele marido de Shechem cujo nome era impronunciável.

Uma jovem criada muito bonita levantou os olhos para Re-mose e ele flertou com ela. Achei engraçado pensar nele como aquele bebê cujo traseiro eu tantas vezes havia limpado e que agora se excitava com uma mulher. Os músculos do meu rosto doíam de tanto sorrir, mas eu suspirava tanto que Re-nefer se virou para perguntar se me sentia bem.

Foi o banquete mais requintado que presenciei. Quase todos os nobres de Tebas haviam sido convidados. Flores brilhavam à luz de centenas de lamparinas. O ar estava denso com o cheiro de comida bem temperada, de flor-de-lótus fresca, incenso e perfume. Gargalhadas ressoavam pelo salão, regadas a seis tipos diferentes de cerveja e três variedades de vinho, e dançarinas saltavam e rodopiavam até caírem no chão arfando, brilhando de suor.

Além dos artistas locais, um segundo grupo de músicos fora contratado. Esse conjunto costumava subir e descer o rio tocando em templos e residências da nobreza, mas, ao contrário dos outros, recusava-se a acompanhar números de dança e insistia em que as pessoas ouvissem suas canções, que se afirmava terem propriedades mágicas. O grupo era liderado por uma mulher misteriosa que se escondia por trás de um véu. Cega, como tantos outros mestres da harpa, era muito talentosa no sistro, um instrumento de percussão de som agudo e prolongado.

Dizia-se que a cantora escapara das presas de Anúbis e ganhara uma segunda vida, mas ele havia mordido seu rosto e por isso ela usava o véu. O relato era acompanhado de uma piscadela e um golpe do cotovelo, pois os egípcios sabiam como uma história interessante ajudava a promover os negócios. Ainda assim, quando a cantora coberta por um véu foi levada para o salão, correu um burburinho de expectativa pela multidão de convidados já um pouco embriagados e todos se sentaram.

Ela estava vestida de branco, coberta da cabeça aos pés por um tecido transparente que flutuava, ondulante, até o chão. Re-nefer chegou-se a mim e comentou baixinho:

— Ela parece uma nuvem de fumaça.

Instalada em um banco baixo, a mulher tirou as mãos das dobras da roupa e segurou o instrumento. Todos prenderam a respiração, pois as mãos dela eram tão brancas quanto a roupa, de uma palidez sobrenatural, como se tivessem passado por queimaduras terríveis. Sacudiu o sistro quatro vezes, a cada movimento produzindo um som totalmente diferente, o que neutralizou os efeitos do vinho nos ouvintes e fez todos se aquietarem, atentos.

Primeiro, o grupo tocou uma canção ligeira com flautas e tambores. Seguiu-se um melancólico solo de trombeta que provocou suspiros nas mulheres e deixou os homens imersos em reflexão, com a mão no queixo. Uma antiga canção infantil pôs no rosto de todos o mesmo sorriso aberto que exibiam quando não passavam de meninos e meninas.

Havia realmente mágica naquela música, capaz de transformar o mais sombrio pesar na mais luminosa alegria. Os convidados batiam palmas, as mãos no alto voltadas para os músicos, e erguiam as taças brindando a Nakht-re, em agradecimento pela maravilhosa apresentação.

Depois que os aplausos se extinguiram, a artista do sistro começou a cantar, acompanhada por seu instrumento e um único tambor. A canção era longa, intercalada de muitos refrãos. Contava uma história nada extraordinária: a saga de um amor vivido e perdido, a mais antiga história do mundo. A única história.

No começo da canção, o homem correspondia ao amor da mulher e eram felizes juntos. Em seguida, a história tomava um rumo triste, com o amante desprezando e abandonando a mulher. Ela chorava e suplicava em vão à deusa Hator, a Dama Dourada. O amado não a aceitava de volta. O desespero dela era infinito, intolerável. As mulheres presentes choravam sem disfarce, lembrando-se dos tempos de juventude. Os homens enxugavam os olhos sem constrangimento, relembrando antigas paixões. Até os mais jovens suspiravam, pressentindo a dor das perdas ainda por vir.

O silêncio prolongou-se depois que a canção terminou. A harpista dedilhou uma melodia suave, mas as conversas aos poucos foram morrendo. Ninguém mais erguia taças. Re-nefer levantou-se e deixou o salão sem qualquer formalidade e, então, os convidados começaram a sair um a um. A festa terminou tranquilamente e o salão esvaziou-se aos poucos, ao som de suspiros e cumprimentos murmurados. Os músicos embrulharam os instrumentos e retiraram-se, conduzindo sua líder. Alguns criados dormiam no chão, exaustos, deixando a limpeza para o dia seguinte. A casa mergulhou em completo silêncio.

Faltavam algumas horas para o amanhecer quando achei o lugar onde os músicos estavam dormindo. A mulher do véu estava imóvel, recostada em uma parede. Pensei que também estivesse dormindo, mas ela se virou, tateando com as mãos estendidas para descobrir quem se aproximava. Segurei suas mãos pequenas e frias.

— Werenro — chamei.

Minha pronúncia causou-lhe um sobressalto.

— Canaã — disse, em um sussurro amargo. — Era assim que me chamavam no inferno.

— Eu era criança — falei —, e você era mensageira de minha avó Rebeca. Você nos contou uma história que nunca esqueci. Mas você foi assassinada, Werenro. Eu estava lá com minha avó quando a trouxeram de volta. Vi quando enterraram seus ossos. Você voltou mesmo do mundo dos mortos?

Houve uma longa pausa. Por baixo dos véus, sua cabeça inclinou-se para a frente e ela disse:

— Sim.

Passado um minuto, porém, disse:

— Não. Não consegui escapar. A verdade é que estou morta. — E continuou: — É muito estranho encontrar um fantasma daquela época aqui, neste casarão às margens do rio. Diga-me, você também está morta?

— Talvez esteja — respondi, sentindo um calafrio.

— Talvez esteja mesmo, pois um vivo não faz esse tipo de pergunta nem suporta a dor da verdade sem o consolo da música. O morto compreende. — E perguntou: — Conhece o rosto da morte?

— Sim — falei, lembrando-me das sombras em forma de cão, presentes em muitos nascimentos. Ficavam ali, à espreita, ávidas e pacientes ao mesmo tempo.

— Ah — disse.

Com um único movimento, levantou o véu. Seus lábios eram perfeitos, mas o restante do rosto estava despedaçado e coberto de profundas cicatrizes. O nariz quebrado, dilacerado. As faces caídas e retalhadas. Os olhos eram duas pedras leitosas. Parecia impossível que alguém tivesse sobrevivido a tamanha destruição.

— Estava saindo de Tiro com uma garrafa de corante púrpura para ela, para a Avó. Amanhecia, e as cores do céu eram tão lindas que teriam encabulado todas as tendas coloridas de Mamre. Estava olhando para cima quando me atacaram. Três homens, três cananeus iguais aos outros, imundos e ignorantes. Não disseram uma palavra, para mim ou entre eles. Arrancaram-me a bolsa e a cesta, despedaçaram-nas e depois se voltaram contra mim.

Werenro começou a balançar-se para a frente e para trás e sua voz ficou monótona:

— O primeiro me atirou ao chão, no meio da estrada. O segundo rasgou minhas roupas. O terceiro levantou sua túnica e veio para cima de mim. Esvaziou-se dentro de mim, eu que nunca antes havia dormido com um homem. E depois cuspiu no meu rosto.

Werenro prosseguiu, sem interrupção:

— O segundo veio por sua vez para cima de mim e, como não conseguiu uma ereção, começou a me bater, amaldiçoando-me por ser a causa do seu fracasso. Quebrou meu nariz e arrancou vários dentes da minha boca. Só quando me viu toda ensanguentada é que se excitou o suficiente para fazer o que queria. O terceiro virou-me de bruços e arrebentou-me por trás. E riu em seguida.

Werenro parou de balançar e endireitou o corpo, ainda ouvindo aquela risada.

— Fiquei deitada, o rosto na terra, enquanto os três permaneciam de pé à minha volta. Pensei que fossem me matar e acabar com minha agonia. Mas, em vez disso, aquele que antes ria agora gritava: "Por que você não chora? Onde está sua língua? Talvez você nem seja mesmo mulher, pois não tem cor de mulher. Tem cor de merda de cachorro doente. Quero ouvir você chorar, e aí vamos ver se é uma mulher ou um fantasma". Foi então que eles fizeram comigo o que você pode ver. Não preciso explicar.

Werenro baixou o véu e voltou a balançar o corpo, enquanto continuava:

— Ao som dos primeiros passos, deixaram-me entregue à própria sorte. O cachorro de um pastor encontrou-me onde estava estirada. Logo atrás veio um menino, que gritou ao me ver. Ouvi quando teve ânsia de vômito e pensei que fosse fugir, mas não. Cobriu-me com seu manto e foi buscar a mãe. Ela aplicou compressas em meu rosto e unguentos no meu corpo. Afagava minhas mãos, cheia de pena, e manteve-me viva sem jamais pedir explicações. Quando estava certa de que eu sobreviveria, perguntou-me se deveria dar notícia do ocorrido em Mamre, pois havia reconhecido os farrapos da minha roupa. Respondi-lhe que não. Disse que meus dias de escrava haviam terminado, que meus dias de aturar a arrogância de Rebeca estavam terminados, que meus dias de Canaã estavam terminados. Tinha um único desejo: voltar para casa e sentir o aroma do rio e o perfume da flor-de-lótus pela manhã.

Disse-lhe que desejava ser considerada morta em Mamre, e ela fez com que fosse assim.

E explicou:

— Cortou chumaços de meu cabelo e colocou-os em minha bolsa, com minhas roupas e alguns ossos de carneiro. Mandou o filho à cidade, onde ele encontrou um mercador que ia para Mamre e que informou a avó sobre a minha morte. A mulher de Canaã deu-me um véu e um cajado e levou-me até Tiro. Lá, procurou uma caravana que ia para a terra do grande rio. Aceitaram-me em troca de uma rês de seu rebanho e a promessa de que eu iria entretê-los com canções e histórias. Os mercadores levaram-me para On. Foi lá que um sistro veio parar nas minhas mãos, e agora estou aqui com você, com Canaã de novo em meus lábios.

Com essas palavras, virou o rosto e cuspiu. Uma cobra fugiu do lugar onde a cusparada caiu e eu estremeci com a rajada de vento gélido do ódio de Werenro.

— Poderia amaldiçoar toda a nação, não fosse pela bondade daquela mulher de Canaã. Meus olhos me haviam sido arrancados, por isso nunca vi seu rosto, mas o imagino radiante de luz e beleza. Na verdade, quando penso nela, vejo o rosto da lua cheia. Talvez ela estivesse expiando a culpa por algo errado que fizera. Ou talvez tivesse sido abandonada e alguém a acudiu. Ou, quem sabe, ninguém a socorreu quando precisou. Nunca perguntou nada, nem mesmo meu nome. Salvou-me sem nenhum outro motivo a não ser a bondade de seu coração. Seu nome era a expressão da bondade: Tamar, a fruta que tanto alimenta.

E Werenro voltou a balançar-se.

Ficamos sentadas juntas em silêncio, na hora que precede a alvorada, por muito tempo. Quando ela falou de novo, foi para responder a uma pergunta que eu jamais pensaria em fazer:

— Não sou infeliz. Nem feliz. Não existe nada em meu coração. Não me importo com ninguém nem com nada. Sonho com cães de dentes arreganhados. Estou morta. Não é tão ruim assim estar morta.

Os resmungos e os roncos dos músicos adormecidos interromperam as palavras de Werenro.

— São boas almas — disse, carinhosa, apontando para os companheiros.
— Nenhum de nós faz perguntas sobre o outro.

Voltando-se para mim, questionou:

— E você, como aprendeu a falar a língua do rio?

Sem hesitar, contei-lhe tudo. Inclinei a cabeça para trás, fechei os olhos e transformei minha vida em palavras. Em toda a minha existência, jamais havia falado tanto nem por tanto tempo e, ainda assim, as palavras brotaram sem esforço, como se tivesse feito aquilo muitas vezes antes.

Fiquei surpresa comigo mesma ao lembrar Tabea, ao lembrar Ruti, ao lembrar a cerimônia da minha primeira menstruação na tenda vermelha. Falei a respeito de Shalem e contei sem enrubescer com que paixão nos amávamos. Falei sobre nossa traição e sobre o assassinato dele. Contei-lhe sobre o pacto que Re-nefer fizera comigo, sobre os cuidados de Meryt, falei-lhe do meu filho com orgulho e ternura.

Não foi difícil. Na verdade, era como se eu estivesse morta de sede e houvesse água fresca na minha boca. Disse "Shalem" e meu hálito ficou limpo depois de anos de repulsa e amargor. Chamei meu filho de "Bar-Shalem" e lá se foi aquele velho aperto em meu coração. Pronunciei o nome das minhas mães e tive certeza absoluta de que estavam todas mortas. Apoiei o rosto no ombro de Werenro e molhei sua roupa com minhas lágrimas em memória de Lia, Raquel, Zilpah e Bilah.

Todo o tempo, Werenro assentia com a cabeça ou suspirava e segurava minha mão. Quando enfim sosseguei, ela disse:

— Você não está morta. — Sua voz revelava certo pesar. — Você não é como eu. O sofrimento está aceso em seu coração. A chama do seu amor é muito forte. Sua história ainda não terminou, Dinah. — E disse meu nome com o sotaque das minhas mães. Não Den-ner, a parteira estrangeira, mas Dinah, a filha muito amada de quatro mães.

Werenro afagou minha cabeça, que repousava em seu ombro. O quarto começava a clarear com os primeiros sinais da alvorada. Adormeci recostada ali. Quando acordei, ela havia ido.

Passada uma semana, Re-mose partiu em companhia de Kar, que viera de Mênfis a caminho de Kush. Re-mose levou o venerável mestre ao jardim para sermos apresentados, mas ele praticamente não deu importância à mãe plebeia de seu aluno favorito. Depois que se foram, fiquei refletindo, sem compaixão, se um homem com tanta idade sobreviveria a uma viagem tão longa.

3

Benia entregou a caixa conforme havia prometido, mas eu não estava lá para recebê-la. No portão do jardim, ele foi informado de que Den-ner estava no salão com seu filho e não poderia ser incomodada por um negociante. Puseram a caixa em um canto da cozinha e só fiquei sabendo que chegara depois que Re-mose foi embora para Tebas e as atividades domésticas voltaram ao normal.

A cozinheira que me entregou a caixa estava morta de curiosidade. Como é que um objeto tão bonito e de tão boa qualidade podia ser meu? Quem era aquele homem que estava chamando por mim com tanta insistência? Não revelei nada, nem sobre o homem, nem sobre a caixa, e o mexerico logo perdeu o encanto. Mas também não enviei nenhum recado a Benia, esperando que ele tomasse o meu silêncio como uma resposta negativa à proposta, ainda que indireta, que me havia feito no mercado. Embora sua maneira de falar e seu toque me tivessem tentado, não conseguia imaginar-me levando uma vida igual à das outras mulheres. Apesar das palavras de Werenro, tinha certeza de que os capítulos seguintes e o final de minha história seriam contados por Re-mose.

Meryt ficou furiosa quando soube que eu rejeitara Benia:

— Um homem como ele? Tão cheio de qualidades? Tão gentil?

Ameaçou nunca mais falar comigo, mas nós duas sabíamos que isso jamais aconteceria. Eu era sua filha, ela não iria me abandonar.

A caixa de Benia tornou-se um estorvo para mim e até mesmo um motivo de censura. Não combinava com o lugar onde eu morava e também não tinha nada a ver com uma parteira nascida em terra estrangeira, sem prestígio ou posição social. Era minha só porque o marceneiro percebera minha solidão e eu compreendera que ele também precisava de alguém. Enchi a caixa com presentes que havia ganhado das mães a quem ajudara, porém cobri sua beleza reluzente com uma velha esteira de papiro para que não me lembrasse de Benia, que releguei a um canto de meu coração, com outros sonhos já mortos.

As semanas fluíram mansamente e transformaram-se em meses, a passagem do tempo sendo marcada pelas histórias de nascimentos, a maioria de crianças saudáveis. Descobri que um tônico feito com a garança rubra que crescia no jardim tinha a propriedade de ajudar algumas mulheres no parto, e Meryt e eu éramos chamadas para bairros cada vez mais afastados. Certa vez mandaram um navio a vela para transportar-nos à cidade de On, onde a concubina predileta de um sacerdote estava às portas da morte. Quando chegamos, encontramos uma menina, jovem demais para ser mãe, gritando de pavor sozinha em um quarto, sem a companhia reconfortante de outra mulher. Pouco depois de chegarmos, fechamos seus olhos. Ainda tentei salvar a criança, mas ela também estava morta.

Meryt foi falar com o pai, que, em vez de ficar desolado, nos amaldiçoou e acusou de causar a morte de sua mulher e do bebê. Entrou às pressas na sala do parto antes que eu tivesse tempo de cobrir a pobre mãe.

— A estrangeira usou uma faca? — gritou ele. — Só cirurgiões podem fazer isso. Essa mulher é uma ameaça, um demônio que veio do Oriente para destruir o reino do rio.

Atirou-se sobre mim, mas Meryt pôs-se no meio e, com uma força que eu não sabia que tinha, imprensou-o contra uma parede, tentando explicar que eu fizera a incisão na esperança de salvar o bebê.

Entretanto, eu não achava que ele merecesse explicações pelos meus atos. Olhei bem em seus olhos e vi uma alma odiosa e mesquinha. Enchi-me de raiva daquele homem e de pena da moça caída aos meus pés.

— Pervertido — bradei, no idioma das minhas mães. — Filho de um verme asqueroso, que você e os outros de sua laia sequem como trigo no deserto. Ninguém amou essa menina que jaz aqui. O cheiro da infelicidade está impregnado no corpo dela. Que você morra atormentado pelo sofrimento!

Meryt e o sacerdote olhavam-me estáticos enquanto eu lançava minhas pragas, e, quando afinal terminei, o homem começou a tremer, exclamando, com um sussurro aterrorizado:

— Uma feiticeira estrangeira na Morada dos Deuses!

O barulho de nossas vozes atraiu outros sacerdotes que, desviando os olhos de mim, seguraram seu companheiro para que pudéssemos ir embora. Na viagem de volta, contemplei as margens do rio passando e veio à minha mente a profecia de Inna, de que eu encontraria a satisfação de meus desejos à beira de um rio. Sacudi a cabeça ante a ironia daquela visão e voltei para meu abrigo no jardim, perturbada e desgostosa.

Pela primeira vez desde a minha infância sentia-me inquieta. Não sonhava mais com Shalem ou com sua morte, mas acordava todas as manhãs assombrada pela imagem de paisagens desertas, de carneiros macilentos, de mulheres chorosas. Levantava-me do catre tentando em vão compreender o motivo de minha angústia. Meryt encontrou fios de cabelo branco na minha cabeça e ofereceu-se para fazer uma tintura com cinzas e sangue de boi preto. Achei graça, embora soubesse que ela usava a mistura e parecesse bem mais jovem do que era por causa disso. De qualquer forma, a sugestão fez com que eu encarasse minha inquietude apenas como um sinal da passagem dos anos. Estava quase com a idade em que as mulheres param de sangrar durante a lua nova, e via-me passando o entardecer dos meus dias na paz do jardim de Nakht-re. Coloquei uma estátua de Ísis acima de minha cama e rezei pedindo sabedoria e tranquilidade à deusa e senhora, curandeira de homens e mulheres.

Esqueci-me, porém, de rezar pelo bem-estar dos meus protetores terrenos. Certa noite, bem tarde, fui acordada pelo barulho de gatos miando e, na manhã seguinte, Nakht-re veio avisar-me que Re-nefer morrera durante o sono. O corpo havia sido levado por sacerdotes, que o prepararam para a vida futura por meio de complexos rituais na tumba de seu pai, em Mênfis, onde uma estátua havia sido preparada em memória dela. As cerimônias durariam três dias.

Nakht-re perguntou-me se eu gostaria de participar das cerimônias em sua companhia. Agradeci, mas recusei. Creio que ele ficou aliviado, pois nós dois sabíamos que não havia lugar para mim entre os presentes.

Nos dias que se seguiram à morte de Re-nefer, amaldiçoei-a tanto quanto chorei por ela. Ela fora ao mesmo tempo minha salvadora e minha carcereira. Dera-me Shalem e depois roubara de mim sua lembrança. E, afinal de contas, eu não conhecia de fato essa mulher. Tivera muito pouco contato com ela depois da ida de Re-mose para a escola e não tinha noção de como ela se ocupara durante todos aqueles anos. Não sei se fiava ou tecia, se dormia o dia inteiro ou se, à noite, chorava a morte do filho e do marido. Se me odiava, se sentia pena de mim ou se me amava.

Sonhei muitos sonhos com nítidos detalhes depois da morte de Re-nefer. Ela aparecia na forma de um pequeno pássaro que vinha voando do sol nascente e gritava — Shechem — com uma voz que eu conhecia mas não conseguia identificar. O pássaro Re-nefer tentava levantar pessoas e objetos do chão, mas não tinha forças e batia as asas, frustrado, até ficar exausto e furioso. Toda noite, aos gritos, desaparecia em direção ao sol. Parecia que seu espírito perturbado jamais encontraria a paz. Depois da sétima noite com o mesmo sonho, eu não sentia nada mais por ela a não ser piedade.

Nakht-re morreu na estação seguinte e por ele chorei sem restrições. Honesto, generoso, bem-humorado e sempre gentil, era um modelo de nobre egípcio. Meu filho tinha sido afortunado por tê-lo como protetor e eu sabia que Re-mose iria chorar pelo único pai que conhecera. Embora ninguém me tivesse dito nada, presumi que Re-mose tivesse ido a Mênfis para as cerimônias fúnebres. Nakht-re era a única pessoa que tinha a preocupação de informar-me sobre as viagens de meu filho. Com sua morte, senti que meu contato com Re-mose se enfraquecia.

Depois que Nakht-re se foi, sua esposa foi morar com o irmão em algum lugar ao norte, no delta do rio. A casa iria ser entregue a um novo escriba. Se Re-mose fosse um pouco mais velho e mais experiente na arte de fazer política no templo, talvez lhe tivessem oferecido a posição. Em vez disso, o escolhido foi um dos rivais de Nakht-re. A maioria dos empregados permaneceria na casa, e a cozinheira insistiu para que eu também ficasse. Mas a frieza do olhar da nova senhora que veio examinar sua futura casa fez com que eu não sentisse nenhuma vontade de continuar ali.

Meryt também estava passando por uma fase de transição. Seu filho mais velho, Menna, oferecera-lhe um lugar para morar em sua casa no Vale dos Reis. Fora nomeado padeiro-chefe e recebera uma casa maior, onde a mãe seria muito bem-vinda. Menna veio visitá-la e contou que, embora as mulheres dos artesãos do Vale tivessem dado à luz muitas crianças, várias haviam morrido porque lá não havia parteiras experientes. Meryt seria uma cidadã respeitada se fosse morar com eles.

Minha amiga ficou tentada a aceitar. Desde aquela terrível viagem a On haviam corrido boatos a respeito da parteira estrangeira e de sua companheira. O sacerdote que eu havia amaldiçoado perdera a voz depois que eu pusera os olhos nele e em seguida havia ficado manco. Passamos a ser menos chamadas para fazer os partos da nobreza, embora ainda fôssemos procuradas pelas esposas de criados e de negociantes.

Eu sabia que a ideia de prestígio e de um novo começo agradava bastante à minha amiga, mas lhe causava preocupação viver sob o mesmo teto com a nora e relutava em abandonar as comodidades da vida em Tebas. Disse ao filho que iria pensar a respeito do convite até a próxima estação, quando se iniciava um novo ano. Apesar de tudo, explicou-me, o aparecimento da estrela do cão indicava uma fase das mais auspiciosas para se fazerem mudanças.

Juntas, minha amiga e eu avaliávamos nossas alternativas, mas de vez em quando ficávamos em silêncio, cada uma guardando seus piores temores para si mesma. Na verdade, eu não tinha para onde ir. Herya não me oferecera um lugar em sua casa. Eu simplesmente teria de continuar onde estava e esperar que tudo desse certo. Se Meryt fosse morar na casa do filho, eu estaria entregue à solidão, mas não mencionava esse fato e deixava-a falar sobre a vida no vale.

Meryt não cogitava partir sem mim, mas preocupava-se em ter de pedir à nora para receber duas mulheres em sua casa. Minha amiga levou seu dilema à sua boa senhora e Ruddedit implorou-lhe que ficasse, prometendo também que sempre haveria um lugar para mim em sua casa.

No entanto, o marido de Ruddedit em nada se parecia com Nakht-re. Era um tirano ignorante e de temperamento agressivo, que muitas vezes perdia o controle e agredia os criados. Até Ruddedit procurava manter-se a distância dele. Se eu fosse para aquela casa, teria de viver em um ambiente opressivo e procurar o tempo todo dissimular minha presença.

Teria perdido as esperanças não fosse o consolo que encontrava nos sonhos, onde milhares de flores-de-lótus brotavam em um jardim, crianças riam e braços fortes davam-me segurança. Meryt dava grande importância a esses sonhos e chegou a consultar um oráculo que, depois de examinar as tripas fumegantes de um bode, previu amor e riquezas para mim.

Chegou o novo ano e Menna voltou para visitar a mãe. Dessa vez, veio com a esposa, Shif-re, que insistiu:

— Venha morar conosco, mãe. Meus filhos trabalham o dia todo com o pai na padaria e estou quase sempre sozinha em casa. Há bastante espaço para a senhora sentar-se ao sol e descansar. Se quiser continuar a ser parteira, carregarei seu estojo e serei sua ajudante. Será tratada com todo o respeito na casa de meu marido e, depois de sua morte, honraremos sua memória com uma lápide de pedra com o seu nome gravado.

Meryt ficou emocionada com as palavras da nora. Shif-re era um pouco mais moça que eu e não era bonita, exceto pelos olhos, grandes, contornados de espessos cílios negros, que irradiavam bons sentimentos.

— Menna é um homem de sorte por ter você — disse Meryt, segurando as mãos da nora entre as suas —, mas não posso deixar Den-ner aqui. Ela agora é minha filha e ficaria só no mundo se não fosse por mim. Na verdade, é ela a parteira-chefe, e eu sou apenas sua assistente. É por ela que as mulheres nobres de Tebas chamam na hora do parto.

E continuou:

— Não posso pedir a você que dê abrigo a ela. No entanto, acredito que, se lhe oferecer a mesma hospitalidade que me oferece, será muito bem recompensada nesta vida. Ela traz em si as marcas da fortuna e da boa sorte. Seus sonhos têm grande força, e ela vê através das mentiras. Tudo isso já passou um pouco para mim e irá beneficiar você, assim como a sua casa.

Shif-re foi ter com o marido e repetiu-lhe as palavras de Meryt. Menna não se mostrou muito satisfeito com a perspectiva de ter mais uma mulher de meia-idade em sua casa, mas a promessa de ser agraciado com a sorte interessou-o. Foi ao abrigo do jardim com a mãe e a mulher para dizer que eu seria bem-vinda em sua casa, e aceitei o convite, sinceramente agradecida. Peguei um escaravelho de turquesa em minha caixa e dei-o a Menna.

— A hospitalidade é o verdadeiro tesouro dos deuses — falei, encostando a testa no chão diante do padeiro, que ficou encabulado com tamanha deferência.

— Talvez meu irmão possa oferecer-lhe o jardim de sua casa — ele disse, ajudando-me a levantar. — A mulher dele não consegue fazer brotar nada ali, e minha mãe contou que você recebeu de Osíris o dom de lidar com a terra.

Foi a minha vez de ficar embaraçada com tanta generosidade. Como viera a encontrar pessoas tão bondosas em minha vida? Qual era a explicação para tanta sorte?

Como o trabalho de Menna não permitia que ele ficasse muito tempo longe de casa, tivemos apenas alguns dias para nos prepararmos para a viagem. Primeiro, fui ao mercado, contratei um escriba que escrevia cartas para pessoas iletradas e mandei avisar a Re-mose, assistente do escriba Kar, residente em Kush, que sua mãe Den-ner se havia mudado para o Vale dos Reis, para a casa do padeiro-chefe Menna. Enviava-lhe ainda bênçãos em nome de Ísis e de seu filho Hórus. Paguei ao escriba em dobro para ter certeza de que a mensagem chegaria às mãos de meu filho.

Colhi as ervas do meu jardim, levando também pedaços de raízes e plantas secas. Enquanto trabalhava, lembrei como minhas mães arrancavam tudo o que havia na horta quando se mudavam de um lugar para outro. Enchi-me de coragem e fui sozinha ao mercado para trocar a maioria das minhas bugigangas por óleo de oliva e óleo de rícino, óleo de zimbro e sementes, pois ouvira dizer que poucos tipos de árvore se desenvolviam bem no vale. Percorri várias tendas em busca da melhor faca que pudesse encontrar e, no dia que antecedeu à nossa viagem, Meryt e eu fomos até o rio e colhemos uma quantidade de caniços de junco suficiente para uns mil partos.

Acondicionei todos os meus pertences dentro da caixa de Benia, que ficara ainda mais bonita com os efeitos do tempo sobre a madeira. Ao fechar a tampa, experimentei o alívio de ter escapado de um futuro sombrio.

Na noite anterior à minha partida da casa de Nakht-re, fiquei em vigília no jardim, caminhando ao redor do tanque, passando as mãos em cada arbusto e cada árvore, respirando o aroma penetrante das flores-de-lótus desabrochadas e dos pequenos trevos frescos. Quando a lua começou a declinar, entrei sorrateiramente na casa de Nakht-re e passei pelas pessoas adormecidas no chão até chegar ao terraço. Os gatos vieram se esfregar em mim, e sorri lembrando meu susto ao ver pela primeira vez o que pensava serem "cobras peludas".

Todos os meus dias no Egito haviam sido passados naquela casa e, ao olhar para trás, em meio ao ar da noite, o pouco de que me lembrava era bom: o cheiro de meu filho pequeno e o rosto de Nakht-re, pepinos e peixe com mel, a risada de Meryt e os sorrisos das mães dos meninos e meninas saudáveis que eu ajudara a nascer. As coisas dolorosas — a história de Werenro, a decisão de Re-nefer e até a minha própria solidão — eram como os nós entre as contas de um lindo colar, necessários para mantê-las firmes. Meus olhos transbordaram ao dar adeus àqueles dias, mas eu não lamentava coisa alguma.

De manhã, quando os outros chegaram, eu estava esperando sentada do lado de fora do portão do jardim, tendo ao lado minha caixa e um pequeno embrulho. Ruddedit acompanhou-nos até a barca e abraçou-me antes que eu embarcasse. Chorou longamente nos braços de Meryt. Era a única que chorava quando a barca se afastou do cais. Acenei para ela apenas uma vez e depois voltei o olhar para oeste.

※

Durou apenas um dia a viagem da casa do escriba para a casa do padeiro, mas o percurso determinou a diferença entre dois mundos. A barca estava lotada com moradores do vale, todos muito alegres ao voltar para casa depois de um dia passado no mercado. Muitos dos homens haviam pagado pelos serviços dos barbeiros de lá, que trabalhavam ao ar livre, e, por isso, a pele de seus rostos brilhava e os cabelos reluziam. Mães tagarelavam sobre os filhos que estavam junto delas, ora acariciando-os, ora repreendendo-os. Estranhos entabulavam conversa uns com os outros, mostravam o que haviam comprado, tentavam encontrar um ponto de contato comparando nomes de família, ofícios ou endereços. Parecia que sempre descobriam um amigo ou um parente comum, o que era motivo para tapas amigáveis nas costas, como se fossem irmãos há muito distantes.

Jamais havia visto pessoas tão satisfeitas com a própria vida e tão à vontade na companhia umas das outras, e eu refletia sobre qual seria o motivo. Talvez porque não houvesse senhores ou guardas na barca, nem mesmo um escriba. Apenas artesãos e suas famílias a caminho de casa.

Desembarcamos e seguimos por uma ladeira curta e íngreme em direção à cidade, que se esparramava na entrada do vale como um gigantesco vespeiro. Meu ânimo se foi. Era o lugar mais feio que já vira. No calor abrasador do sol da tarde, as árvores ao longo das ruas desertas pareciam sujas e sem vida. As casas eram muito próximas umas das outras, centenas delas, cada uma mais insignificante e sem graça que a outra. As portas nas calçadas estreitas abriam-se para a escuridão, e eu me perguntei se conseguiria ficar ereta sob a mais alta delas. As ruas não revelavam indícios de jardins, de colorido ou de qualquer das boas coisas da vida.

De alguma forma, Menna conseguia distinguir uma rua da outra e levou-nos até a entrada da casa de seu irmão, onde um menino bem pequeno estava à espreita. Assim que nos viu, gritou pelo pai, e o segundo filho de Meryt, Hori, saiu depressa para a rua, as mãos ainda cheias de pão fresco. Correu para Meryt, levantou-a pelos cotovelos e rodopiou pela rua com ela várias vezes, sorrindo com um sorriso igual ao de Meryt. A família de Hori foi aparecendo e batia palmas, enquanto Meryt ria para o filho e beijava-o na ponta do nariz. A casa de Hori era cheia de crianças, cinco ao todo, desde uma jovem em idade de casar até o menininho nu que havia sido o primeiro a nos avistar.

A família espalhou-se pela rua e atraiu os vizinhos, que observavam da porta de suas casas e riam daquele alvoroço. Depois, todos passaram com Meryt pelo vestíbulo da casa de Hori para a sala, um cômodo singelo com janelas altas que deixavam entrar a luz da tarde sobre os tapetes de cores vivas e as paredes pintadas com cenas representando um jardim exuberante. Fizeram com que minha amiga se sentasse na melhor cadeira da casa e, com toda a formalidade, apresentaram-lhe seus netos, um por um.

Sentei-me no chão encostada em uma parede para observar Meryt deliciar-se com as alegrias familiares. As mulheres trouxeram comida dos aposentos dos fundos e pude perceber que havia uma horta. Meryt elogiou a comida, que estava bem temperada e era abundante, e declarou que a cerveja era melhor do que todas as outras que experimentara em Tebas, a cidade dos nobres. A nora ficou radiante com essas palavras e o filho sacudiu a cabeça, cheio de orgulho.

As crianças examinavam-me com atenção, pois jamais haviam visto uma mulher tão alta nem um rosto com feições tão obviamente estrangeiras. Todas mantiveram uma certa distância, com exceção da pequena sentinela, que subiu no meu colo e lá ficou instalada, o dedo na boca. O peso de uma criança contra meu peito fez-me voltar à memória a doçura dos dias em que segurava Re-mose daquela mesma maneira. Sem me dar conta do que fazia, suspirei com tanta saudade que os outros se viraram para mim.

— Minha amiga! — exclamou Meryt, correndo para mim. — Desculpe por me esquecer de você!

A mãe da criança aproximou-se e levou-a, enquanto Meryt me ajudava a ficar de pé.

— Esta é Den-ner — anunciou ela, enquanto me fazia girar como se eu fosse uma criança para que todos pudessem ver meu rosto. — Menna vai dizer a vocês que ela é uma parteira sem amigos que ele está recebendo em sua casa por piedade. Mas eu digo que sou amiga e irmã dela, e também aluna, pois jamais vi ou ouvi falar de uma parteira tão habilidosa. Ela tem as mãos de Ísis e, com o amor da deusa pelas crianças, dá a mães e filhos toda a afeição dos céus.

Com as faces ainda coradas por causa de todas as atenções que recebera da família, Meryt começou a falar a meu respeito como se fosse um mercador que estivesse apregoando seus produtos na feira.

— E ela é também uma profetisa, meus queridos. Seus sonhos têm grande poder e a força de sua ira é temível, pois eu a vi destruir um homem perverso na flor da idade por ele ter maltratado uma jovem mãe. Ela vê através dos corações dos homens e ninguém consegue enganá-la com as palavras doces que escondem um coração mentiroso.

Entusiasmada com o som da própria voz e por estar vendo a atenção dos filhos toda voltada para si, Meryt prosseguiu:

— Ela veio do Oriente. Lá, as mulheres costumam ser tão altas quanto os homens do Egito. E a nossa Den-ner também é inteligente, pois sabe falar a língua do Oriente e também a nossa. Seu filho é Re-mose, um escriba, herdeiro de Nakht-re e que algum dia será muito importante nesta terra. Temos sorte de a mãe de Re-mose estar entre nós, e a casa de Menna será abençoada quando ela dormir sob seu teto.

Ter todos aqueles olhos postos em mim era muito constrangedor.

— Obrigada — foi só o que pude dizer. — Muito obrigada — disse eu, inclinando o corpo para Menna e Shif-re, depois para Hori e sua mulher, Takharu. — Obrigada por sua generosidade. Sou sua serva, em gratidão.

Voltei para o meu canto junto à parede, satisfeita em poder observar os membros da família comendo, gracejando e divertindo-se entre eles. Quando a luz do dia começou a morrer, fechei os olhos por um instante e vi Raquel segurando José no colo, seu rosto encostado ao dele.

Havia anos que não pensava no meu irmão José e não conseguia situar aquele momento com exatidão, mas a cena era tão vívida quanto a lembrança dos carinhos de Lia, tão clara em minha mente quanto a visão das tendas de Mamre. Desde criança, já sabia que seria José quem perpetuaria a história da família para as gerações seguintes. Que ele se transformaria em alguém mais interessante e complexo do que simplesmente um homem bonito nascido de uma bela mulher.

Os parentes de Meryt pensaram que eu estivesse cochilando sentada ali, mas meu pensamento divagava, trazendo de volta José e Raquel, Lia e Jacó, minhas tias e Inna, e o tempo anterior a Shechem. Suspirei de novo, dessa vez o suspiro da órfã, que impregnou a sala com uma melancolia fugaz, prenunciando o fim da festa de boas-vindas.

Caía a noite quando Menna levou-nos, Meryt e eu, pelas ruas banhadas de luar até sua casa, que ficava próximo dali. Era mais ampla e mais confortável que a de Hori, porém quente e abafada no interior, de modo que carregamos nossos catres escada acima para o terraço, onde o céu estrelado parecia estar ao alcance da mão.

Acordei antes do nascer do sol e levantei-me para ver a cidade inteira sonhando. As pessoas dormiam sozinhas e aos pares, ou em grupos amontoados com crianças e cachorros. Um gato descia a rua carregando alguma coisa na boca. Pousou-a no chão e vi que era um filhote, que se pôs a lamber. Enquanto os observava, o sol pintou as montanhas de rosa e depois de dourado. As mulheres mexeram-se, espreguiçaram-se e começaram a descer as escadas. Pouco depois, o cheiro de comida espalhou-se pelo ar e o dia começou.

A princípio, Shif-re não permitia que Meryt ou eu fizéssemos qualquer coisa, fosse na cozinha ou na horta. Ficávamos sentadas sem fazer nada, olhando-a trabalhar. Meryt tinha horror de se tornar uma sogra intrometida, mas suas mãos ansiavam por se ocupar com qualquer coisa.

— Ao menos, deixe que eu ajude a preparar a cerveja — pediu.

Quanto a mim, propus:

— E eu poderia varrer o terraço.

Aparentemente, porém, Shif-re se sentia ofendida com as ofertas de ajuda. Ao cabo de uma semana, eu não aguentava mais. Peguei um grande jarro vazio e anunciei:

— Vou até a fonte.

E saí porta afora antes que a anfitriã pudesse objetar, para surpresa de Meryt e minha própria, devo confessar. Depois de anos com medo das ruas de Tebas, segui apressada por aquela sem saber ao certo aonde ir. Entretanto, como sempre havia mulheres indo e voltando da fonte, logo descobri meu rumo.

Enquanto andava, aproveitei para olhar dentro das casas e sorrir para as crianças nuas brincando no chão. Comecei a distinguir uma casa da outra, vi flores plantadas aqui e ali, as molduras das portas pintadas de vermelho ou verde e bancos colocados junto à entrada. Senti-me outra vez uma menina, os olhos abertos para as novidades e tendo pela frente um dia sem obrigações a cumprir.

Quase chegando à fonte, alcancei uma mulher grávida que caminhava à minha frente com aquele típico andar oscilante.

— Não é o seu primeiro, certo? — perguntei-lhe em tom animado quando cheguei a seu lado. No momento em que ela se virou e olhou para mim, vi o rosto de Raquel, vi a expressão que ela devia ter durante os longos anos que antecederam o muito esperado nascimento de José. O rosto da mulher contraiu-se de raiva e desespero. — Ah, minha cara, perdoe-me — disse eu, envergonhada —, falei antes de perceber o que isso deve significar para você. Não tenha medo, mãezinha. Este menino vai nascer bem.

A mulher arregalou uns olhos cheios de medo e esperança, a boca entreabriu-se de espanto.

— Como tem coragem de me dizer essas coisas? Este vai morrer como os outros que vieram antes dele. Sou detestada pelos deuses. — A amargura e a angústia transpareciam em suas palavras. — Sou uma mulher sem sorte.

Minha resposta brotou com a segurança da própria grande mãe, com uma voz que veio através de mim, não de dentro de mim:

— Ele nascerá perfeito e muito em breve. Hoje mesmo ou amanhã. Mande chamar por mim e irei ajudá-la quando chegar a hora de subir nos tijolos e de cortar o cordão.

Ahouri era seu nome e, depois de enchermos nossos jarros, ela me acompanhou de volta à casa do padeiro. Morava algumas casas mais adiante e, na noite seguinte, quando sua hora chegou, o marido veio procurar a parteira estrangeira.

Com Meryt, ajudei um parto que foi dos mais fáceis e simples que jamais havíamos presenciado. Ahouri chorou de alívio quando segurou seu terceiro filho gerado, mas o único que nascera vivo. Era um menino robusto e ela o chamou de Den-ouri, o primeiro a receber um nome em minha homenagem. O marido, que era oleiro, presenteou-me com um belo jarro em sinal de agradecimento, beijou minhas mãos e teria me carregado no colo até em casa se eu tivesse permitido.

Meryt espalhou a história de que eu havia realizado alguma espécie de prodígio com Ahouri e, não demorou muito, estávamos mais ocupadas que em Tebas. A maioria dos homens que trabalhavam no vale era de jovens casados com mulheres na idade de procriar e, por causa disso, atendíamos a no mínimo dez partos por mês. Shif-re nunca mais teve de alimentar hóspedes que ficavam à toa e, em pouco tempo, estava ganhando tantas guloseimas e peças de linho que não sabia mais o que fazer com elas. Menna sentia-se orgulhoso por ter mulheres tão respeitadas sob seu teto e tratava-me como se eu fosse sua tia.

As semanas e os meses passaram rapidamente, e nossa vida no vale adquiriu uma rotina própria. A parte da manhã, antes que o calor intenso tomasse conta de tudo, era a mais movimentada. Os homens saíam cedo e as crianças brincavam nas ruas, enquanto as mulheres limpavam as casas, cozinhavam as refeições do dia e iam buscar água nas fontes. Era lá que as novidades se espalhavam e onde eram acertados os preparativos para o próximo festival.

Ainda que da cidade não se pudesse avistar o grande rio, era ele que regia o fluxo e o refluxo dos acontecimentos diários na árida terra do vale. Seus períodos de cheia e vazante eram comemorados com muita alegria pelos artesãos, desde pequenos habituados ao ritmo da lavoura estabelecido pelo Nilo. Depois de tantos anos na terra do grande rio, afinal aprendi os lindos nomes das estações: *akhit* — a inundação; *perit* — a vazante; *shemou* — a colheita. Cada uma tinha seu dia de festa e ritual lunar, com comidas e canções especiais.

Um pouco antes da minha primeira lua cheia do equinócio de outono no vale, um escriba veio à casa de Menna com uma carta do meu filho. Escrevera para informar que estava morando novamente em Tebas, tendo sido designado para trabalhar como escriba a serviço de um novo vizir, Zafenat Paneh-ah, que fora escolhido pelo próprio rei. Mandava saudações em nome de Amun-re e Ísis e votos de boa saúde para mim. Era uma espécie de mensagem oficial, mas mesmo assim eu estava feliz porque significava que ele havia pensado em mim o suficiente para enviá-la. Aquele fragmento de calcário, escrito pelas mãos de Re-mose, tornou-se para mim o mais precioso dos pertences e, para os outros, não obstante meus protestos, uma prova de minha condição como pessoa de prestígio.

Não se passara muito tempo da chegada da carta de meu filho e um outro homem apareceu à porta da casa procurando pela mulher chamada Den-ner. Shif-re perguntou-lhe se era a esposa ou a filha dele que precisava dos tijolos da parteira, mas ele apenas respondeu:

— Nem uma nem outra.

Então perguntou se ele também era um escriba trazendo mais uma carta de Tebas, mas ele respondeu que não.

— Sou marceneiro — explicou.

Shif-re foi até o jardim levando a informação curiosa de que um marceneiro solteiro estava procurando por uma parteira. Meryt, que estava fiando, levantou vivamente os olhos de seu trabalho e, afetando desinteresse, disse:

— Den-ner, vá ver o que esse estranho quer.

Fui sem pestanejar.

Os olhos dele estavam mais tristes, mas de resto era o mesmo. Não levou um momento e Benia estendeu a mão e tocou-me. Sem hesitar, pousei a minha sobre a dele. Estendi a outra e ele a tomou. Ficamos um diante do outro, mãos unidas, sorrindo como dois tontos, calados, até que Meryt não aguentou mais a expectativa e chamou-me lá de dentro, com uma falsa preocupação na voz:

— Oh, Den-ner, você ainda está aí ou era um ladrão que estava à porta?

Entramos na casa e fomos ao encontro de Meryt, que se apoiava ora em um pé, ora no outro, irrequieta como um passarinho, exibindo o sorriso travesso do deus Bes. Shif-re também sorria, pois acabara de saber que Meryt passara os últimos meses procurando o artista que me oferecera seu coração com aquela esplêndida caixa que eu trouxera de Tebas.

Convidaram-no a sentar e ofereceram-lhe cerveja e pão. Mas Benia tinha olhos apenas para mim. E eu retribuía o olhar.

— Vá logo — disse Meryt, abraçando-me e empurrando-me ao mesmo tempo. — Menna levará sua caixa pela manhã e eu irei atrás com pão e sal. Vão, em nome da deusa Ísis e seu companheiro Osíris. Vão e sejam felizes.

Ao deixar a casa de meus amigos e seguir um estranho, surpreendi-me com a minha própria convicção, mas não hesitei.

Andamos pelas ruas lado a lado, sem dizer palavra, por um tempo que me pareceu muito longo. A casa de Benia ficava perto dos limites do povoado, próximo ao caminho que ia em direção às tumbas, bem longe da rua de Meryt. Enquanto caminhávamos, recordei-me das histórias que minhas mães contavam sobre mãos pintadas com hena e músicas cantadas para o noivo e a noiva enquanto os dois seguiam para a tenda matrimonial. Sorri ao imaginar que estivesse naquele momento em uma espécie de cortejo, a caminho do leito nupcial. Sorri também ao pensar que Meryt, na manhã seguinte bem cedo, iria correr de fonte em fonte e contar para todo mundo sobre o caso de amor entre Benia, o mestre-marceneiro, e Den-ner, a parteira com poderes mágicos. Quase ri alto ao pensar nisso. Benia, interpretando o ruído que eu deixara escapar como sinal de aflição, abraçou-me e, levando os lábios ao meu ouvido, sussurrou:

— Não tenha medo.

Mágicas palavras. Apoiei a cabeça em seu ombro e fizemos o resto do percurso de mãos dadas, como duas crianças.

Assim que chegamos à casa de Benia, que era quase tão grande quanto a de Menna, ele me conduziu pelos cômodos e, com muito orgulho, mostrou-me a mobília que havia feito: duas cadeiras que pareciam tronos, uma cama entalhada com rebuscados detalhes decorativos e caixas de diferentes formatos. Achei engraçado ver que até o vaso sanitário era bonito demais, levando-se em conta sua repugnante finalidade.

— Fiz estas peças pensando em você — explicou Benia encolhendo os ombros, embaraçado. — Imaginava-a sentada aqui, dormindo ali, arrumando tudo da sua maneira. Quando Meryt me encontrou, fiz isto para você.

Pegou em um nicho da parede uma pequena caixa primorosa. Não tinha decoração alguma, mas era perfeita, feita de ébano — a madeira usada quase que exclusivamente para as tumbas dos reis —, e havia sido polida até brilhar como uma lua negra.

— Para seus instrumentos de parteira — disse ele, estendendo-me a caixa.

Mantive os olhos fixos na caixa por um instante, atônita com tanta generosidade e ternura.

— Nada tenho para oferecer a você como lembrança — repliquei.

Ele levantou um dos ombros, um gesto que eu logo conheceria tão bem quanto minhas próprias mãos.

— Não precisa me dar nada. Se aceitar esta caixa por livre e espontânea vontade, sua escolha será sua oferenda.

Foi assim que me tornei uma mulher casada no Egito.

Benia serviu-nos uma refeição com pães, cebolas e frutas. Sentamo-nos na cozinha, comemos e bebemos, um silêncio nervoso pairando no ar. Eu era uma criança na última vez que me deitara com um homem. Benia vinha pensando em mim desde aquele dia no mercado, dois anos antes. Estávamos tão encabulados quanto um casal de virgens cujo casamento tivesse sido arranjado pelos pais.

Terminada a ceia, Benia levou-me pela mão até o aposento principal, onde ficava a linda cama coberta de frescos lençóis de linho. Lembrava-me a cama de Re-nefer na casa de Nakht-re. Lembrava-me a cama de Shalem na casa do pai dele. Mas, então, Benia virou-me para ele, colocou as mãos no meu rosto e esqueci-me de todas as outras camas que vira no passado.

Fazer amor foi uma doce surpresa. Desde a nossa primeira vez, Benia teve grande cuidado em despertar meu prazer, e parecia ser no meu prazer que ele encontrava o seu. Minha timidez dissipou-se inteiramente no decorrer daquela noite e, com o passar das semanas, encontrei em mim fontes de desejo e paixão que jamais suspeitara existirem. Quando Benia se deitava comigo, o passado se desvanecia e eu me transformava em uma nova pessoa, renascida no sabor de sua boca e no toque de seus dedos. Suas mãos imensas seguravam meu corpo como se fosse uma taça e desatavam nós invisíveis, atados durante os anos de solidão e de silêncio. A visão das pernas dele, rijas, com os músculos definidos, excitava-me tanto que, pela manhã, antes de sair, Benia gostava de me provocar e levantava a barra da túnica mostrando a parte superior da coxa, o que sempre me fazia enrubescer e rir em seguida.

Meu marido ia todas as manhãs para a oficina, porém não precisava trabalhar nas tumbas como os escultores de pedra e os pintores, e assim voltava ao anoitecer para os meus braços, quando descobríamos um prazer cada vez maior um no outro — e o triste fato de eu não saber cozinhar.

Durante os anos em que vivi na casa de Nakht-re, raramente passava pela cozinha, muito menos preparava qualquer refeição. Nunca aprendi a fazer pão em um forno egípcio, nem mesmo a limpar peixe ou depenar aves. Benia e eu comíamos frutas ainda não amadurecidas que colhíamos no malcuidado jardim da casa e o pão que Menna nos cedia de favor. Muito envergonhada, pedi a Shif-re que me ensinasse a cozinhar e Meryt participou da aula apenas para zombar de mim.

Tentei em vão reproduzir as receitas das minhas mães, mas não dispunha dos ingredientes e já não me lembrava das proporções. Ficava encabulada e aborrecida, mas Benia só achava graça e comentava:

— Não vamos morrer de fome. Consegui manter-me vivo esses anos todos pedindo pão e frutas e, de vez em quando, indo comer em casa de amigos e parentes. Não me casei com você para que fosse minha cozinheira.

Na cozinha, sentia-me como um peixe fora d'água, mas gostava demais de cuidar de minha casa. Havia uma enorme satisfação em decidir onde pôr uma cadeira ou que árvore plantar no jardim. Deliciava-me em criar a minha própria ordem das coisas e sempre cantarolava quando varria o chão ou dobrava as cobertas. Passava horas a fio arrumando as caçarolas da cozinha, primeiro por tamanho, depois pela cor.

Minha casa era um mundo que me pertencia, um país no qual eu era a governante e a cidadã, onde mandava e onde obedecia. Certa noite, quando voltava para casa bem tarde, exausta depois de ajudar um parto de gêmeos, pensei que me havia perdido. Parada no meio da rua, no escuro da noite, reconheci minha casa pelo seu aroma, uma mistura de coriandro, cravo e o odor de cedro que Benia exalava.

Poucos meses depois de ter-me mudado, Menna preparou uma pequena festa para Benia e eu. Os artesãos de meu marido cantaram canções que tinham a ver com seu ofício. Os filhos de Meryt cantaram músicas que falavam de pão. E, depois, todos os homens com suas mulheres e filhos uniram as vozes para cantar canções de amor, e aparentemente havia uma quantidade interminável delas. Sentia-me acanhada por me cumularem de tantas atenções, pelas taças erguidas, os sorrisos largos, os beijos. Embora Benia e eu fôssemos velhos demais para todas essas tolices, estávamos absurdamente encantados um com o outro. Quando Meryt se inclinou para mim e pediu que eu parasse de impedir as pessoas de se alegrarem com a nossa felicidade, deixei de lado a timidez e sorri agradecida para todos os nossos amigos.

Tivera razão ao confiar em Benia, que era a própria essência da bondade. Certa noite, deitados, nós dois fitávamos o céu. Havia apenas uma nesga de lua e as estrelas dançavam no espaço, e ele então me falou de sua vida. Suas palavras vieram devagar, porque muitas das lembranças eram tristes:

— Tenho uma única lembrança de meu pai. A visão das suas costas quando ele se afastou de mim e foi embora caminhando pelo campo. Eu estava atrás do arado desmanchando torrões de terra. Tinha seis anos quando ele morreu, deixando mamãe com quatro filhos. Eu era o terceiro. Minha mãe não tinha irmãos e a família de meu pai não foi generosa — contou. — Ela teve de procurar trabalho para nós, e foi por isso que me levou para a cidade e mostrou minhas mãos aos escultores de pedras. Eles me acolheram como aprendiz, me ensinaram o ofício e me fizeram trabalhar até minhas costas ficarem fortes e as mãos cheias de calos. Mas tornei-me motivo de riso nas oficinas de cantaria. O mármore estalava quando eu chegava, o granito chorava quando eu levantava o cinzel. Um dia — continuou —, caminhando pelo mercado, observei um marceneiro consertando um banco velho para uma mulher pobre. Ele reparou no meu cinto e cumprimentou-me inclinando-se profundamente, pois, mesmo sendo eu apenas um aprendiz, os escultores de pedra, por trabalharem com materiais eternos, são considerados muito mais importantes que os artífices que trabalham com madeira, cujas obras, por mais grandiosas, estão sujeitas à mesma decomposição do corpo humano. Expliquei ao marceneiro que o respeito dele era imerecido, porque até o arenito conseguia derrotar-me. Confessei-lhe que corria o risco de ser posto no olho da rua — disse Benia. — O marceneiro pegou minha mão, virou-a para lá e para cá, depois me deu uma faca e um pedaço de madeira e me pediu para esculpir um brinquedo para o neto dele. A madeira parecia quente, viva, e, sem dificuldade, minhas mãos deram forma a um boneco. Tinha a impressão de que os próprios veios do pinho sorriam para mim — contou. — O marceneiro aprovou meu trabalho com um sinal de cabeça e levou-me à oficina de seu mestre, apresentando-me como um possível aprendiz. E foi lá que descobri a profissão da minha vida.

A essa altura, meu marido suspirou.

— Foi lá também que eu conheci minha mulher, que trabalhava como criada na casa do mestre. Éramos muito jovens — disse ele com brandura, e percebi, no silêncio que se seguiu, que havia amado de todo o coração a esposa de sua juventude. Fez uma longa pausa e continuou: — Tivemos dois filhos.

Calou-se de novo e ouvi vozes de meninos pequenos, a risada amorosa de Benia, uma voz de mulher entoando canções de ninar.

— Morreram da febre do rio — explicou Benia. — Saímos da cidade para visitar meu irmão, que se casara com uma moça de uma família de fazendeiros. No entanto, quando chegamos, encontramos meu irmão à morte e as outras pessoas da sua família já contaminadas. Minha mulher cuidou de todos eles — disse ele, num sussurro. — Devíamos ter ido embora — completou, o sentimento de culpa ainda vivo após tantos anos. — Desde então, vivi apenas para o meu trabalho, amei apenas o meu trabalho. Uma vez, fui ter com as prostitutas — confessou, tímido —, mas elas eram muito tristes. Até conhecer você no mercado — disse ele —, sequer me preocupava em encontrar alguém. Porém, quando reconheci que era você a minha amada, meu coração voltou a viver. Mas você desapareceu e pareceu sentir desdém por mim, o que me encheu de raiva. Pela primeira vez na vida esbravejei contra os deuses por terem roubado minha família e posto você diante dos meus olhos para, em seguida, tirá-la de mim. Estava ao mesmo tempo furioso e com medo de ficar só. Então, arranjei uma esposa.

Eu, que estivera totalmente imóvel até aquele momento, sentei-me ao ouvir aquela declaração.

— Sim, sim — disse, constrangido —, minha irmã conseguiu-me uma moça em idade para casar, a criada de um pintor, e trouxe-a para cá. Foi um desastre. Eu era velho demais para ela, e ela, muito tola para mim. Ah, Den-ner — disse Benia, em tom de desculpa —, éramos tão diferentes que chegava a ser engraçado. Nunca nos falávamos. Tentamos partilhar a minha cama duas vezes, mas até isso foi péssimo. Afinal, ela foi mais corajosa do que eu, pobre moça, e foi-se embora duas semanas depois. Saiu de casa enquanto eu estava no trabalho, tomou a barca de volta para a casa do pintor, onde ainda deve estar até hoje. Já estava conformado em fazer da bebida a minha companhia constante quando Meryt me procurou. Precisou vir aqui pelo menos três vezes antes que eu concordasse em ir vê-la. Sorte minha que sua amiga não entende o significado da palavra "não".

Voltei-me então para meu marido e lhe disse:

— E minha sorte é medida por sua bondade, que não tem limites.

Naquela noite, amamo-nos devagar, como se fosse a última vez, chorando. Uma das suas lágrimas caiu em minha boca e transformou-se em uma safira de um azul profundo, fonte de vigor e esperança eterna.

Benia não me pediu em troca que também contasse a minha história. Seus olhos enchiam-se de curiosidade quando me referia à maneira de minha mãe preparar cerveja ou à habilidade de minha tia como parteira, mas ele controlava a vontade de saber. Acho que temia que eu desaparecesse se me perguntasse qualquer coisa, como o significado do meu nome ou como se diz "água" em minha língua materna.

Em uma outra noite sem lua, contei-lhe o que pude das minhas verdades: que o pai de Re-mose era filho de Re-nefer, irmã de Nakht-re, e que eu fora para Tebas depois do assassinato do meu marido em nossa própria cama. Ao ouvir isso, Benia estremeceu, tomou-me em seus braços como se eu fosse uma criança e afagou minha cabeça, dizendo apenas "Coitada de você", que era tudo o que eu sempre quisera ouvir.

Nenhum de nós dois jamais pronunciou o nome dos nossos mortos bem-amados, e, com essa demonstração de respeito, eles nos permitiram viver em paz com nossos novos companheiros e nunca afligiram nossos pensamentos durante o dia ou assombraram nossos sonhos à noite.

A vida era agradável no Vale dos Reis, na margem oeste do rio. Benia e eu encontrávamos um no outro tudo aquilo de que precisávamos. Na realidade, éramos ricos de todas as maneiras, exceto uma, pois não tínhamos filhos.

Talvez eu fosse estéril ou, simplesmente, tivesse passado da idade de conceber. Ainda que já tivesse vivido uma vida completa, perto de quarenta anos, minhas costas eram fortes e meu corpo ainda obedecia às fases da lua. Estava certa de que meu ventre já estava frio, mas mesmo assim meu coração nunca perdia as esperanças, e entristecia-me quando o fluxo chegava com a lua nova.

Ainda assim, não vivíamos completamente sem crianças por perto, pois Meryt vinha sempre sentar-se à nossa porta com os netos, que nos chamavam de tio e tia. A pequena Kiya, em especial, gostava muito de dormir em nossa casa, tanto que às vezes a mãe a mandava ficar conosco para me ajudar na horta e alegrar nossos dias.

Benia e eu gostávamos de conversar à noite e eu lhe contava das crianças que ajudara a nascer, das mães que haviam morrido, apesar de felizmente terem sido poucas. Ele falava de suas encomendas, cada uma representando um novo desafio estampado não só nos desejos dos compradores e construtores como na vontade da madeira que estava em suas mãos.

Os dias transcorriam pacificamente, e o fato de quase nada distinguir um do outro parecia-me uma grande dádiva. Tinha as mãos de Benia, a amizade de Meryt, a maciez da pele dos recém-nascidos, o sorriso das mulheres que acabavam de dar à luz, uma menina rindo na minha cozinha, uma casa só para mim.

Era mais que suficiente.

4

Antes que o mensageiro chegasse à minha casa, eu já sabia da notícia sobre Re-mose. Kiya viera correndo avisar que um escriba estivera na casa de Menna procurando pela parteira Den-ner e agora estava a caminho da casa de Benia.

Fiquei encantada com a perspectiva de receber outra carta de meu filho. Fazia mais de um ano que havia recebido a última e imaginei-me mostrando a Benia, quando ele chegasse em casa naquela noite, a escrita de meu filho em uma placa de calcário.

Fiquei esperando na entrada de casa, ansiosa pelas notícias contidas na carta. Quando, porém, o homem surgiu na esquina, cercado por um bando de crianças excitadas, percebi que o mensageiro estava trazendo a própria mensagem.

Ficamos frente a frente. Vi um homem que não conhecia: a imagem de Nakht-re, com exceção dos olhos, iguais aos do pai. Não encontrei nada de meu naquele príncipe egípcio que estava diante de mim, vestido de linho da melhor qualidade, um peitoral de ouro reluzente sobre o peito e sandálias novas em pés bem tratados.

Não sei o que ele viu enquanto me fitava. Pensei ter vislumbrado desprezo em seus olhos, mas talvez fosse apenas meu temor. Refletia se ele teria notado que eu estava mais ereta, mais alta, agora que carregava menos desgosto nas costas. Seja o que for que tenha visto ou pensado, éramos dois estranhos.

— Perdoe minha indelicadeza — consegui afinal dizer. — Entre na casa de Benia e deixe que eu lhe ofereça cerveja fresca e frutas. Sei que a estrada que vem de Tebas tem muita poeira.

— Perdão, mãe — disse Re-mose, recobrando-se também. — Faz muito tempo que não vejo seu amado rosto. — Suas palavras eram frias e seu abraço foi rápido, desajeitado. — Aceitaria com prazer uma bebida — disse ele, enquanto entrava em casa atrás de mim.

Enxerguei cada cômodo da casa através dos olhos de Re-mose, acostumados à beleza espaçosa dos palácios e templos. O aposento da frente, que era meu e que eu adorava por causa da pintura colorida das paredes, parecia de repente pequeno e despojado, e fiquei contente quando ele o atravessou às pressas. O aposento de Benia era mais amplo e mobiliado com peças encontradas somente em residências senhoris e templos. Os olhos do meu filho aprovaram a qualidade das cadeiras e da cama e, então, deixei-o lá e fui buscar comida e bebida. Kiya acompanhara-nos o tempo todo e olhava com insistência para o homem ricamente vestido que estava em minha casa.

— É minha irmã? — perguntou Re-mose apontando para a menina, que não abrira a boca.

— Não — respondi —, é neta de uma amiga e como se fosse uma sobrinha para mim. — Pareceu aliviado com a resposta. — Os deuses aparentemente decidiram que você continue sendo meu único filho — acrescentei.

— Estou satisfeita por vê-lo saudável e bem-sucedido. Diga-me, você se casou? Já sou avó?

— Não — respondeu Re-mose, com um movimento tenso da mão. — As obrigações são tantas que não me sobra tempo para constituir família. Algum dia, talvez, minha situação melhore e possa dar-lhe crianças para pôr no colo.

Tudo isso, no entanto, não passava de uma conversa formal, que se perdia no ar e soava falsa. O abismo entre nós era profundo demais para qualquer familiaridade. Quando me tornasse avó, se isso acontecesse, conheceria meus netos apenas através de mensagens enviadas em pedaços de pedra que só serviam para ser descartadas depois de lidas.

— Mãe — disse ele depois de beber sua cerveja —, não vim aqui apenas por prazer. Meu senhor ordenou-me que viesse buscar a melhor parteira do Egito para ajudar no parto de sua esposa. É verdade — disse, contestando meu dar de ombros. — Não diga nada que diminua sua reputação, pois ninguém conseguiu tomar seu lugar em Tebas. A esposa de meu senhor sofreu dois abortos e quase morreu no parto de uma criança que nasceu morta. Os médicos e os feiticeiros não ajudaram em nada, e agora as parteiras estão receosas de ajudar uma princesa que tem tão pouca sorte para dar à luz. A mãe dela já morreu e ela está assustada. Meu senhor ama perdidamente a esposa e tudo que deseja é ter filhos com ela. As criadas de As-naat falaram-lhe de sua capacidade como parteira, e ela pediu ao marido para procurar a mulher estrangeira com mãos de ouro que atendia as mulheres de Tebas. Como o meu senhor confia-me tudo, também fiquei encarregado desse assunto.

Reparei que Re-mose apertava e franzia os lábios cada vez que pronunciava o nome de seu senhor.

— Imagine minha surpresa quando descobri que era minha mãe quem ele procurava. Ficou repentinamente impressionado com minha linhagem quando soube que você era compatriota dele — acrescentou Re-mose em tom de ironia. — O vizir mandou-me deixar de lado todos os assuntos de Estado, vir ao Vale dos Reis para buscá-la e acompanhá-la à casa dele. Ordenou-me que não voltasse sem você.

— Você não gosta desse homem — falei simplesmente.

— Zafenat Paneh-ah foi escolhido para ser vizir em Tebas por vontade do rei — disse Re-mose com um tom de voz ao mesmo tempo formal e reprovador. — Dizem que é um grande adivinho, que prevê o futuro e interpreta sonhos com a mesma facilidade com que um eminente escriba lê os hieróglifos de um aprendiz. É, porém, analfabeto — disse acremente. — Não sabe lidar com números, não escreve nem lê, por isso o rei designou-me, o melhor dos alunos de Kar, para ser seu braço direito. E é neste ponto que estou hoje, sem esposa, sem filhos, sob as ordens de um bárbaro.

Os músculos do meu corpo se retesaram ao ouvir a palavra. Re-mose percebeu minha reação e corou de vergonha.

— Não, mãe, você não — falou depressa. — Você não é como eles, ou meu pai e minha avó nunca a teriam escolhido. Você é admirável. Não há mãe no Egito melhor que você.

Sua adulação fez-me sorrir a contragosto. Abraçou-me e, por um breve momento, tive de volta o menino carinhoso que um dia fora meu filho.

Bebemos nossa cerveja em silêncio por algum tempo, depois eu disse:

— É claro que irei para Tebas com você. Se o vizir do rei ordena que me leve, irei. Antes, porém, preciso falar com minha amiga Meryt, meu braço direito em meu ofício, para vir comigo. E também falar com meu marido, Benia, o marceneiro-chefe, para que saiba aonde estou indo e quando devo retornar.

Os lábios de Re-mose encresparam-se de novo e ele disse:

— Não há tempo para isso, mãe. Temos de partir agora. A esposa de meu amo já está em trabalho de parto e ele espera minha chegada a qualquer momento. Mande esta menina avisar os outros. Não posso esperar.

— Sinto muito, mas você vai ter de esperar — disse e saí da sala.

Re-mose veio atrás de mim até a cozinha e agarrou-me pelo cotovelo com a arrogância de um senhor prestes a espancar uma criada desobediente.

Afastei-me bruscamente e disse, olhando em seus olhos:

— Nakht-re teria preferido morrer a tratar um parente, muito menos a própria mãe, desta maneira. É assim que você honra a memória do único pai que conheceu? Lembro-me dele como um homem digno, a quem você deve tudo e cujo nome você está desrespeitando.

Re-mose parou e deixou cair a cabeça. Sua ambição e seu coração estavam em guerra, e a expressão de seu rosto revelava a divisão em sua alma. Re-mose caiu de joelhos e curvou-se até o chão, sua cabeça a meus pés.

— Perdoo você — disse eu. — Vou levar apenas um segundo para me preparar e encontraremos minha amiga e meu marido no caminho para Tebas.

Re-mose levantou-se e foi esperar fora de casa, enquanto eu me preparava para uma viagem que detestava ter de fazer. Enquanto apanhava meu estojo e algumas ervas, sorria ao pensar na minha audácia, repreendendo meu poderoso filho por sua indelicadeza e insistindo em minhas despedidas. Onde estava aquela mulher dócil que vivera na casa de Nakht-re por tantos anos?

Meryt já me aguardava à porta da casa do filho, ansiosa pelas novidades. Seus olhos se arregalaram quando a apresentei a Re-mose, que não via desde menino. Levou a mão à boca diante do convite para atender a esposa do vizir do rei, mas não podia me acompanhar. Três mulheres da cidade estavam prestes a dar à luz e uma delas era da família, a filha de um irmão de Shif-re. Abraçamo-nos e ela desejou-me o toque de Ísis e a sorte de Bes. Acenando alegremente da porta, ela gritou para mim:

— Quero ouvir boas histórias quando voltar! — E sua risada acompanhou-me rua abaixo.

Benia não se despediu de mim com risos. Ele e meu filho entreolharam-se friamente. Benia baixou a cabeça em consideração à posição do escriba e Re-mose inclinou a cabeça reconhecendo a autoridade do marceneiro em oficina tão importante. Não havia condição de meu marido e eu nos despedirmos como deveria ser. Trocamos nossas juras de separação com os olhos. Eu voltaria. Ele não ficaria contente enquanto eu não voltasse.

Re-mose e eu deixamos o vale para trás quase sem trocar palavra. Um pouco antes de descermos do vale para a margem do rio, pousei minha mão em seu braço pedindo-lhe que parasse. Virei-me de frente para onde estava minha casa e, para garantir um breve regresso, deixei cair um ramo de arruda do meu jardim e um pedaço de pão assado em meu forno.

Era noite quando chegamos ao rio, mas não precisávamos esperar pela barca da manhã seguinte. O veleiro do rei, iluminado por uma centena de luzes, esperava por nós. Muitos remos em movimento levaram-nos bem depressa ao nosso destino, e logo percorríamos apressados as ruas desertas da cidade até o grande palácio, onde Re-mose deixou-me na entrada dos aposentos destinados às mulheres. Fui levada a uma câmara onde uma mulher jovem e pálida estava sentada sozinha em uma cama enorme.

— Você é Den-ner? — perguntou.

— Sim, As-naat — respondi delicadamente, colocando meus tijolos no chão. — Vejamos o que os deuses nos reservaram.

— Receio que este também esteja morto — sussurrou. — E, se isso for verdade, quero morrer com ele.

Encostei o ouvido em seu ventre e toquei o útero.

— Esta criança está viva — disse. — Não tenha medo. Ele está apenas descansando antes da viagem.

Ao raiar do dia, as dores intensificaram-se. As-naat tentou ficar quieta, como convinha a uma dama na sua posição, mas a natureza fizera dela uma mulher gritadeira, e em breve ela enchia o ar com seus brados a cada contração.

Mandei vir água fresca para banhar o rosto da mãe, palha limpa e cones de cera com essência de lótus para renovar o ar do quarto. Mandei vir também cinco criadas, que se puseram ao redor da senhora para dar-lhe ânimo. Às vezes, pensei, isso é mais fácil para as mulheres pobres. Até as que não têm família vivem tão perto dos vizinhos que, ao entrarem em trabalho de parto, seus gritos atraem outras mulheres, como gansos respondendo ao chamado do líder durante o voo. As mulheres ricas, todavia, estão rodeadas de criadas que temem demais suas senhoras para agirem como irmãs nesse momento.

As-naat passou um mau pedaço, mas aquele estava longe de ser o pior parto que eu havia atendido. Ela fez força durante muitas horas, ajudada por mulheres que se haviam tornado irmãs, pelo menos por aquele dia. Logo depois do pôr do sol, deu à luz um menino magro mas saudável, que berrou pelo seio da mãe assim que o levantaram.

As-naat beijou minhas mãos, molhando-as com lágrimas de alegria, e mandou uma das criadas avisar Zafenat Paneh-ah que ele era pai de um belo menino. Fui levada para descansar em um quarto tranquilo, onde caí em um sono pesado e sem sonhos.

Na manhã seguinte, acordei ensopada de suor, com a cabeça doendo e a garganta em fogo. Deitada no colchão, apertei os olhos para a claridade que entrava pelas janelas altas e tentei lembrar qual havia sido a última vez que caíra doente. Minha cabeça latejava e tornei a fechar os olhos. Quando se abriram outra vez, a luz do dia já estava deixando o quarto.

A moça sentada perto da parede viu que eu havia acordado, trouxe-me algo para beber e colocou uma toalha úmida sobre minha testa. Dois dias se passaram, talvez três, em meio a uma névoa de sono febril e compressas. Finalmente, a temperatura da cabeça voltou ao normal e a dor cedeu, mas estava fraca demais para levantar-me.

Àquela altura, uma mulher chamada Sheri havia sido incumbida de cuidar de mim. Olhei-a boquiaberta quando se apresentou, porque seu nome, que significa "pequenina", não combinava nem um pouco com a mulher mais gorda que eu já encontrara.

Sheri lavou meu corpo e eliminou o odor acre da doença, serviu-me caldo de carne e frutas e ofereceu-se para trazer qualquer outra coisa que eu desejasse. Jamais fora servida daquele jeito e, embora não gostasse de vê-la agitar-se em torno de mim, sentia-me grata por dispor de sua ajuda.

Alguns dias depois, senti-me mais bem-disposta e pedi a Sheri notícias do menino que havia ajudado a nascer. Ela mostrou-se encantada com a minha pergunta e acomodou todo aquele peso em um banco, pois Sheri adorava uma plateia:

— O menino está muito bem. É um esfomeado e quase gastou o bico dos seios da mãe, pois está sempre mamando — disse Sheri com um sorriso malicioso. Antes, tivera pena da senhora por não ter filhos, mas achava As-naat insignificante e arrogante. — A maternidade vai ensiná-la a viver — confidenciou minha nova amiga. — O pai deu ao menino o nome de Menashe, um nome horrível que deve significar alguma coisa boa na língua materna dele. Menashe. Soa como se estivéssemos mastigando, não é mesmo? Mas você também é de Canaã, não é?

Dei de ombros.

— Faz muito tempo — eu disse. — Continue com a história, Sheri, por favor. Suas palavras parecem mágicas e fazem com que eu esqueça minhas dores e meus sofrimentos.

Lançou-me um olhar penetrante, dando a entender que a adulação não escondia o fato de eu ter sido reticente. Mas continuou mesmo assim:

— Zafenat Paneh-ah é um filho de uma puta, um presunçoso — disse, xingando o amo na minha frente para provar sua confiança em mim. — Gosta de falar de sua origem humilde, como se isso fizesse com que sua influente posição se tornasse ainda mais importante por ele ter vindo de baixo. Mas isso não é nenhuma vantagem no Egito. Muitos homens de prestígio, estadistas, artesãos, guerreiros e artistas, vieram das camadas baixas da sociedade. É o caso do seu marido, não é, Den-ner? — perguntou, com a intenção de informar que a minha vida não era segredo para ela. Limitei-me a sorrir. — O cananeu é um homem bonito, sem dúvida — continuou Sheri. — As mulheres desmaiam ao vê-lo, ou pelo menos era o que acontecia quando ele era mais moço. Os homens também se sentem atraídos por ele, e não apenas os que preferem meninos. A bem da verdade — disse Sheri —, sua beleza de nada lhe serviu quando era jovem. Seus próprios irmãos odiavam-no tanto que o venderam para um grupo de mercadores de escravos. Pode imaginar um egípcio fazendo uma coisa dessas? Todos os dias agradeço aos deuses por ter nascido no vale do grande rio.

— Não duvido — respondi, avaliando sua circunferência, pois nenhuma outra terra poderia conter tanto excesso.

Sheri percebeu o que eu queria dizer, segurou a barriga com as mãos e disse:

— Ha, ha! Sou uma criatura de proporções fantásticas, não? Uma vez, o rei deu-me um beliscão e disse que, depois dos anões, o que mais ele gostava era de ver pessoas tão grandes e redondas como eu. Você nem acreditaria se eu lhe contasse como os homens me acham desejável. Quando eu era jovem — segredou-me —, proporcionei tanto prazer ao velho rei que a esposa ficou com ciúme e mandou-me embora de Tebas. Mas essa — e piscou o olho — é outra história, para outra ocasião. Você deve estar mais interessada na história desta casa, que já é bem estimulante. Como já lhe disse, Zafenat Paneh-ah foi vendido como escravo e seus amos eram uns grosseirões, os mais cananeus dos cananeus. Não duvido nada que tenha sido surrado, estuprado e obrigado a fazer os trabalhos mais sórdidos. É evidente que sua majestade não fala mais sobre isso. Zafenat Paneh-ah só recentemente veio a adotar este nome pomposo: "Deus Fala e Ele Vive", veja você! Ele era chamado de Varapau, porque assim que chegou ao Egito era tão magricela quanto seu filho recém-nascido. Quando seus amos vieram para Tebas, foi vendido para Putifar, um guarda do palácio de mão leve que vivia em uma casa enorme nas cercanias da cidade. Por ser muito mais instruído que seu senhor, Varapau foi encarregado do jardim e posteriormente de supervisionar a prensagem do vinho. Por fim, adquiriu uma posição superior à dos outros criados da casa, pois Putifar gostava muito do rapaz cananeu e usava-o para seu próprio prazer. Mas a esposa de Putifar, uma mulher muito bela chamada Nebetper, também o desejava, e os dois tornaram-se amantes bem debaixo do nariz do senhor. Houve até comentários sobre quem seria o pai da última filha dela. De qualquer forma, Putifar acabou encontrando os dois na cama juntos e, com isso, não podia mais fingir que não sabia o que se passava. Portanto, alardeando ódio e vingança, mandou o Varapau para a prisão.

Naquele ponto, eu já havia perdido o interesse na história que Sheri estava contando e que, tudo indicava, não terminaria nunca. Queria dormir, mas não havia jeito de fazer a mulher parar de falar. Ela nem percebia quando eu bocejava ou fechava os olhos.

— A prisão de Tebas não é nada divertida — explicou, em tom sombrio. — É uma cova abominável em que os homens morrem assassinados ou de desespero na mesma proporção em que morrem de febre, um lugar repleto de loucos e bandidos cruéis. Contudo, o carcereiro apiedou-se daquele prisioneiro de boa aparência, que não era nem detestável nem insano. Não se passou muito tempo e estava fazendo as refeições na companhia do cananeu, que já falava bem o idioma egípcio. O carcereiro era solteiro — continuou —, nunca havia sido pai e tratava Varapau como um filho. Os anos foram-se passando e ele deu a Varapau a responsabilidade de cuidar dos outros prisioneiros, até que, no final, era ele quem decidia o lugar onde cada prisioneiro dormiria, se perto da janela ou acorrentado à latrina, e sendo assim os prisioneiros faziam de tudo para agradá-lo e suborná-lo. Eu lhe digo, Den-ner — Sheri sacudiu a cabeça, cheia de admiração —, aonde quer que esse sujeito vá, parece que o poder vai ao seu encalço. Nesse meio-tempo — disse ela —, o velho rei faleceu e o novo tinha por hábito punir os que cometiam delitos menores contra ele, enviando-os para a prisão. Se a consistência do pão servido no jantar não lhe agradasse, era bem possível que mandasse o padeiro para a prisão por uma semana ou até mais. Copeiros, encarregados do vinho, artesãos que faziam sandálias, até mesmo comandantes da guarda eram mandados para padecer naquele lugar. E foi assim que ficaram conhecendo o Varapau. Todos ficavam impressionados com suas boas maneiras e sua capacidade de interpretar sonhos e prever o futuro — continuou. — Certa feita, disse a um bêbado que não sobreviveria até o final da semana, e, quando o desgraçado foi encontrado morto, por causa dos anos de bebida, veja bem, e não assassinado, os demais prisioneiros declararam que ele era um oráculo. Quando um copeiro voltou da prisão contando a história do carcereiro que previa o futuro, o rei mandou chamar Varapau e ordenou que interpretasse uma série de sonhos que o estavam atormentando havia meses. Não eram sonhos difíceis de interpretar, caso queira saber — disse Sheri. — Peixes graúdos sendo devorados por peixes miúdos, vacas gordas sendo pisoteadas por vacas magras, e, então, sete grossas espigas de trigo que eram derrubadas e restavam sete espigas murchas. Qualquer mágico imbecil que tira pássaros de cestas no mercado poderia ter interpretado esses sonhos. — Sheri riu com escárnio. — De qualquer maneira, os sonhos perseguiam e amedrontavam o idiota do rei, e tranquilizava-o ouvir que tinha sete anos para preparar-se para a fase de escassez. Assim, promoveu o carcereiro, um estrangeiro iletrado e complacente, à posição de seu comandante-chefe. Acredito que seu filho já lhe tenha contado que esse Zafenat Paneh-ah é totalmente dependente de Re-mose. E agora que Zafenat, além de vizir, é pai, não vai mais caber em si de tanta vaidade.

Sheri estava afogueada e agora se agitava pelo quarto, arrumava a cama, já que passara toda a tarde conversando.

— E ontem esse louco exigiu que o filho fosse circuncidado — resmungou, falando para si mesma. — Sem esperar o menino chegar à idade adulta e ser capaz de tolerar tal coisa. Não como fariam as pessoas civilizadas, mas agora. Imediatamente! Pode imaginar alguém fazer uma coisa dessas com um bebê tão pequeno? Serve apenas para provar que quem nasceu bárbaro será sempre bárbaro. As-naat gritou como se fosse um gato estripado por causa dessa ordem. E nisso ela teve toda a razão.

— José — murmurei, horrorizada e incrédula.

Sheri perscrutou-me o rosto e perguntou:

— O quê? O que você disse, Den-ner?

Fechei os olhos, não conseguia respirar. Na mesma hora entendi por que havia sido chamada a Tebas e a razão de Sheri ter-me contado a história interminável da vida do vizir. Mas não, certamente não era nada disso. A febre debilitara meu raciocínio. Estava zonza, sentindo vertigens. Deitei-me na cama, a respiração ofegante.

Sheri notou que havia algo errado e disse:

— Den-ner, está se sentindo mal? Posso oferecer-lhe alguma coisa? Quem sabe já possa comer algo sólido?

Depois, levantou a cabeça ao ouvir passos que se aproximavam.

— Temos algo aqui para animá-la. Seu filho veio fazer-lhe uma visita. Cá está Re-mose. Vou buscar refrescos para os dois — disse ela precipitadamente, deixando-me a sós com meu filho.

— Mãe? — ele falou, inclinando o corpo em um cumprimento rígido e formal.

Porém, ao ver meu rosto, sobressaltou-se:

— Mãe? O que há? Disseram-me que estava melhor e que poderia vê-la hoje. Talvez esta não seja a melhor hora — disse, indeciso.

Virei o rosto para a parede e com um gesto pedi que se retirasse do quarto. Ouvi quando Sheri saiu com ele, dando-lhe uma explicação qualquer em voz baixa. Seus passos apressados afastando-se foram a última coisa que ouvi antes de adormecer.

⁂

Sheri relatou a Re-mose a nossa conversa e repetiu a palavra que eu havia dito antes de cair de novo em um estado febril de confusão mental. Foi assim que ele guardou em seus lábios a palavra "José" e, sem ser anunciado, entrou no salão principal onde o vizir do Egito estava sentado, sozinho, murmurando palavras de conforto para seu filho recém-nascido, que fora circuncidado cedo naquele mesmo dia.

— José — disse Re-mose, lançando-lhe o nome como se fosse um desafio. E o homem conhecido por Zafenat Paneh-ah estremeceu. — Conhece uma mulher chamada Den-ner? — indagou Re-mose.

Por um momento, Zafenat Paneh-ah não disse nada. Depois, perguntou:

— Dinah? — O senhor encarou seu escriba. — Tive uma irmã que se chamava Dinah, mas morreu faz muito tempo. Como tomou conhecimento do nome dela? O que sabe sobre José? — interrogou-o, autoritário.

— Contarei o que há para ser contado depois que me explicar como ela morreu — disse Re-mose. — E só depois disso.

A ameaça contida na voz dele irritou José. Entretanto, mesmo sentado em seu trono com um filho saudável nos braços e guardas prontos para fazerem o que mandasse, sentiu-se compelido a responder. Fazia uma vida inteira que não ouvia seu próprio nome, fazia vinte anos que não dizia em voz alta o nome da irmã.

Assim, começou a falar. Em voz baixa, que atraiu Re-mose para perto do trono, contou-lhe que Dinah fora ao palácio de Shechem com a mãe dele, Raquel, a parteira, para fazer um parto.

— O príncipe da cidade pediu-a em casamento — disse José, e Re-mose tomou conhecimento de como Jacó recusou o alto preço da noiva que lhe era oferecido para depois aceitá-lo apenas sob a mais cruel das condições.

Re-mose tremeu ao aprender o nome de seu pai pelos lábios de José, mas soube no momento seguinte que meus irmãos, seus próprios tios, haviam assassinado Shalem em sua cama. Re-mose mordeu a língua para não chorar.

José declarou que se opusera ao crime e afirmou sua inocência.

— Dois dos meus irmãos mancharam as mãos de sangue — falou, mas admitiu que talvez quatro deles tivessem participado de alguma forma do massacre. — Todos nós fomos castigados. Ela amaldiçoou todos. Alguns dos meus irmãos caíram doentes, outros viram os filhos morrer. Meu pai perdeu toda a vontade de viver e eu fui vendido como escravo. Costumava culpar minha irmã pelas minhas desgraças, mas não o faço mais. Se soubesse onde ela foi enterrada, iria até lá fazer oferendas e mandaria erguer uma lápide em sua memória. Eu pelo menos sobrevivi à maldade dos meus irmãos e, com o nascimento deste menino, o deus de meus pais prova-me que não morrerei esquecido. Mas o nome da minha irmã foi apagado, como se ela nunca tivesse vindo ao mundo. Ela era minha irmã de leite — continuou José, sacudindo a cabeça. — É estranho falar dela agora que sou pai. Talvez dê seu nome à próxima criança para homenageá-la. — E calou-se.

— E José? — perguntou Re-mose.

— É o nome que minha mãe me deu — respondeu Zafenat Paneh-ah mansamente.

Re-mose virou-se para ir embora, mas o vizir chamou-o:

— Espere! Temos um acordo. Diga-me como veio a saber meu nome e o nome de minha irmã.

Re-mose parou e, sem se voltar para encará-lo, disse:

— Ela não está morta. — As palavras ficaram suspensas no ar. — Ela está aqui, no seu palácio. Aliás, foi o senhor quem ordenou que viesse. Den-ner, a parteira que assistiu o parto de seu filho, é sua irmã Dinah. Minha mãe.

Os olhos de José cresceram de espanto e ele sorriu como uma criança feliz. Re-mose, porém, cuspiu a seus pés.

— Vai obrigar-me a chamá-lo de tio? — falou por entre os dentes. — Odiei-o desde o início. Apoderou-se da posição que era minha por direito e cresce aos olhos do rei graças à minha competência. Percebo agora que você destruiu minha vida desde o nascimento! Matou meu pai na flor da juventude. Você e seus irmãos selvagens assassinaram também meu avô, que, apesar de ser cananeu, era um homem honrado. Você despedaçou o coração de minha avó. Traiu sua irmã, fez de minha mãe uma viúva, de mim um órfão e um pária. Quando eu era criança, o criado de minha avó disse-me que, quando eu descobrisse o nome dos assassinos de meu pai, minha alma ficaria retalhada. As palavras dele eram verdadeiras. Você é meu tio. Ah, deuses, que pesadelo! — exclamou Re-mose. — Um assassino e um mentiroso. Como ousa declarar-se inocente desse ato execrável? Talvez você mesmo não tenha levantado a espada, mas não fez nada para impedi-los. Devia saber algo sobre a trama, você, seu pai e o resto de sua laia. Vejo o sangue de meu pai em suas mãos. Ainda há culpa em seus olhos.

José desviou o olhar.

— Nada mais me resta fazer a não ser matá-lo, ou morrerei um covarde. Se não vingar a morte de meu pai, não serei digno desta vida e muito menos da próxima.

A voz de Re-mose, que se elevara com o ódio, alertou os guardas, que o dominaram e o levaram, enquanto Menashe chorava nos braços do pai.

***

Quando enfim acordei, Sheri estava sentada ao meu lado, uma expressão desolada no rosto.

— O que foi? — perguntei.

— Ah, senhora — começou, com pressa de contar tudo o que sabia. — Trago-lhe más notícias. Seu filho e o vizir tiveram uma desavença e Re-mose está sendo vigiado em seus próprios aposentos. Dizem que o senhor está furioso e que o jovem escriba corre risco de vida. Desconheço o motivo da briga, pelo menos até agora. Quando souber, venho imediatamente lhe contar.

Fiquei de pé, trêmula mas determinada.

— Sheri — exigi —, preste atenção, pois não quero que discuta comigo e não vou repetir. Preciso falar com o senhor desta casa. Vá e anuncie a minha presença.

A criada curvou-se, obediente, mas disse com voz tímida:

— Não pode ir até Zafenat Paneh-ah do jeito que está. Deixe que lhe prepare um banho e penteie seus cabelos. Vista uma túnica limpa para que possa expor seu caso como uma dama, não como uma mendiga.

Sacudi a cabeça assentindo, de repente temerosa do encontro que viria a seguir. Que palavras poderia usar com um irmão que não via fazia uma eternidade? Encolhi-me na banheira quando Sheri jogou água fria em meu corpo e inclinei-me para trás enquanto ela escovava e arrumava meu cabelo. Sentia-me como uma escrava prestes a ser exibida para uma fileira de compradores.

Fiquei pronta. Sheri acompanhou-me à porta do salão de Zafenat Paneh-ah, que estava sentado com a cabeça entre as mãos.

— Den-ner, a parteira, solicita uma audiência — disse Sheri.

O vizir ficou de pé e acenou para que eu entrasse.

— Deixem-nos a sós — ordenou asperamente.

Sheri e todos os que o serviam saíram. Estávamos sozinhos. Nenhum dos dois se moveu. Parados nos dois extremos do salão, um com os olhos postos no outro.

Os anos tinham levado o viço de seu rosto e alguns dentes, mas José ainda estava forte e conservava os traços bonitos, ainda era o filho de Raquel.

— Dinah — chamou —, Ahatti, irmãzinha — disse ele, no idioma da nossa juventude. — Você saiu do túmulo.

— Sim, José — concordei —, estou viva e surpresa por estar na sua presença. O único motivo por que vim até você, porém, foi para perguntar-lhe o que foi feito de meu filho.

— Seu filho tomou conhecimento da história da morte do pai e está ameaçando matar-me — respondeu José friamente. — Acha que sou responsável pelos pecados de meus irmãos. O simples fato de ter-me ameaçado já seria motivo bastante para uma execução, mas, considerando-se que é seu filho, vou apenas mandá-lo para longe. Ele não será prejudicado em nada, prometo — disse José com brandura. — Recomendei ao rei que ele seja encarregado do governo de uma província ao norte do país, onde não estará subordinado a ninguém. Com o tempo, vai apaixonar-se pelo mar, é o que sempre ocorre, vai construir uma vida impregnada de maresia e água salgada e não vai querer mais nenhuma outra. Deve dizer a ele para obedecer às minhas ordens e esquecer a questão da vingança. Isso precisa ser feito de imediato, hoje à noite. Se ele levantar a mão para mim ou ameaçar-me na presença dos meus guardas, terá de morrer.

— Duvido que meu filho dê ouvidos às minhas palavras — disse eu tristemente. — Ele me odeia, pois sou a razão de sua infelicidade.

— Tolice — retrucou ele, com a suprema confiança em si que despertava tanta inveja em nossos irmãos. — Os homens do Egito são os que mais respeitam as mães neste mundo.

— Você não sabe — falei. — Ele chamava a avó de mamãe. Eu nada mais era que sua ama de leite.

— Não, Dinah — disse José. — O sofrimento dele é grande demais, isso não é verdade. Ele vai acatar seus conselhos, é preciso que ele se vá.

Olhei para meu irmão e vi um homem que não conhecia.

— Farei o que manda, senhor — disse eu, como se fosse uma boa criada. — Mas não me peça mais nada. Deixe-me sair deste lugar, que para mim é um sepulcro. Vê-lo é voltar ao passado, onde está meu infortúnio. E agora, por sua causa, nada mais posso esperar de meu filho.

José assentiu com um gesto de cabeça.

— Compreendo, Ahatti, e será como quiser, exceto que, quando minha mulher voltar aos tijolos, já sonhei com um segundo filho, você precisa vir assisti-la. Se preferir, não precisará encontrar-me, e será bem remunerada. Na verdade, se desejar, poderá receber seu pagamento em terras, para você e o marceneiro.

Empertiguei-me diante da insinuação de que eu pudesse ser pobre e declarei:

— Benia, meu marido, é mestre artífice no Vale dos Reis.

— Benia? — perguntou, e seu rosto encheu-se de pesar. — Este era o nome de criança de nosso irmão Benjamim, o último filho de minha mãe, que morreu ao dar-lhe a vida. Detestava Benia por tê-la matado, mas hoje creio que daria metade do que possuo apenas para segurar as mãos dele.

— Não tenho vontade nenhuma de vê-lo — disse eu, com um ódio na voz que nos surpreendeu a ambos. — Não pertenço mais àquele mundo. Se minhas mães estão todas mortas, então sou uma órfã. Para mim, meus irmãos contam tanto quanto o gado que nossa família possuía. Você e eu éramos parentes quando crianças, quando nos conhecíamos bem o bastante para compartilhar nossos corações. Mas isso foi em outra vida.

O grande salão ficou imerso em silêncio, estávamos ambos perdidos em nossas recordações.

— Vou falar com meu filho — disse eu, por fim — e depois irei embora.

— Vá em paz — José respondeu.

⁂

Re-mose estava deitado de bruços na cama em seus belos aposentos. Meu filho não se mexeu, não disse palavra nem fez qualquer sinal demonstrando que reconhecia a minha presença. Falei para as suas costas.

As janelas do quarto davam para o rio, que brilhava ao luar.

— Seu pai adorava o rio — eu disse, tentando conter as lágrimas — e você vai adorar o mar. Nunca mais vou vê-lo e não haverá outra oportunidade para lhe dizer estas palavras. Escute a sua mãe, que veio para se despedir. Não lhe peço para perdoar meus irmãos. Eu nunca os perdoei. E jamais vou perdoar. Peço apenas que me perdoe pela falta de sorte de ser irmã deles. Perdoe-me por nunca lhe ter falado sobre seu pai. Foi uma exigência de sua avó, pois ela acreditava que o segredo seria a única maneira de mantê-lo a salvo da angústia que agora o aflige. Ela sabia que o passado poderia ameaçar seu futuro, e precisamos continuar a protegê-lo das circunstâncias desastrosas de seu nascimento. Só você, eu e Zafenat Paneh-ah conhecemos a verdade sobre sua ascendência. Ninguém mais precisa saber. Porém, agora que compartilhamos esse segredo, tenho mais para contar-lhe. Re-mose, seu pai chamava-se Shalem e era tão belo quanto o pôr do sol que lhe deu o nome. Escolhemos um ao outro por amor. O nome que dei a você em meu coração foi Bar-Shalem, que significa filho do pôr do sol, e seu pai viveu em você. Sua avó chamou-o de Re-mose, tornando-o um filho do Egito e do deus-sol. Nas duas línguas e em ambos os países, você foi abençoado pelo grande poder dos céus. Seu futuro está escrito em seu rosto, e rezo para que tenha a plenitude dos anos que foram negados a seu pai. Que você encontre a felicidade e a serenidade. Lembrarei de você pela manhã e à noite todos os dias, até eu fechar os olhos para sempre. Perdoo todos os seus pensamentos cruéis a meu respeito e as pragas que possa lançar contra o meu nome. E, quando enfim você me perdoar, proíbo-o de sofrer um instante que seja de remorso por minha causa. Peço-lhe que lembre apenas da bênção que lhe deixo agora, Bar-Shalem Re-mose.

Meu filho não saiu do leito nem pronunciou uma palavra sequer, e eu fui embora com o coração partido, mas livre.

5

Voltar para casa foi como renascer. Enterrei o rosto nos lençóis de minha cama e passei as mãos em todos os móveis, todas as plantas do jardim, encantada por encontrar as coisas no mesmo lugar onde as havia deixado. Kiya entrou e deu comigo abraçada a um jarro de água. Mandei-a avisar Meryt que eu estava de volta e, em seguida, dirigi-me à oficina de Benia andando o mais rápido que pude.

Meu marido viu-me chegando e correu ao meu encontro. Parecia que havíamos ficado afastados por muitos anos, em vez de dias.

— Você emagreceu, mulher — disse ele em voz baixa, acolhendo-me em seus braços.

— Fiquei doente na cidade — expliquei —, mas já me recuperei.

Examinamos o rosto um do outro.

— Algo mais aconteceu — Benia falou enquanto seus dedos percorriam minha testa e descobriam vestígios dos abalos dos últimos dias. — Você voltou para ficar, minha amada? — perguntou, e compreendi a razão das olheiras escuras sob seus olhos.

Tranquilizei-o com um abraço que nos valeu um coro de assobios dos homens da oficina.

— Vou para casa assim que puder — disse ele, beijando minhas mãos. Fiz que sim com a cabeça, feliz demais para dizer o que quer que fosse.

Meryt esperava-me com pão quente e cerveja quando cheguei em casa. Ao ver-me, porém, exclamou:

— O que fizeram com você, irmã? Está magra como um caniço e com olhos de quem chorou rios de lágrimas!

Contei-lhe sobre minha febre e sobre a briga de Re-mose com seu amo. Ao saber que meu filho havia sido transferido para o norte, os olhos de minha amiga encheram-se de compaixão.

Depois de comermos o que Meryt havia trazido, ela fez com que eu me deitasse e massageou meus pés. Todo o pesar das últimas semanas foi-se dissipando à medida que ela comprimia meus dedos e aninhava meus calcanhares na palma de suas mãos. Quando me senti em paz e tranquila, pedi-lhe que se sentasse ao meu lado e tomei-lhe a mão ainda quente e macia de óleo. Contei-lhe o resto do que me havia acontecido em Tebas, inclusive o fato de Zafenat Paneh-ah, o braço direito do rei, ser meu irmão José.

Meryt escutou muito quieta, observando minha fisionomia enquanto eu narrava a história das minhas mães, a história de Shechem e o assassinato de Shalem. Minha amiga não se moveu nem emitiu nenhum som, mas seu rosto revelava o que se passava em seu íntimo, e expressava horror, raiva, solidariedade e compaixão.

Quando terminei, ela balançou a cabeça.

— Entendo por que não me contou isso antes — comentou, melancólica. — Quisera tê-la ajudado a carregar esse fardo de sofrimento desde o começo. No entanto, agora que me confiou seu passado, ele estará bem seguro. Sei que não precisa que lhe jure segredo, ou não teria me contado coisa alguma. Minha querida — disse ela, segurando minha mão e pousando-a em seu rosto —, estou muito lisonjeada por ter sido escolhida para guardar essa história de dor e coragem. Em todos esses anos, nenhuma outra filha teria me feito mais feliz e mais orgulhosa que você. Agora que sei quem é de fato e quanto a vida lhe custou, sinto-me honrada por tê-la entre as pessoas que amo.

Depois de uns momentos de reconfortante silêncio, Meryt juntou seus pertences e aprontou-se para sair.

— Vou-me embora para que tenha tempo de preparar-se para a chegada de Benia — disse ela, minhas mãos nas suas. — As bênçãos de Ísis. As bênçãos de Hator. As bênçãos de suas mães.

Antes de atravessar a porta, porém, o rosto da minha amiga readquiriu o ar travesso e, com olhar malicioso, ela disse:

— Volto amanhã para ver você. Veja se consegue sair desta cama até lá, para variar, e prepare alguma coisa para comermos, está bem?

Pouco depois, Benia chegou apressado e deitamo-nos na cama ainda por fazer como dois jovens apaixonados, ofegantes e cheios de sofreguidão. Emaranhados nas roupas um do outro, dormimos o sono urgente dos amantes que se reencontraram. Acordei no meio da noite, surpresa e sorridente, quase não querendo voltar a dormir para continuar saboreando a alegria de estar em casa.

Depois do meu retorno, nunca mais perdi de todo a veneração pelos prazeres mais comuns da vida. Acordava antes de Benia para poder contemplar seu rosto e rezar silenciosamente em agradecimento. Às vezes, enquanto andava até a fonte ou arrancava mato do jardim, enchia-me de júbilo ao constatar que passara um dia inteiro sem sentir o peso do passado esmagando meu coração. O canto dos pássaros levava-me às lágrimas e cada nascer do sol parecia um presente feito de encomenda para os meus olhos.

Quando o mensageiro do vizir bateu à nossa porta, como eu sabia que um dia iria acontecer, fiquei paralisada receando ter de partir, mesmo que por um único dia. Para meu alívio, porém, a carta não exigia minha presença na mansão da margem oriental. O sonho de José se realizara e nascera-lhe um segundo filho. Este, entretanto, foi tão rápido que As-naat não teve tempo de chamar-me antes que aquele a quem deram o nome de Efraim viesse ao mundo.

Embora não lhe tivesse prestado serviço algum, Zafenat Paneh-ah mandou-me de presente três peças de alvíssimo linho. Benia perguntou-me qual a razão para um presente tão generoso e contei-lhe tudo.

Era a terceira vez que eu verbalizava a história inteira: a primeira havia sido para Werenro, a segunda para Meryt. Dessa vez, porém, meu coração não disparou nem meus olhos se encheram de lágrimas. Era simplesmente uma história que pertencia a um passado remoto. Depois de me escutar, Benia tomou-me em seus braços para consolar-me e aninhei-me no abrigo de paz que existia entre suas mãos e o pulsar de seu coração.

✦

Benia era a rocha sobre a qual minha vida se mantinha firme e Meryt era meu manancial. Entretanto, minha amiga pertencia a uma geração anterior e a idade já estava cobrando seu preço.

O último dos seus dentes caiu e ela alegou que estava contente por isso.

— Acabaram-se as dores — disse, rindo —, e acabou-se a carne, também. — E encolheu os ombros, desconsolada.

Mas a nora, Shif-re, passou a cortar e amassar toda a comida, e Meryt manteve-se bem-disposta, continuando a apreciar sua cerveja e seus gracejos como sempre fizera. Ajudava-me em muitos partos, alegrando-se com o sorriso dos recém-nascidos, chorando com as mortes que cruzavam nosso caminho. Fizemos inúmeras refeições juntas e eu sempre saía rindo de sua mesa. Sabíamos que seus dias estavam contados e dizíamos adeus uma à outra sempre que nos separávamos. Entre nós, nada ficava por ser dito.

Veio a manhã em que Kiya surgiu à nossa porta avisando que Meryt não conseguira levantar-se da cama.

— Estou aqui, minha querida, minha irmã — disse eu quando cheguei a seu lado, mas minha velha amiga não podia mais me cumprimentar. Não conseguia se mexer de modo algum. O lado direito do rosto estava caído e ela estava respirando com dificuldade.

Devolveu a pressão dos meus dedos em sua mão esquerda e piscou os olhos para mim.

— Ah, minha irmã — falei, procurando não chorar.

Meryt fez um pequeno movimento e pude ver que, mesmo à beira da morte, estava tentando consolar-me. Não podia ser assim. Olhei dentro de seus olhos e consegui esboçar um sorriso de parteira. Conhecia meu ofício.

Não tenha medo — sussurrei —, *está quase na hora.*
Não tenha medo, seus ossos são fortes.
Não tenha medo, boa amiga, a ajuda já vem.
Não tenha medo, Anúbis é um doce companheiro.
Não tenha medo, as mãos da parteira são hábeis.
Não tenha medo, a terra está a seus pés.
Não tenha medo, mãezinha.
Não tenha medo, mãe de todos nós.

O corpo de Meryt descontraiu-se e ela fechou os olhos, cercada de filhos e filhas, netos e netas. Suspirou um único longo suspiro, vento entre os caniços, e se foi.

Juntei-me às mulheres no agudo e pungente lamento fúnebre que avisava toda a vizinhança do falecimento da amada parteira, mãe e amiga. Crianças começavam a chorar ao ouvi-lo e homens esfregavam os olhos com os punhos úmidos. Eu estava desolada, mas achava consolo no último presente de Meryt para mim, pois, junto a seu leito de morte, eu me tornara parte de sua família enlutada.

Na verdade, fui tratada como a parenta mais velha e deram-me a honra de banhar seus braços e pernas emurchecidos. Envolvi seu corpo com o mais puro linho do Egito, o meu presente. Acomodei seus membros na posição curvada da criança prestes a nascer e sentei-me junto dela durante toda a noite.

Ao amanhecer, levamos Meryt para o descanso final em uma gruta no alto de uma colina que se elevava acima das tumbas de reis e rainhas. Seus filhos enterraram-na com seus colares e anéis. Suas filhas enterraram-na com seu fuso de fiar, sua tigela de alabastro e outras coisas de que gostava. Mas o estojo de parteira de nada serviria na vida depois da morte e passou aos cuidados de Shif-re, que segurou os instrumentos de Meryt com reverência, como se fossem de ouro.

Meryt foi sepultada com canções e lágrimas, e, no caminho de volta para casa, rimos em sua homenagem, lembrando como gostava de surpresas, de anedotas, de comida e de todos os prazeres do corpo. Esperava que continuasse a desfrutar tudo isso na vida futura, que ela acreditava ser muito parecida com a deste mundo, só que imortal e eterna.

Naquela noite, sonhei com Meryt e acordei rindo de algo que ela me havia dito. Na noite seguinte, sonhei com Bilah e acordei com o rosto banhado em lágrimas que tinham o sabor dos temperos que minha tia colocava na comida. Na outra noite, Zilpah veio ao meu encontro e voamos pela noite escura, dois gaviões-fêmeas.

Quando o sol se pôs mais uma vez, sabia que encontraria Raquel nos meus sonhos. Ela estava tão linda quanto eu lembrava que havia sido. Corríamos sob uma chuva morna que me deixava limpa como uma criança de colo e, quando acordei, meu corpo tinha o aroma do banho com água de poço.

Esperei ansiosa por meu sonho com Lia, mas ela não veio na noite seguinte nem na outra. Só na escuridão da lua nova fui visitada por minha mãe verdadeira. Era a primeira vez que meu corpo deixava de dar à lua o que lhe era devido. Já não poderia mais conceber, e minha mãe, que tivera tantos filhos, viera consolar-me.

"Agora você é a mais velha", disse mansamente. "É a avó, a detentora da sabedoria. Presto-lhe homenagem", disse minha mãe Lia, encostando a testa no chão à minha frente.

Levantei-a e ela se transformou em uma criança. Segurei-a em meus braços e pedi-lhe que me perdoasse por um dia ter duvidado de seu amor. Senti que ela me perdoava por causa do pleno regozijo de meu coração. Na manhã seguinte ao sonho com Lia, visitei a tumba de Meryt e fiz uma libação com vinho, agradecendo-lhe por mandar minhas mães de volta para mim uma vez mais.

Com a morte de Meryt, tornei-me a mulher sábia, a mãe, a avó e até a bisavó dos que estavam à minha volta. Shif-re, a nova avó, e Kiya, prestes a casar, acompanhavam-me sempre que saía para fazer partos. Aprenderam o que eu tinha para ensinar e logo estavam indo sozinhas livrar as mulheres do medo e da solidão do parto. Minhas alunas transformaram-se em irmã e filha. Nelas encontrei água nova da fonte que eu achei que ficaria seca para sempre depois da morte de minha Meryt.

Passaram-se meses e anos. Meus dias eram ocupados, minhas noites eram tranquilas. Porém não há paz que dure enquanto se está vivo, e, uma noite, depois que Benia e eu já estávamos deitados, José surgiu em nossa casa.

☙❧

A visão dele em minha casa, vestido com um longo manto preto que o transformava em uma sombra, era tão estranha que pensei que fizesse parte de um sonho. A aspereza da voz do meu marido, entretanto, despertou-me para a realidade, repentinamente sombria e perigosa.

— Quem entra em minha casa sem bater? — disse Benia por entre os dentes, como um cão farejando perigo, pois decerto não se tratava ali de um pai nervoso à procura da parteira.

— É José — falei em voz baixa.

Acendi lamparinas e Benia ofereceu ao meu irmão a melhor cadeira. Mas José fez questão de seguir-me até a cozinha, onde lhe servi um copo de cerveja, que ele não tocou.

O silêncio era pesado, denso. Benia apertava as mãos uma contra a outra, receando que eu estivesse prestes a ser afastada dele, e cerrava a mandíbula, não sabendo como se dirigir ao nobre encarapitado em um banco da cozinha de sua casa. José lançava-me olhares cheios de muda insistência, pois não estava disposto a falar diante de Benia. Olhei para um e para outro e notei como tínhamos envelhecido.

— Benia agora é seu irmão — voltei-me, por fim, para José. — Diga o que veio dizer.

— É papai — explicou, usando uma palavra infantil que eu não escutava desde Canaã. — Ele está morrendo, precisamos ir vê-lo.

Benia bufou, indignado.

— Como se atreve? — falou José, levantando-se de um salto e levando a mão à adaga que trazia junto ao corpo.

— Eu é que lhe pergunto, como você se atreve? — retrucou Benia com igual ímpeto, aproximando-se de José. — Por que minha mulher deve ir chorar junto ao leito de um pai que destruiu a felicidade dela e a própria honradez?

O mesmo pai que o entregou depois às facas afiadas de homens conhecidos pela crueldade?

— Então você conhece a história — disse José, subitamente derrotado. Voltou a sentar-se, pôs a cabeça entre as mãos e falou, em um gemido: — Enviaram-me uma mensagem do norte, onde meus irmãos e os filhos deles guardam o rebanho do Egito. Judá avisa que nosso pai não sobreviverá a outra estação e que Jacó deseja abençoar meus filhos. Não quero ir. — E olhava para mim, como se eu pudesse lhe dar uma resposta. — Pensei que tivesse cumprido todas as minhas obrigações. Pensei até que já tivesse perdoado meu pai, ainda que cobrando um preço. Quando chegaram à minha casa, famintos e procurando refúgio, vinguei-me fazendo-os sofrer mais ainda. Acusei-os de roubo e obriguei-os a prostrarem-se diante do poderoso Zafenat Paneh-ah. Levi e Simão esfregaram a testa no chão a meus pés, tremendo de medo. Cheio de triunfo e desdém, mandei-os de volta a Jacó exigindo que me trouxessem Benjamim. Castiguei nosso pai por escolher favoritos. Castiguei também meus irmãos, mantendo suas vidas em constante ameaça. Agora, o velho quer pôr as mãos na cabeça de meus meninos, que escolheu para receberem sua bênção. Não os filhos de Rubem ou de Judá, que lhe deram apoio por todos esses anos e tiveram que suportar seu gênio e seus caprichos. Nem mesmo os filhos de Benjamim, o mais novo. Conheço o coração de Jacó. Pretende expiar os erros do passado abençoando meus filhos. Mas temo pela vida deles com tal direito de primogenitura. Vão herdar amargas lembranças e estranhos sonhos. Acabarão odiando o meu nome.

José continuou suas queixas enquanto Benia e eu escutávamos. As amarguras do passado agarravam-se a ele, presas entre as dobras de seu longo manto negro. Debatia-se nelas como um carneiro se afogando.

Enquanto falava sobre épocas de fartura e de escassez, sobre solidão e noites insones, sobre como a vida o havia maltratado, eu procurava nele o irmão de quem me lembrava, o companheiro de folguedos que escutava as palavras das mulheres com respeito e que outrora me considerava sua amiga. Mas não encontrei nada daquele menino no homem ensimesmado que estava à minha frente e cuja disposição de espírito e o tom de voz pareciam piorar a cada momento.

— Sou um fraco — disse José. — Meu rancor não diminuiu nem meu coração se compadece de Jacó, que ficou cego, tal como seu pai antes dele. E, no entanto, não posso dizer-lhe não.

— Mensagens se perdem — falei em voz baixa. — Às vezes, os mensageiros são vítimas de emboscadas pelo caminho.

— Não — replicou José. — Essa mentira acabaria me matando. Se eu não for, vai perseguir-me para sempre. Irei, e você irá comigo — disse, de repente falando com o jeito incisivo dos homens habituados a exercer o poder.

Não procurei esconder meu desagrado pelo tom que usara e, quando se deu conta do meu desprezo, José baixou a cabeça envergonhado. E, então, meu irmão curvou-se e encostou a testa na poeira do chão da cozinha do marceneiro e pediu desculpas a mim e a Benia.

— Perdoe-me, irmã. Perdoe-me, irmão. Não desejo ver meu pai morrendo. Não tenho vontade nenhuma de vê-lo. Entretanto, não posso desobedecer-lhe. É verdade que poderia obrigá-la a ir comigo, minha irmã, e por nenhum outro motivo a não ser o de segurar minha mão. Mas isso lhe será igualmente proveitoso.

Levantou-se e recuperou a postura de Zafenat Paneh-ah.

— Vocês serão meus convidados — disse ele, envolvente. — O mestre marceneiro estará fazendo negócios em nome do rei. Tenho a incumbência de adquirir madeira no norte e preciso dos serviços de um artista que saiba como escolher material da melhor qualidade. Você irá ao mercado em Mênfis, onde há oliveira, carvalho e pinho em abundância, e escolherá apenas o que for condizente com a casa ou tumba do rei. Isso vai trazer prestígio para sua profissão e para seu nome.

As palavras eram sedutoras, mas Benia olhava somente para mim.

José então aproximou o rosto do meu e disse com voz suave:

— Ahatti, essa é a sua última oportunidade de ver os frutos do ventre de suas mães, os netos e netas delas. Porque eles não são apenas filhos de Jacó; são também filhos de Lia, Raquel, Zilpah e Bilah. Você é a única tia que tem o mesmo sangue das mães deles. Além disso, estou certo de que nossas mães gostariam que você conhecesse as netas delas. Afinal, você foi a única filha que elas amaram.

Meu irmão seria capaz de convencer um pássaro a ceder as próprias asas, e ele falou até o sol nascer, até Benia e eu ficarmos exaustos. Ainda que não tivéssemos pronunciado uma só vez a palavra sim, não havia como dizer não para Zafenat Paneh-ah, o vizir do rei, tanto quanto era impossível dizer não a José, filho de Raquel, neto de Rebeca.

Partimos com ele pela manhã. Ao chegarmos ao rio, esperava-nos um navio a vela de um luxo incomparável, repleto de cadeiras e camas, taças e pratos pintados, vinho adocicado e cerveja fresca. Havia flores e frutas por toda parte. Benia estava aturdido com tanta pompa, e nenhum de nós dois conseguia olhar no rosto dos escravos despidos que nos serviam com a mesma subserviência que demonstravam a Zafenat, a seus dois filhos e aos nobres que os acompanhavam.

Os meninos já tinham idade para deixar crescer o cabelo e eram boas crianças, curiosos a respeito dos convidados de seu pai mas suficientemente educados para não fazerem perguntas. Ficaram encantados quando Benia esculpiu pequenas estatuetas de madeira e deu um nome a cada uma delas. Benia percebeu meu olhar curioso e, com um sorriso melancólico, explicou-me que havia feito o mesmo para os seus dois filhos, mortos muito tempo atrás.

As-naat não veio conosco e José não fez nenhum comentário sobre a esposa. Meu irmão era servido por uma guarda de jovens, todos tão bonitos quanto ele havia sido na juventude, e muitas vezes reparei no olhar ansioso que lançava aos belos moços que o cercavam. Ele e eu pouco nos falamos durante a viagem ao norte. Fazíamos as nossas refeições separadamente e ninguém desconfiava de que a mulher do marceneiro pudesse ter alguma coisa a dizer ao poderoso vizir. Nas ocasiões em que conversamos — para dizer "bom dia" ou fazer algum comentário sobre as crianças —, nunca falamos na nossa língua materna. Isso poderia chamar atenção para a sua origem estrangeira, o que era um assunto delicado para muitos daqueles que estavam a serviço do rei.

José manteve-se sempre distante de todos na proa do navio, sob um esplêndido toldo, envolto em seu manto escuro. Se estivesse desacompanhada, talvez eu tivesse feito o mesmo, e passaria o tempo revivendo a viagem que me levara para a casa de Nakht-re, onde me tornara mãe, e pensando também na perda de meu filho. Se não fosse por Benia, estaria pensando no encontro iminente com meus irmãos e reabrindo todas as antigas feridas do meu coração.

Porém Benia estava sempre por perto, e meu marido estava fascinado com as cenas de uma viagem que, para ele, era como se fosse a dádiva de uma vida a mais. Chamava minha atenção para as velas do navio cheias de vento ou, quando o ar estava parado, para a harmonia e o ritmo dos remos. Nada lhe passava despercebido e, com um gesto, apontava para horizontes e árvores, pássaros voando, homens arando a terra, flores silvestres, uma grande quantidade de papiro parecendo um campo de cobre ao pôr do sol. Quando avistamos uma manada de hipopótamos, ele ficou tão entusiasmado quanto os meninos de José, que se acotovelaram ao seu lado para ver os filhos de Taweret banharem-se com grande espalhafato e ruído em meio aos caniços da margem.

No terceiro dia de nossa viagem, parei de fiar e fiquei quieta, olhando as pequenas ondulações da água nas margens, minha mente tão serena e sem palavras quanto a superfície do rio. Respirei o cheiro de terra preta do rio e escutei o som da água no casco do navio, igual ao de uma brisa constante. Deixei meus dedos arrastarem-se na água, vendo a pele aos poucos franzir e clarear.

— Você está sorrindo! — disse Benia, quando deu comigo.

— Quando eu era criança, disseram-me que eu só encontraria a felicidade perto de um rio — expliquei-lhe —, mas foi uma falsa profecia. A água acalma meu coração e ordena meus pensamentos, e é verdade que me sinto bem junto a ela, mas encontrei a felicidade nas montanhas áridas, onde a fonte está distante e a poeira é grossa.

Benia apertou minha mão e ficamos vendo o Egito passar, verde-esmeralda, enquanto o sol acendia incontáveis pontos de luz na água.

De manhã cedo e ao pôr do sol, quando o navio atracava para o pernoite, Menashe e Efraim pulavam na água. Os criados ficavam vigiando por causa dos crocodilos e cobras, mas meu marido não conseguia resistir ao chamado dos meninos para juntar-se a eles. Tirava a tanga e saltava da borda com um berro, que era respondido pelos gritos esganiçados das crianças. Eu ria ao vê-lo mergulhar e reaparecer na superfície várias vezes seguidas, como uma garça, como um menino. Contei a Benia que em um dos meus sonhos eu era um peixe e ele achou graça, prometendo torná-lo realidade.

Então, uma noite, sob a lua cheia, Benia colocou um dedo sobre meus lábios e conduziu-me até a beira da água. Calado, fez sinal para que eu deitasse de costas em seus braços e segurou-me sem qualquer esforço, como se eu fosse tão leve quanto um bebê e ele fosse tão forte quanto dez homens. Com carinho, persuadiu-me e deu-me coragem até que inclinei a cabeça para trás, abri as mãos e deitei-me na água como se estivesse em uma cama. Quando consegui relaxar, meu marido soltou-me pouco a pouco e senti apenas as pontas de seus dedos em minhas costas, enquanto o rio me amparava e o luar transformava a água em prata líquida.

A cada noite eu ficava mais ousada. Aprendi a flutuar sem o apoio das mãos de meu marido e depois a me movimentar de costas, olhando a lua minguante. Ele me ensinou como permanecer na superfície e nadar como os cães, agitando as pernas e braços na água com todo o vigor. Ria e bebia água. Era a primeira vez que me divertia fazendo travessuras de criança desde que meu filho era bebê.

Quase ao final da viagem para o norte, acabei aprendendo a mergulhar a cabeça e até a nadar ao lado de Benia. Mais tarde, em nossa cama, contei-

-lhe sussurrando sobre a primeira vez que vira alguém nadar no rio que havia em nosso caminho desde Haram.

— Eram egípcios — disse eu, lembrando-me das vozes. — Gostaria de saber se estariam comparando a água daquele rio com a deste, como estou fazendo agora.

Nossos corpos se voltaram um para o outro e fizemos amor em silêncio, como os peixes, e dormimos como crianças sendo acalentadas no seio do grande rio, fonte e plenitude.

※

Em Tânis, deixamos o rio para trás e seguimos viagem para as colinas, onde viviam os filhos de Jacó. No Egito, os fazendeiros e até os curtidores de couro gozavam de mais prestígio que os pastores, cujo trabalho era considerado a mais baixa e repulsiva das ocupações. Oficialmente, o motivo da viagem de Zafenat Paneh-ah era o de fazer a contagem do rebanho e escolher os melhores animais para serem levados à mesa do rei. Na verdade, essa era uma tarefa aquém de seu posto, um tipo de trabalho normalmente confiado a um escriba mediano. Mas, de qualquer forma, servia como desculpa para meu irmão visitar os parentes que não via fazia dez anos, desde que lhes concedera abrigo por ocasião da escassez em Canaã.

Viajar com a caravana de Zafenat Paneh-ah em nada se parecia com as viagens da minha infância. Meu irmão era transportado em uma liteira pelos carregadores militares, e seus filhos vinham atrás, montados em jumentos. Benia e eu, que íamos a pé, éramos cercados de criados que nos ofereciam cerveja fria e frutas ao menor gesto da mão para fazer sombra sobre os olhos. À noite, descansávamos em colchões altos sob tendas muito brancas.

O luxo não era a única diferença. A viagem era muito silenciosa, quase sem ruído algum. José ia sozinho, a testa enrugada, os nós dos dedos brancos nos braços da cadeira. Eu também me sentia apreensiva, mas não havia jeito de conversar com Benia sem ser ouvida pelos demais.

Só os filhos de José estavam despreocupados. Menashe e Efraim chamaram os jumentos de Hupim e Mupim e inventavam histórias sobre eles. Jogavam uma bola de um para o outro e riam, reclamando que seu traseiro estava roxo de tanto cavalgar. Não fosse por eles, talvez esquecesse o que era sorrir.

Depois de quatro dias, chegamos ao acampamento dos filhos de Jacó. Fiquei impressionada com o tamanho dele. Havia imaginado um agrupamento como o de Shechem, com umas dez tendas e mais ou menos vinte fogueiras para cozinha. Aquele, porém, era um verdadeiro povoado: muitas mulheres com a cabeça coberta andavam apressadas de um lado para outro carregando cântaros de água e lenha para o fogo. O choro das crianças elevava-se em meio ao som das palavras em minha língua materna sendo faladas, gritadas ou mesmo cantadas em pronúncias ao mesmo tempo familiares e desconhecidas. Mas foram os cheiros que me levaram às lágrimas: cebolas sendo fritas em azeite de oliva, o cheiro de almíscar e poeira dos rebanhos misturado ao aroma de pão assando. Só a mão de Benia na minha impediu que eu me descontrolasse.

Uma delegação composta pelos líderes da tribo veio ao encontro do vizir, seu parente. José enfrentou-os com um filho de cada lado e cercado por seus belos guardas. Atrás deles vinham criados, carregadores, escravas e, meio afastados, um marceneiro e sua esposa. O rosto de José estava quase branco de ansiedade, mas ele mostrava os dentes em um sorriso largo, falso.

À nossa frente, os filhos de Jacó, mas eu não reconhecia nenhum daqueles homens idosos. O mais velho deles, que tinha o rosto profundamente enrugado e escondido por cabelos grisalhos e sujos, falou devagar e com dificuldade no idioma do Egito. Apresentou cumprimentos formais a Zafenat Paneh-ah, protetor e salvador, aquele que os trouxera em paz para aquela terra e os alimentara. Só quando começou a falar em sua língua materna é que o reconheci.

— Em nome de nosso pai, Jacó, dou-lhe boas-vindas, irmão, às nossas humildes tendas — disse Judá, que havia sido tão bonito na juventude. — Papai está quase morrendo. Nem sempre está lúcido e agita-se no leito chamando por Raquel e Lia. Às vezes, acorda de um sonho e amaldiçoa um filho, mas daí a pouco abençoa esse mesmo filho fazendo-lhe incontáveis elogios e promessas. Ele está esperando por você, José. Você e seus filhos.

Enquanto Judá falava, fui identificando alguns dos homens atrás dele. Lá estava Dan, com os cabelos de sua mãe, negros e musgosos, a pele ainda lisa e os olhos calmos de Bilah. Já não era tão difícil distinguir Naftali de Issacar, pois Tali estava coxo e Issacar andava curvado para a frente. Zebulun ainda se parecia com Judá, mas a vida o envelhecera menos. Muitos dos homens mais jovens, que presumia serem meus sobrinhos, lembravam Jacó quando moço. Não conseguia, porém, descobrir de quem eram filhos nem qual deles seria Benjamim.

José escutou Judá falar sem encará-lo ao menos uma vez, embora os olhos de Judá estivessem fixos nele. Nem quando Judá parou de falar José respondeu ou levantou a cabeça.

Por fim, Judá falou outra vez:

— Esses devem ser seus filhos. Que nomes você lhes deu?

— Menashe é o mais velho, e este é Efraim — respondeu José, colocando as mãos sobre a cabeça dos meninos.

Ao ouvirem seus nomes, os dois olharam vivamente para José, o rosto cheio de curiosidade, querendo saber o que estava sendo dito naquela língua de sons esquisitos que jamais haviam escutado o pai falar.

— Mal compreendem por que estamos aqui — disse José. — Nem eu mesmo sei bem.

Lampejos de irritação passaram pela fisionomia de Judá, mas rapidamente deram vez à derrota.

— Não há como desfazer os erros do passado — disse Judá. — Ainda assim, é uma atitude generosa de sua parte dar um pouco de paz ao ancião no final. A vida dele transformou-se em um tormento quando você foi dado como morto, e ele jamais se recuperou, mesmo depois de saber que você ainda vivia. Venha. Vamos ver se nosso pai está acordado. Ou você prefere comer e beber primeiro?

— Não — respondeu José. — É melhor ir vê-lo.

José deu a mão aos filhos e acompanhou Judá até a tenda onde Jacó jazia moribundo. Permaneci junto aos criados e acompanhantes de Zafenat Paneh-ah, observando-os desaparecer em meio à poeira do povoado.

Estava incapaz de sair do lugar, tremendo, furiosa porque nenhum deles me reconhecera. Mas também me sentia aliviada. Benia brandamente me conduziu para onde os criados estavam armando nossas tendas e ali esperamos.

Mal tive tempo de pôr em ordem meus sentimentos e José retornou com Menashe e Efraim, que tinham os olhos fixos no chão de tão assustados. Meu irmão passou por mim e entrou em sua tenda sem dizer nada.

Naquela noite, Benia não conseguiu persuadir-me a comer e, apesar de estar deitada ao seu lado, não fechei os olhos. Olhei a escuridão e deixei o passado fluir à vontade.

Lembrei-me da bondade de Rubem e da beleza de Judá. Lembrei-me da voz de Dan quando ele cantava e de Gad e Asher imitando nosso avô, o que me fazia rir às gargalhadas. Lembrei-me de como Issa e Tali se desmanchavam em lágrimas quando Levi e Simão os atormentavam dizendo que nem a mãe distinguia um do outro. Lembrei-me de como certa vez Judá me fez tantas cócegas que acabei urinando, mas ele nunca contou isso a ninguém. Lembrei-me de como Rubem costumava carregar-me em seus ombros e lá eu podia tocar as nuvens.

Por fim, não conseguia mais sossegar e, quando saí para caminhar pela noite, lá estava José à minha espera, andando de um lado para outro perto da minha tenda. Afastamo-nos vagarosamente do acampamento, pois não havia lua e a escuridão envolvia tudo. Quando já estávamos distantes, José sentou-se no chão e contou-me o que se passara:

— A princípio, ele não me reconheceu. Papai choramingava feito uma criança cansada e chamava: "José, onde está José?" E eu disse: "Estou aqui". Mas ele continuava perguntando: "Onde está meu filho José? Por que ele não vem?" Aproximei a boca de seu ouvido e disse: "José está aqui com os filhos, exatamente como pediu". Depois de repetirmos tudo isso à exaustão, de repente ele entendeu e agarrou-me, segurou meu rosto, minhas mãos, minha roupa. Chorando, repetiu meu nome muitas e muitas vezes e pediu-me perdão, por mim mesmo e por minha mãe. Amaldiçoou a memória de Levi, de Simão e de Rubem também. Então, lamentou-se por não ter perdoado o seu primogênito. Mencionou o nome dos meus irmãos, um a um, abençoando-os e amaldiçoando-os, transformando-os em animais, suspirando de saudade de suas travessuras de criança, chamando por suas mães para limparem seu traseiro.

E José continuou, a voz cheia de pesar e repugnância:

— Que coisa medonha envelhecer como ele. Que eu morra antes de chegar o dia em que não saiba se meus filhos são velhos ou crianças. Jacó pareceu adormecer, mas logo chamou: "Onde está José?", como se ainda não me tivesse beijado. E eu respondi: "Estou aqui". Então Jacó disse: "Quero abençoar os meninos. Deixe-me vê-los agora". Junto a mim, os meninos tremiam, mas disse-lhes que o avô desejava abençoá-los e empurrei-os para ele, um de cada lado. Ele pôs a mão direita sobre a cabeça de Efraim e a esquerda sobre a de Menashe e abençoou-os em nome de Abraão e Isaac. Depois, sentou-se e bradou: "Lembrem-se de mim". Eles recuaram de medo e vieram esconder-se atrás de mim. Disse-lhe o nome dos netos, mas não me escutava mais. Os olhos cegos estavam voltados para o alto da tenda, e falava com Raquel, desculpando-se por ter abandonado seus restos mortais à beira de uma estrada. Chorou por sua amada e suplicou-lhe que o deixasse morrer em paz. Nem percebeu quando saí com meus filhos — disse José.

Enquanto José falava, senti o velho peso voltar a oprimir meu coração e reconheci o fardo que havia carregado durante os anos vividos na casa de Nakht-re. Não era fruto da tristeza, como havia pensado. Era raiva o que vinha de dentro de mim e encontrava sua voz perdida.

— E quanto a mim? — perguntei. — Ele citou meu nome? Arrependeu-se do que me fez? Falou do massacre em Shechem? Chorou pelo sangue inocente de Shalem e de Hamor? Arrependeu-se por ter destruído sua própria honra?

José manteve-se em silêncio por algum tempo. E respondeu:

— Ele nada falou sobre você. Dinah foi esquecida na casa de Jacó.

Suas palavras deveriam ter-me atingido duramente, mas não o fizeram. Deixei José sentado no chão e, trôpega, voltei sozinha para o acampamento. Sentia-me repentinamente esgotada, e cada passo era um esforço, mas meus olhos estavam secos.

⸎

Depois da chegada de José, Jacó parou de comer e beber. Morreria em poucas horas, no máximo em dias. Assim, só nos restava esperar.

Passava o tempo sentada na entrada de minha tenda fiando linho e observando os descendentes de Lia, Raquel, Zilpah e Bilah. Vi outra vez os gestos e sorrisos de minhas mães, ouvi suas risadas. Alguns laços de família eram claros como o dia. Reconheci uma cópia idêntica de Bilah em uma moça que provavelmente era filha de Dan. Uma outra menina tinha os cabelos de minha tia Raquel. O nariz adunco de Lia estava presente em toda parte.

No segundo dia da vigília junto ao leito de morte de Jacó, uma menina aproximou-se de mim com uma cesta de pão fresco nas mãos. Apresentou-se na língua do Egito como Gera, filha de Benjamim e de sua esposa egípcia, Neset. Gera estava curiosa, queria saber como uma mulher na minha posição sentava-se e fiava enquanto as outras que serviam Zafenat Paneh-ah cozinhavam, limpavam e carregavam coisas o dia inteiro.

— Disse às minhas irmãs que você deve ser ama dos filhos do vizir, meu tio — arriscou ela. — É isso mesmo? Adivinhei?

Sorri para ela e respondi:

— Você adivinhou bem. — E convidei-a para se sentar e contar sobre suas irmãs e irmãos. Gera aceitou meu convite com um ar satisfeito e começou a tecer a trama de sua família.

— Minhas irmãs ainda são crianças — disse a menina, que também ainda tinha alguns anos pela frente antes da maturidade. — São gêmeas, Meuza e Naamah, e ainda nem sabem fiar. Meu pai, Benjamim, teve filhos também em Canaã com outra esposa que morreu. Meus irmãos chamam-se Bela, Becher, Ehi e Ard, e são bons rapazes, apesar de eu não saber muita coisa sobre eles e conhecê-los tanto quanto conheço os filhos de meus tios, que são numerosos como nossos rebanhos e igualmente barulhentos — disse ela, piscando um olho para mim como se fôssemos velhas amigas.

— Você tem muitos tios? — perguntei.

— Onze — respondeu Gera —, mas os três mais velhos morreram.

— Ah — sacudi a cabeça, com um adeus para Rubem em meu coração.

Minha sobrinha instalou-se ao meu lado, tirou um fuso do avental e, pondo-se a trabalhar, desenredou os fios da meada da história de nossa família.

— O mais velho era Rubem, filho de Lia, a primeira esposa de meu avô. O escândalo foi Rubem ter sido encontrado na cama com Bilah, a esposa mais moça de Jacó. Jacó nunca perdoou seu primogênito, nem depois que Bilah morreu, nem quando Rubem lhe deu netos e mais riquezas que todos os outros filhos juntos. Dizem que, quando estava morrendo, meu tio chorava implorando o perdão de Jacó, mas o pai não o procurou. Simão e Levi, também nascidos de Lia, foram assassinados em Tânis quando eu era bebê. Ninguém sabe muito bem o que houve de fato, mas, entre as mulheres, fala-se que os dois tentaram levar vantagem sobre um comerciante em uma questão qualquer sem grande importância. A questão é que a vítima deles era um dos mais implacáveis criminosos do Egito, que os matou por causa de sua ganância.

Gera levantou a cabeça e viu Judá entrando na tenda de Jacó.

— Tio Judá, filho de Lia, tem sido o líder do clã já faz muitos anos. É um homem justo e assume bem as responsabilidades da família, apesar de alguns dos meus primos acharem que ele se tornou cauteloso demais com a idade.

Gera prosseguiu, contando-me a história de meus irmãos e de suas mulheres, mostrando-me os filhos deles, citando o nome de sobrinhas e sobrinhos, sangue do meu sangue, com os quais eu nunca trocaria uma palavra sequer.

Rubem tivera três filhos com uma esposa chamada Zilah. Sua segunda esposa, Attar, deu-lhe duas meninas, Bina e Efrat.

Simão teve cinco filhos com a detestável Ialutu, que Gera lembrava ter sido uma mulher rabugenta e de mau hálito. Ele teve um outro filho com uma mulher de Shechem, mas esse entrou em um *wadi* inundado e morreu afogado.

— Minha mãe diz que ele se matou — segredou Gera. — Aquele ali se chama Merari — apontou. — O que é incrível é ele ser uma boa pessoa, apesar de ser filho de Levi e Inbu. Seus irmãos são tão ruins quanto o pai foi.

Um homem com ar idiotizado e maxilar frouxo veio arrastando os pés até Gera, que lhe deu um pedaço de pão e mandou-o embora.

— Esse é Shela — explicou —, filho de Judá e Shua. Ele é retardado, mas é muito meigo. Meu tio teve uma segunda mulher chamada Tamar, que lhe deu Peretz, Zerach e minha melhor amiga, Dafna. Ela é a beleza da família nesta geração. Lá adiante está Hesia — disse ela, indicando com um gesto de cabeça uma mulher mais ou menos da minha idade. — Mulher de Issacar, filho de Lia. Hesia é mãe de três filhos e também de Tula, que decidiu ser parteira. Assim como Dafna herdou a beleza de Raquel, Tula tem mãos de ouro.

— Quem é Raquel? — perguntei, na esperança de ouvir falar mais de minha tia.

— Era a mãe de seu amo — respondeu, espantada com minha ignorância. — Mas talvez seja natural que você nunca tenha ouvido o nome dela. Raquel era a segunda esposa de Jacó, seu grande amor, a linda Raquel. Morreu de parto, dando à luz Benjamim, meu pai.

Concordei sacudindo a cabeça e afaguei sua mão, vendo nela a forma dos dedos de Raquel.

— Continue, querida — encorajei-a. — Conte mais. Estou gostando muito do nome das pessoas da sua família.

— Dan foi o único filho de Bilah — disse Gera. — Ela era a terceira esposa de Jacó, criada de Raquel, e foi aquela que se deitou com Rubem. Dan teve três filhas com Timna, chamadas Edna, Tirza e Berit. Todas três têm muito bom coração; são elas que cuidam de Jacó. Zilpah foi a quarta esposa, criada de Lia, e teve gêmeos. O primeiro foi Gad, que amou com grande paixão sua esposa, Serah Imnah. Porém ela morreu ao dar à luz pela quarta vez, e era a primeira menina, Serah, que hoje tem o dom do canto. Asher, o irmão gêmeo de Gad, casou-se com Oreet — continuou ela. — Tiveram primeiro uma filha, Areli, que por sua vez deu à luz uma menina na semana passada, o mais novo membro da família, que recebeu o nome de Nina. Naftali, filho de Lia, teve seis crianças com Yedida, entre as quais as filhas Elisheva e Vaniah. E, é claro, você conhece os filhos de José melhor que ninguém — concluiu Gera. — Ele não tem filhas? — indagou.

— Ainda não — respondi.

Gera avistou duas moças e, apontando-as, balançou a cabeça com veemência.

— Aquelas são duas das filhas de Zebulun, filho de Lia. A mãe delas, Ahavah, teve seis filhas, que sozinhas formam sua pequena tribo particular. Gosto muito quando estou no meio delas. É um grupo alegre. Liora, Mahalat, Giah, Yara, Noadya e Yael — enumerou, contando nos dedos o nome das primas. — São as melhores para conversar, sabem de tudo. Elas que me contaram a história do filho da mulher de Shechem, o que se matou. Ele enlouqueceu, coitado — Gera baixou a voz —, ao saber das circunstâncias terríveis de seu nascimento.

— O que poderia ter causado tanto desespero? — perguntei.

— É uma história feia — replicou ela, afetando discrição para aguçar meu interesse.

— Essas são geralmente as melhores — insisti.

— Muito bem — falou Gera, pondo seu fuso de lado e olhando-me direto nos olhos. — De acordo com o que diz a tia Ahavah, Lia teve uma filha que sobreviveu. Ela deve ter sido uma beleza de mulher, porque foi escolhida para se casar com um nobre de Shechem, para dizer a verdade, um príncipe: o próprio filho do rei Hamor!

E prosseguiu:

— O rei foi pessoalmente levar um generoso preço da noiva para Jacó, mas Simão e Levi não consideraram que fosse suficiente. Alegaram que a irmã havia sido raptada e violentada e que a honra da família fora aviltada. Fizeram tamanho alarido que o rei, curvando-se à grande paixão de seu filho pela filha de Lia, dobrou o preço da noiva. Ainda assim, meus tios não se satisfizeram. Afirmavam que aquilo era parte de um ardil dos cananeus para Hamor se apoderar de tudo o que Jacó possuía. E então Simão e Levi tentaram desfazer o casamento, fazendo uma exigência que acharam que não seria aceita: a de que todos os homens da cidade fossem circuncidados, como os da tribo de Jacó haviam sido. Agora vem a parte intrigante dessa história, e por causa disso às vezes tenho a impressão de que talvez não passe de uma lenda que as moças contam uma para outra. O príncipe aceitou a condição, deixou-se cortar! Ele, seu pai e todos os outros homens! Minhas primas dizem que isso é impossível, que nenhum homem é capaz de tanto amor assim. Na história, porém, o príncipe concordou. Ele e os outros homens da cidade foram circuncidados.

Gera baixou a voz, dando um tom sombrio ao final doloroso.

— Duas noites depois, quando os homens ainda gemiam de dor, Simão e Levi entraram furtivamente na cidade e trucidaram o príncipe, o rei e todos os homens que encontraram dentro dos muros de Shechem. Roubaram também gado e mulheres, e foi assim que Simão veio a ter uma esposa vinda de lá. Quando o filho deles descobriu a vilania do pai, preferiu morrer e afogou-se.

Mantive o tempo todo os olhos fixos em meu fuso enquanto ela contava a história.

— E o que foi feito da irmã? — perguntei. — A que foi amada pelo príncipe?

— Isso é um mistério — respondeu Gera. — Acho que ela morreu de tristeza. Serah fez uma canção dizendo que ela foi levada pela Rainha do Paraíso e transformada em uma estrela cadente.

— Alguém ainda se lembra do nome dela? — perguntei em surdina.

— Dinah — ela disse. — Gosto do som desse nome, não é lindo? Um dia, se eu tiver uma filha, vou chamá-la de Dinah.

Gera não falou mais nada sobre a filha de Lia e continuou discorrendo sobre inimizades e casos de amor entre os primos. Tagarelou até quase o fim da tarde, antes que lhe ocorresse começar a fazer perguntas a meu respeito, e a essa altura eu já tinha um bom motivo para me esquivar, pois estava na hora da última refeição.

Jacó morreu naquela noite. Escutei uma mulher soluçando e perguntei-me quem, entre suas noras, poderia estar chorando pelo ancião. Benia envolveu-me em seus braços, mas eu não sentia nem pesar nem rancor.

Gera trouxera-me paz. A história de Dinah era terrível demais para ser esquecida. Enquanto a memória de Jacó estivesse viva, meu nome seria lembrado. O passado fizera o pior por mim, e eu não tinha nada a temer do futuro. Deixaria a casa de Jacó mais consolada que José.

Pela manhã, Judá preparou-se para levar o corpo de Jacó para Canaã, onde descansaria junto de seus antepassados. José assistiu ao corpo ser colocado em sua liteira coberta de ouro, que ele cedera para a viagem fúnebre.

Quando Judá estava prestes a partir para enterrar seu pai, ele e José abraçaram-se pela última vez. Eu não quis presenciar a cena, mas, antes que chegasse à minha tenda, senti alguém pousar a mão em meu ombro e, ao virar-me, dei com Judá, cuja expressão era um mapa de incertezas e vergonha. Estendeu a mão fechada para mim.

— Era de nossa mãe — disse, fazendo um grande esforço para falar. — Antes de morrer, mandou me chamar e pediu que eu entregasse isto à filha dela. Pensei que tivesse perdido o juízo — continuou ele —, mas ela previu nosso encontro. Nossa mãe nunca a esqueceu e, apesar de Jacó proibir, falou sobre você todos os dias até morrer. Receba isto da parte de nossa mãe Lia. E que você encontre a paz — disse, colocando alguma coisa em minha mão e afastando-se em seguida, a cabeça caída no peito.

Olhei para baixo e vi o anel de lápis-lazúli de Raquel, o primeiro presente que Jacó lhe dera. De início, pensei em chamar Judá de volta e perguntar-

-lhe por que minha mãe me legara o símbolo do amor de Jacó por sua irmã. Porém, evidentemente, ele não teria como saber.

⁂

Foi bom ver o rio outra vez. Depois do calor das colinas, a acolhida do Nilo era doce e fresca. À noite, nos braços de Benia, contei-lhe o que ouvira de Gera e mostrei-lhe o anel.

Estava confusa com o seu significado e ansiava por um sonho que me explicasse o mistério, mas foi Benia quem me deu a resposta. Segurando minha mão sob a luz e examinando-o com olhos acostumados à beleza, ele disse:

— Talvez sua mãe quisesse dizer que este era um testemunho de que ela perdoara a irmã por suas antigas diferenças. Provavelmente é um sinal de que ela morreu com o coração reconciliado e que desejava a mesma coisa para você.

As palavras de meu marido calaram fundo, e lembrei-me de algo que Zilpah me dissera na tenda vermelha quando eu ainda era criança e pequena demais para compreender o sentido da frase: "Todos nascemos da mesma mãe". Uma vida inteira depois, eu percebia como isso era verdade.

O percurso de volta foi tranquilo, sem qualquer acontecimento marcante, e minhas mãos estavam ociosas, mas assim mesmo a viagem me deixou exausta. Ansiava por chegar em minha casa, ver Shif-re e o bebê de Kiya, que nascera no período da minha ausência.

Fiquei extremamente desassossegada durante a parada de três dias em Mênfis, mas procurei disfarçar minha impaciência por causa de Benia. Ele voltava todos os dias do mercado transbordante de entusiasmo com as madeiras que encontrara. Elogiava com grandes exclamações a textura sedosa da oliveira, a cor negra uniforme do ébano, o aroma penetrante do cedro. Trazia pedaços de pinho e ensinou os filhos de José a esculpi-los. Trouxe-me também um presente, um cântaro com a forma de uma alegre Taweret que me fazia sorrir cada vez que olhava para ela.

O veleiro do vizir rebocava uma barcaça carregada com as melhores madeiras quando deixou o porto de Mênfis para a última parte de nossa viagem em direção a Tebas. José e eu nos despedimos na escuridão da última noite. Não havia motivo para tristeza. Ele disse em tom despreocupado:

— Este é somente um até breve. Se As-naat engravidar outra vez, mando chamar você.

Mas eu sabia que não nos encontraríamos mais.

— José, isso não cabe a nós decidir. Cuide-se bem — mumurei, tocando-lhe a face com a mão que usava o anel de sua mãe. — Vou pensar em você.

— Eu também vou pensar em você — replicou ele docemente.

Pela manhã, Benia e eu seguimos apressados para o oeste. Uma vez em casa, retomamos a ordem rotineira de nossos dias. O filho de Kiya era uma criança de boa índole e aprendeu a arrulhar de prazer quando sua mãe o entregava a mim nas noites em que saía para fazer algum parto. Eu raramente a acompanhava depois do entardecer, pois estava ficando velha.

Meus pés doíam ao acordar e minhas mãos não eram mais tão ágeis, mas considerava-me afortunada por estar lúcida e ativa. Era ainda forte o bastante para cuidar de minha casa e de Benia. Ele continuava rijo e firme, o olhar sempre claro, seu amor pelo trabalho e seu amor por mim tão constantes quanto o sol.

Meus últimos anos foram bons. Kiya teve mais dois bebês, outro menino e uma menina, que tomaram conta de minha casa e do coração de meu marido. Recebíamos todos os dias inúmeros beijos com o doce perfume do hálito das crianças.

— Vocês são o elixir da juventude — dizia eu, fazendo-lhes cócegas e rindo com eles. — Vocês é que conservam meus velhos ossos, que me mantêm viva.

Entretanto, nem o carinho das crianças pequenas pode protelar a morte para sempre, e minha hora chegou. Não sofri muito. Acordei no meio da noite sentindo um peso esmagador em meu peito, mas, depois do primeiro choque, não senti mais dor.

Benia segurou meu rosto entre suas enormes mãos cálidas. Kiya chegou e acalentou e envolveu meus pés com seus longos dedos. Eles choravam e eu não conseguia formular as palavras para consolá-los. Então, eles se transformaram diante de meus olhos, e eu não tive como descrever o que via.

Meu amado tornou-se um fanal que brilhava como o sol, e seu calor aquecia-me por inteiro. Kiya surgiu resplandecente como a lua e cantava com a voz verde e solene da Rainha da Noite.

Nas trevas que rodeavam as luzes de minha vida, comecei a distinguir o rosto de minhas mães, cada uma delas refulgindo com seu próprio fogo. Lia, Raquel, Zilpah e Bilah. Inna, Re-nefer e Meryt. Até a pobre Ruti e a arrogante Rebeca alinhavam-se para receber-me. Apesar de nunca as ter visto, reconheci também Ada e Sara. Fortes, corajosas, submissas, bondosas, talentosas, confusas, leais, insensatas, prendadas, fracas: todas elas davam-me boas-vindas à sua própria maneira.

— Oh! — exclamei, surpresa e maravilhada. Benia abraçou-me com mais força ainda e soluçou. Pensou que eu estivesse sofrendo, mas era apenas a emoção com os ensinamentos que a morte me havia reservado.

Um momento antes de fazer a travessia, soube que os sacerdotes e mágicos do Egito eram uns tolos e uns impostores ao prometerem prolongar as belezas da vida além do mundo que nos foi concedido. A morte não é nenhuma inimiga, a morte é o fundamento da gratidão, da solidariedade e da arte. De todos os prazeres da vida, só o amor não deve nada à morte.

— Obrigada, amado — eu disse para Benia, mas ele não me ouviu. — Obrigada, filha — disse para Kiya, que apoiara o ouvido em meu peito e, não escutando o meu coração, iniciou seu lamento fúnebre.

Morri mas não os deixei. Benia estava sentado ao meu lado, e fiquei em seus olhos e em seu coração. Por semanas e meses e anos a fio, meu rosto viveu no jardim, meu cheiro agarrou-se aos lençóis. Enquanto ele viveu, andei com ele de dia e deitei-me com ele à noite.

Quando seus olhos se fecharam pela última vez, achei que talvez eu fosse afinal deixar o mundo. Mas, mesmo então, ainda permaneci. Shif-re cantava a canção que eu lhe ensinara e Kiya repetia os meus gestos. José pensou em mim quando sua filha nasceu. Gera deu à filha o nome de Dinah. Re-mose casou-se e contou à mulher sobre a mãe que o mandara embora para poupar sua vida, para que ele continuasse a viver. Os filhos de Re-mose tiveram filhos até a centésima geração. Alguns deles vivem na terra de meu nascimento e outros nos lugares frios e ventosos que Werenro descreveu à luz da fogueira de minhas mães.

Não há mágica na imortalidade.

No Egito, eu gostava do perfume do lótus. Uma flor desabrochava ao amanhecer na água do tanque e enchia todo o jardim com um aroma almiscarado, tão intenso e penetrante que até os peixes e os patos pareciam desfalecer. À noite, a flor muitas vezes murchava, mas o aroma perdurava. Cada vez mais fraco, porém nunca desaparecendo por completo. Dias depois, o perfume do lótus ainda pairava no jardim. Passavam-se os meses, uma abelha pousava perto do lugar onde o lótus florescera e sua essência desprendia-se outra vez, momentânea mas incontestável.

O Egito apreciava o lótus porque sua flor nunca morre. Também é assim com as pessoas que são amadas. Basta algo insignificante como um som, um nome — duas sílabas, uma alta, a outra suave — para trazer de volta os incontáveis sorrisos e lágrimas, suspiros e sonhos de uma vida humana.

Quando alguém se senta à margem de um rio, vê somente uma pequena parte da superfície. No entanto, a água que passa diante de seus olhos prova que existem insondáveis profundezas. Meu coração transborda de agradecimento pela bondade que vocês me demonstraram sentando-se à margem deste rio, visitando os ecos de meu nome.

Que seus olhos e seus filhos sejam abençoados. Que seja abençoado o chão sob seus pés. Aonde quer que vocês vão, eu vou com vocês.

Selah.

Agradecimentos

Gostaria de agradecer a Barbara Haber, responsável pelos livros da Biblioteca Arthur e Elizabeth Schlesinger sobre a História das Mulheres na América, no Radcliffe College. Por sugestão dela, candidatei-me a uma bolsa de estudos da Schlesinger, que teve a generosidade de apoiar um projeto bastante distanciado de seus propósitos. O Radcliffe College também me ofereceu a colaboração da aluna Rebecca Wand, excelente companheira de pesquisa.

Obrigada ao Departamento de Estudos Femininos da Universidade de Brandeis por minha designação como bolsista-visitante e ao Museu de Belas-Artes de Boston pela permissão para fotografar a estátua da Senhora de Sennuwy. Obrigada a Ellen Grabiner, Amy Hoffman, Renée Loth e Marla Zarrow — membros do meu grupo de prática literária —, que me proporcionaram três anos de estímulo, leitura cuidadosa, bons conselhos e amizade. Aos colegas distantes, Eddy Myers e Valerie Monroe, obrigada por terem segurado minha mão (na maioria das vezes, via e-mail) antes, durante e depois.

Obrigada a Larry Kushner por ter-me apresentado a Midrash.

Por diversos tipos de contribuição, agradeço a Iris Bass, ao professor Mark Brettler, a Jane Devitt Gnojek, Judith Himber, Karen Kushner, Gila Langner, da revista *Kerem*, Barbara Penzner, David Rosenbaum, Janice Sorkow, do Museu de Belas-Artes de Boston, e Diane Weinstein.

Meu irmão, Harry Diamant, apresentou-me a minha agente, Carolyn Jenks, que por sua vez me apresentou a Bob Wyatt, um editor cuidadoso e uma pessoa íntegra, competente e responsável.

Meu marido, Jim Ball, foi infinitamente paciente. Minha mãe, Hélène Diamant, e minha filha, Emilia Diamant, me animaram. Meu pai (cuja lembrança é uma bênção) sempre acreditou que um dia eu escreveria um romance.

Este livro foi composto na tipografia
Adobe Garamond Pro , em corpo 11,5/14,5, e impresso
em papel off-white no Sistema Digital Instant Duplex
da Divisão Gráfica da Distribuidora Record.